Manfred Berger

Hauptbahnhof Leipzig

Manfred Berger

Geschichte Architektur Technik

transpress spezial

HAUPTBAHNHOF LEIPZIG

Einbandgestaltung: Katja Draenert
Titelbild: Faszinierendes Panorama mit Querbahnsteighalle, Längsbahnsteighallen und »Promenaden«
Foto: Jürgen Rech
Bild auf dem Haupttitel: 1 Das Empfangsgebäude des größten europäischen Kopfbahnhofs im Jahre 1988

Meinem Vater
dem Baumeister
ALFRED BERGER
in dankbarem
Gedenken

Eine Haftung des Autors oder des Verlages und seiner Beauftragten für Personen-, Sach- und Vermögensschäden ist ausgeschlossen.

ISBN 3-344-70474-3

© by transpress Verlag, Postfach 10 37 43, 70032 Stuttgart.
Ein Unternehmen der Paul Pietsch Verlage GmbH + Co.

Spezialausgabe: 1. Auflage 1999

Der Nachdruck, auch einzelner Teile, ist verboten. Das Urheberrecht und sämtliche weiteren Rechte sind dem Verlag vorbehalten. Übersetzung, Speicherung, Vervielfältigung und Verbreitung einschließlich Übernahme auf elektronische Datenträger wie CD-ROM, Bildplatte usw. sowie Einspeicherung in elektronische Medien wie Bildschirmtext, Internet usw. sind ohne vorherige schriftliche Genehmigung des Verlages unzulässig und strafbar.

Typografie: Wolfgang Ritter
Druck und Bindung: Fotolito LONGO, I-39100 Bozen
Printed in Italy

Inhalt

Vorwort	6
Einleitung	7

1 Die alten Leipziger Bahnhöfe — 9
- Der Dresdner Bahnhof — 10
- Der Magdeburger Bahnhof — 20
- Der Bayrische Bahnhof — 22
- Der Thüringer Bahnhof — 26
- Der Berliner Bahnhof — 29
- Der Eilenburger Bahnhof — 30

2 Die Neugestaltung der Leipziger Eisenbahnanlagen 1902 bis 1915 — 33
- Verkehrsverhältnisse — 34
- Planungsvorbereitungen — 39
- Die Baudurchführung der Bahnanlagen in und bei Leipzig — 46

3 Der Hauptbahnhof Leipzig — 49
- Planungsgrundlagen — 50
- Der Wettbewerb zur Architektur des Empfangsgebäudes — 51
- Entwurf und Gestaltung des Empfangsgebäudes und der Bahnsteighallen — 73
    - Die Gestaltung des Empfangsgebäudes — 73
    - Die Bauausführung des Empfangsgebäudes — 84
    - Die Bauausführung der Querbahnsteighalle — 92
    - Der Entwurf der Längsbahnsteighallen — 101
    - Der Wettbewerb für die Konstruktion der Längsbahnsteighallen — 103
    - Die Bauausführung der Längsbahnsteighallen — 107
- Der Postbahnhof — 119
- Die Güterabfertigungen — 120
- Die Stellwerke — 123
- Sonstige Betriebsgebäude und Betriebsanlagen — 125
- Der Bauablauf — 130
- Die Baukosten des Empfangsgebäudes und der Bahnsteighallen — 135

4 Die Gesamtkosten für die Neugestaltung der Leipziger Bahnanlagen — 137

5 Die Projektanten und Bauleiter — 139

6 Die dreißiger Jahre in Bildern — 143

7 Die Zerstörung des Hauptbahnhofes im Zweiten Weltkrieg — 151

8 Der Wiederaufbau — 161
- Der Wiederaufbau des Empfangsgebäudes — 163
- Der Wiederaufbau der Längsbahnsteighallen — 164
- Der Wiederaufbau der Querbahnsteighalle — 167

9 Die fünfziger und sechziger Jahre in Bildern — 177

10 U- und S-Bahn für Leipzig — 187
- U-Bahn-Pläne und U-Bahn-Anfänge — 188
- Die S-Bahn Leipzig — 189

11 Fahrpläne und Frequenzen — 193

12 Die siebziger und achtziger Jahre in Bildern — 203

13 Die neunziger Jahre — 229
- Von der Vision zur Wirklichkeit – Ein Traum wird realisiert — 230
- Der Hauptbahnhof Leipzig heute — 233

14 Anhang — 245
- Zeittafel — 246
- Literaturverzeichnis — 249
- Quellenverzeichnis — 251
- Bildquellenverzeichnis — 252
- Personenregister — 252

Vorwort

Mit Respekt vor dem architektonisch-ingenieurtechnischen Werk »Hauptbahnhof Leipzig« übernahm der Verfasser den Auftrag, diesen »letzten Großbahnhof des 19. und ersten des 20. Jahrhunderts zu würdigen, doch mit Freuden, weil ihn das neben dem Völkerschlachtdenkmal monumentalste Bauwerk seiner Geburtsstadt seit frühester Jugend faszinierte.

Architektur-, Technik- und Sozialgeschichte dieses gewaltigen Bahnhofsbaues ließ sich nicht ohne dessen Einordnung in die entsprechende Entwicklungsgeschichte des vorangegangenen 19. Jahrhunderts, die er auf seinem Gebiet als absoluter Höhepunkt vollendete, darstellen. Sie beginnt mit der Leipzig-Dresdner Eisenbahn, deren Wegbereiter »jener Deutsche ohne Deutschland«, FRIEDRICH LIST, war (WALTER VON MOLO), der mit vielen Pionieren von grandiosen Fortschritten durch die Eisenbahn träumte. Sie schließt daher unbedingt auch die Eisenbahn-Verkehrsgeschichte der Stadt Leipzig ein, die mit der »Umgestaltung der Leipziger Bahnanlagen durch die Preußische und die Sächsische Staatseisenbahnverwaltung«, von deren ungeheurer Bauleistung der Hauptbahnhof heute noch am sichtbarsten zeugt, zunächst ihren bisher unübertroffenen, krönenden Abschluß fand.

Allein die gewaltige, in vieler Hinsicht heute unvorstellbare Leistung der unmittelbar an diesem Riesenbau schaffenden Arbeiter und leitenden technischen Kräfte verdient ungeachtet jeder ästhetisch-künstlerischen oder architektonisch-ingenieurtechnischen Wertung größten Respekt. Auch die umfangreiche Modernisierung des Hauptbahnhofes in den neunziger Jahren auf der Grundlage des im Wettbewerb 1994 mit dem ersten Preis ausgezeichneten Entwurfs der Architekten Hentrich-Petschnigg&Partner, denen ich für die Überlassung der Wettbewerbsschrift besonders danke, wird in der vorliegenden Ausgabe gründlich behandelt. Die Kombination der modernen Verkehrsstation mit dem Dienstleistungszentrum und die Integration in das monumentale, denkmalgeschütztes Bauwerk haben für den neuen Hauptbahnhof Leipzig ein einzigartiges, unverwechselbares Ambiente geschaffen.

Mit der vorliegenden Bildauswahl wird versucht, ihr Werk baugeschichtlich zu veranschaulichen. Aber nicht nur die historische Betrachtung des einzigartigen Bauwerkes, auch seine immer aufs neue faszinierenden Ansichten und technisch-künstlerischen Details, von verschiedenen Standorten und Blickwinkeln gesehen, mögen anregen, seine im allgemeinen nur in Eile oder meist überhaupt nicht wahrgenommenen Reize zu entdecken.

Die anspruchsvolle Aufgabe, dem Hauptbahnhof Leipzig eine Monographie zu widmen, wäre ohne die Unterstützung vieler enthusiastischen Freunde und hilfsbereiter Institutionen nicht zu realisieren gewesen, auch wenn bereits in großem Umfang authentisches sowie schon veröffentlichtes Material für dieses Buchprojekt zur Verfügung stand, während vor allem historische Fotos des Bahnhofs im weitesten Sinne relativ selten sind. Besonderer Dank gilt daher den Archiven, Museen und anderen Stellen sowie Freunden der Eisenbahn, die bereitwillig Bilder und Dokumente aus ihren Beständen reproduzieren ließen:
dem Museum für Geschichte der Stadt Leipzig, der Deutschen Fotothek Dresden, den Bildstellen der ehemaligen Reichsbahndirektionen Dresden und Halle (S), dem Verkehrsmuseum Dresden, Herrn HELMUT DONAT, Leipzig für die Überlassung seiner bis 1914 zurückreichenden, fast lückenlosen, für die Betriebsgeschichte des Hauptbahnhofes dokumentarisch besonders wertvollen Fahrplan- und Kursbuchsammlung, Herrn DIETER BAZOLD, Unterpörlitz, den Herren DR. ROLF BAYER, Leipzig, ALBRECHT BERGER, Fischheim, BENNO BERGER, Kössern, GOTTFRIED CLAUSS, Leipzig, KARL DETLEF MAI (für Fotos seines Vaters KARL HEINZ MAI), Störmthal, RUDI GÖBEL, Leipzig, GÜNTER MEYER, Aue, Dipl.-Ing. HANS MÜLLER, Dessau, BURKHARD SPRANG, Berlin, und Reichsbahnrat SCHLADITZ, Leipzig, die großzügig Fotos und Objekte ihrer Sammlung zur Verfügung stellten, nicht zuletzt den Herren HANS-JOACHIM KIRSCHE, Berlin, MICHAEL LANGHOF, Leipzig, HORST LIEBING, Borsdorf, und BURKHARD SPRANG, Berlin, die in hervorragender Weise den Hauptbahnhof fotografisch dokumentierten, meinen Söhnen ALBRECHT, BERNWARD und BENNO, die mich bei vielen Gelegenheiten unterstützten, schließlich auch Herrn WOLFGANG RITTER für die Gestaltung dieses Bandes.

Kössern, im Mai 1999
Prof. em. Dr.-Ing. habil. MANFRED BERGER

Einleitung

Nach nur sechs Jahren Bauzeit wurde am 4. Dezember 1915 der Grundstein des alten Leipzig-Dresdener Bahnhofes als Schlußstein des Hauptbahnhofgebäudes eingefügt. Als größter Bahnhof Europas sollte er die Messestadt und die wirtschaftliche Stärke des Deutschen Reiches repräsentieren.

Im gleichen Jahr entwickelte ALBERT EINSTEIN, 1914 bis 1933 Leiter des Kaiser-Wilhelm-Instituts für Physik in Berlin, seine »Allgemeine Relativitätstheorie«.

Zweieinhalb Monate vor Einweihung des Hauptbahnhofes tobte seit 22. September eine der gewaltigsten Schlachten des Krieges. Durch ihre Offensive in der Champagne suchten die Westmächte unter JOFFRE, mit 30 Divisionen und 5000 Geschützen auf 32 Kilometer Frontbreite, beginnend mit 75stündigem Trommelfeuer von drei Millionen Granaten, den mörderischen Krieg zu entscheiden, und am 9. Dezember fanden in Berlin internationalistische Friedenskundgebungen statt. Am selben Tag fragte die sozialdemokratische Fraktion im Deutschen Reichstag Kanzler BETHMANN HOLLWEG, unter welchen Bedingungen die Reichsregierung zu Friedensverhandlungen bereit sei.

So war es rückschauend ein glücklicher Umstand für Leipzig, daß die Umgestaltung der Bahnanlagen mit insgesamt fast 140 Millionen Mark Baukostenaufwand, einschließlich 11 1/2 Millionen Mark für die Hauptbahnhofsgebäude, größtenteils in Friedenszeiten erfolgte und der Hauptbahnhof noch in der ersten Kriegsphase fertiggestellt wurde. Unter ähnlichen Bedingungen konnte der 1911 begonnene Hauptbahnhof Stuttgarts erst 1928 und mit teilweise notdürftigen konstruktiven Mitteln vollendet werden.

Als unumgängliche neue Verkehrslösung folgte der Leipziger Hauptbahnhof bekannten großen Vorgängern, bei denen die alten Bahnhöfe nur in München (1876 bis 1884) und Frankfurt (Main) (1883 bis 1888) zu zentralen Kopfbahnhöfen vereinigt wurden. Wie immer, war es auch hier schwer, sich für die richtige, alle Anforderungen erfüllende Grundrißform – Durchgangs- oder Kopfbahnhof – zu entscheiden. Doch ließen die historisch bedingten, inzwischen völlig unbefriedigenden Verkehrsverhältnisse der alten Bahnhofsanlagen insgesamt keine andere Alternative als deren Zentralisation zu. Damit wurden vier der alten sechs Bahnhöfe zusammengefaßt und das bis dahin stark zersplitterte Verkehrssystem koordiniert.

Die totale Neugestaltung der Leipziger Eisenbahnanlagen 1902 bis 1915 gehört mit dem 1909 bis 1915 erbauten Hauptbahnhof zu den bedeutendsten Werken der deutschen Verkehrs- und Baugeschichte. Der Hauptbahnhof Leipzig gilt als der letzte Großbahnhof des neunzehnten und als erster des zwanzigsten Jahrhunderts. Nach einer umfassenden Modernisierung in den neunziger Jahren ist der Hauptbahnhof Leipzig auch allen modernen Ansprüchen gewachsen.

2 Das Wappen des ehemaligen Dresdner Bahnhofs bekam 1915 einen neuen Platz an der Ostseite der sächsischen Eingangshalle des neugeschaffenen Hauptbahnhofs

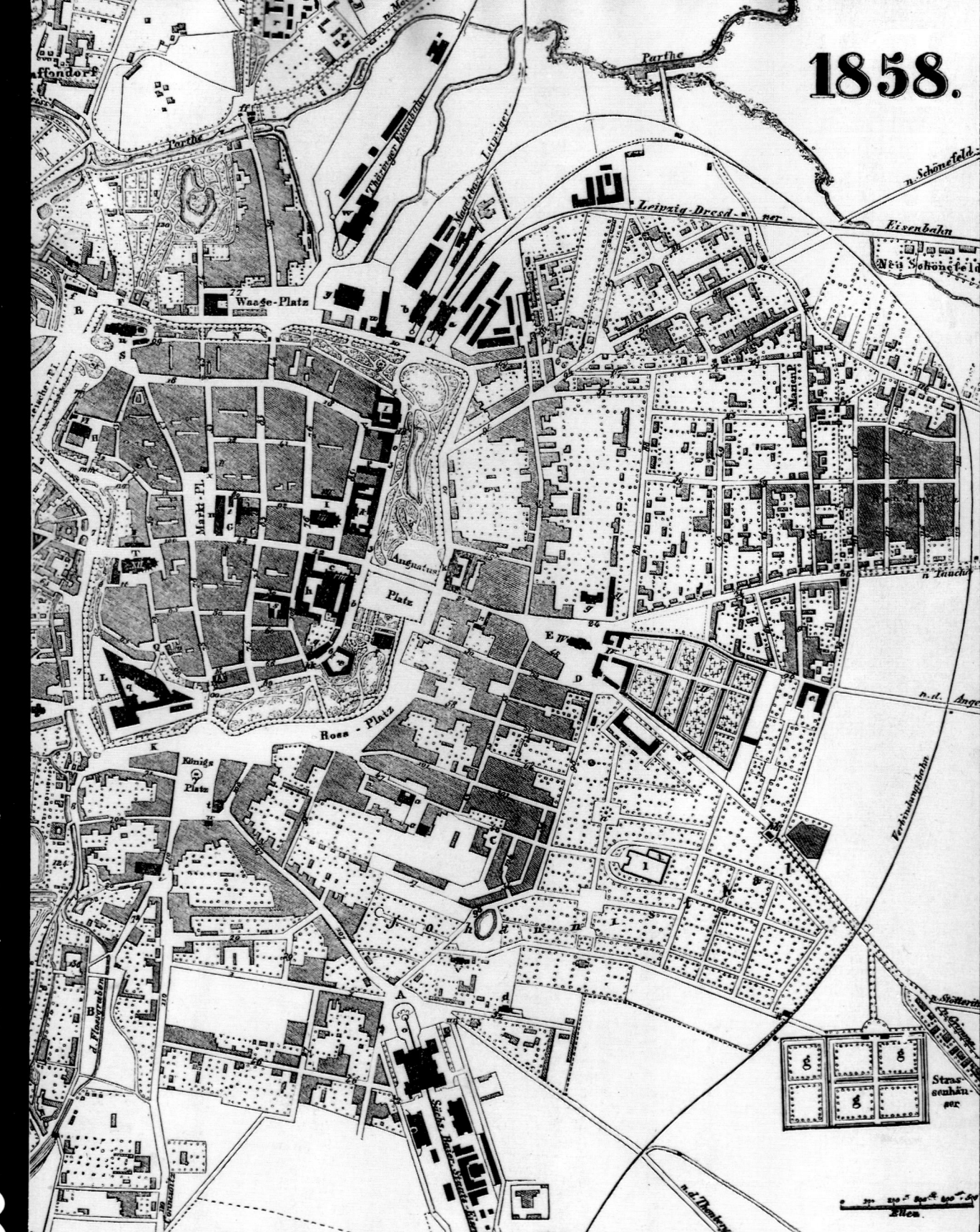

3 Das Eisenbahnnetz und die alten Bahnhöfe Leipzigs im Jahre 1858. Die Verbindungsbahn zwischen der Sächsisch-Bayrischen, Leipzig–Dresdner und Magdeburg–Leipziger Eisenbahn folgte seinerzeit der heutigen Trasse Johannisallee-Breitkopfstraße-Lutherstraße-Kreuzung Ernst-Thälmann-/Rosa-Luxemburg-Straße. Die LDE verlief damals entlang der früheren Eisenbahnstraße, der heutigen Ernst-Thälmann-Straße

DIE ALTEN LEIPZIGER BAHNHÖFE

4   Dr. FRIEDRICH LIST – Porträtzeichnung von KRIEHUBER

5   Das ehemalige Friedrich-List-Denkmal in Leipzig trug die Inschrift „FRIEDRICH LIST gebührt das Hauptverdienst an der Erbauung der Leipzig-Dresdner Eisenbahn, der ersten großen Eisenbahn Deutschlands"

6   Prof. ADOLF LEHNERT schuf das linke Flachrelief des Friedrich-List-Denkmals, das am 30. Oktober 1927 enthüllt wurde. Von links nach rechts: FLEISCHER, BUSSE, LIST, ERDMANN, LAMPE, CRUSIUS, HARKORT (sitzend), DUFOUR-FERRONCE, EINERT, SELLIER und SEYFFERTH (sitzend), PREUßER

Der Dresdner Bahnhof

Fast acht Jahrzehnte vor der Einweihung des Leipziger Hauptbahnhofes hatte die Leipzig-Dresdner Eisenbahn-Compagnie am selben Platz den ersten Bahnhof der Messestadt angelegt. Schon 1833, nachdem FRIEDRICH LIST (Bilder 4 und 5) hier seine visionäre Denkschrift über »Ein sächsisches Eisenbahn-System als Grundlage eines allgemeinen deutschen Eisenbahn-Systems . . .« veröffentlichte, vereinigten sich führende Persönlichkeiten Leipzigs (Bild 6) mit der Absicht, eine Eisenbahn von Leipzig nach Dresden als private Gesellschaft mit staatlichem Privileg zu bauen, und bildeten am 3. April 1834 ein »Eisenbahn-Comité«, das die »Leipzig-Dresdner Eisenbahn-Compagnie« mit dem Sitz ihres Direktoriums in Leipzig gründete. Dazu erhielt sie am 6. Mai 1835 die Konzession der Staatsregierung. Bereits im Herbst 1835 begannen die Bauvorbereitungen an der Muldenbrücke bei Wurzen und am 1. März 1836 die Erdarbeiten am Einschnitt bei Machern. Schon ein Jahr später, an jenem denkwürdigen 24. April 1837, konnte die Teilstrecke Leipzig–Althen der ersten Ferneisenbahn Deutschlands in Betrieb genommen werden (Bilder 7, 8 und 10).

Der Leipzig-Dresdner Bahnhof lag nördöstlich des Stadtkerns »am unteren Park« auf der heutigen Ostseite des Hauptbahnhofs (Bild 14). Als Bahnhofsgebäude schuf der Leipziger Architekt EDUARD PÖTZSCH (Bild 11) den typischen Kopfbahnhof, dessen prinzipielle Form später vielen Bahnhofsbauten als Vorbild diente. Zuerst entstand der stadtseitig mit drei Toren versehene, an der Ausfahrtseite aber völlig offene »Personeneinsteigeschuppen«, eine Bahnsteighalle mit hölzerner Bohlendachkonstruktion nach englischem Vor-

bild *(Bild 13)*, die so oder in ähnlicher Ausführung bei den frühen Bahnhofshallen üblich war, bevor sich Stahlkonstruktionen durchsetzten. Zusammen mit Pötzsch wirkten die Zimmermeister Richter und Leideritz sowie der Maurermeister Brendel an dieser Bauaufgabe, für die in Deutschland seinerzeit noch kein Musterbeispiel existierte. An die Halle waren seitlich, nicht zuletzt aus statisch-konstruktiven Gründen, bescheidene Anbauten für die Gepäck- und Güterabfertigung sowie Warte- und Abfertigungsräume für die Reisenden angefügt *(Bild 13)*. An der Promenade standen Kassen- und Portierhaus *(Bild 12)*. Die 53 m lange und 26 m breite Halle überspannte stützenfrei vier Gleise auf 1378 m² Grundfläche. Ihre halbkreisförmigen Dachbinder aus Kiefernholzsparren hatten 2,80 m Abstand und ruhten auf freistehenden, mit Kapitälen geschmückten Eichenholzsäulen.

Alle übrigen Betriebsgebäude *(Bild 15)*, Güter- und Wagenschuppen, Maschinenhaus, Schmiede, Wagenbauwerk-

7 Zeitgenössischer Stich (1837) einer „Dampfwagenfahrt von Leipzig nach dem Gerichtshainer Damm"
8 Diese Impression einer „Dampfwagenfahrt von Leipzig nach Althen" stammt ebenfalls aus dem Jahre 1837
9 Dresdner Bahnhof in Leipzig (1839) – stadtseitiger Giebelabschluß der Bahnsteighalle mit holzverschalten Fassaden in Quadermanier
10 Leipzig–Dresdner Eisenbahn – Provisorische Restauration in Althen. Stich „Dampfwagenfahrt von Althen nach Leipzig zurück" 1837
11 C. A. Eduard Pötzsch, ein Porträt aus dem Jahre 1866

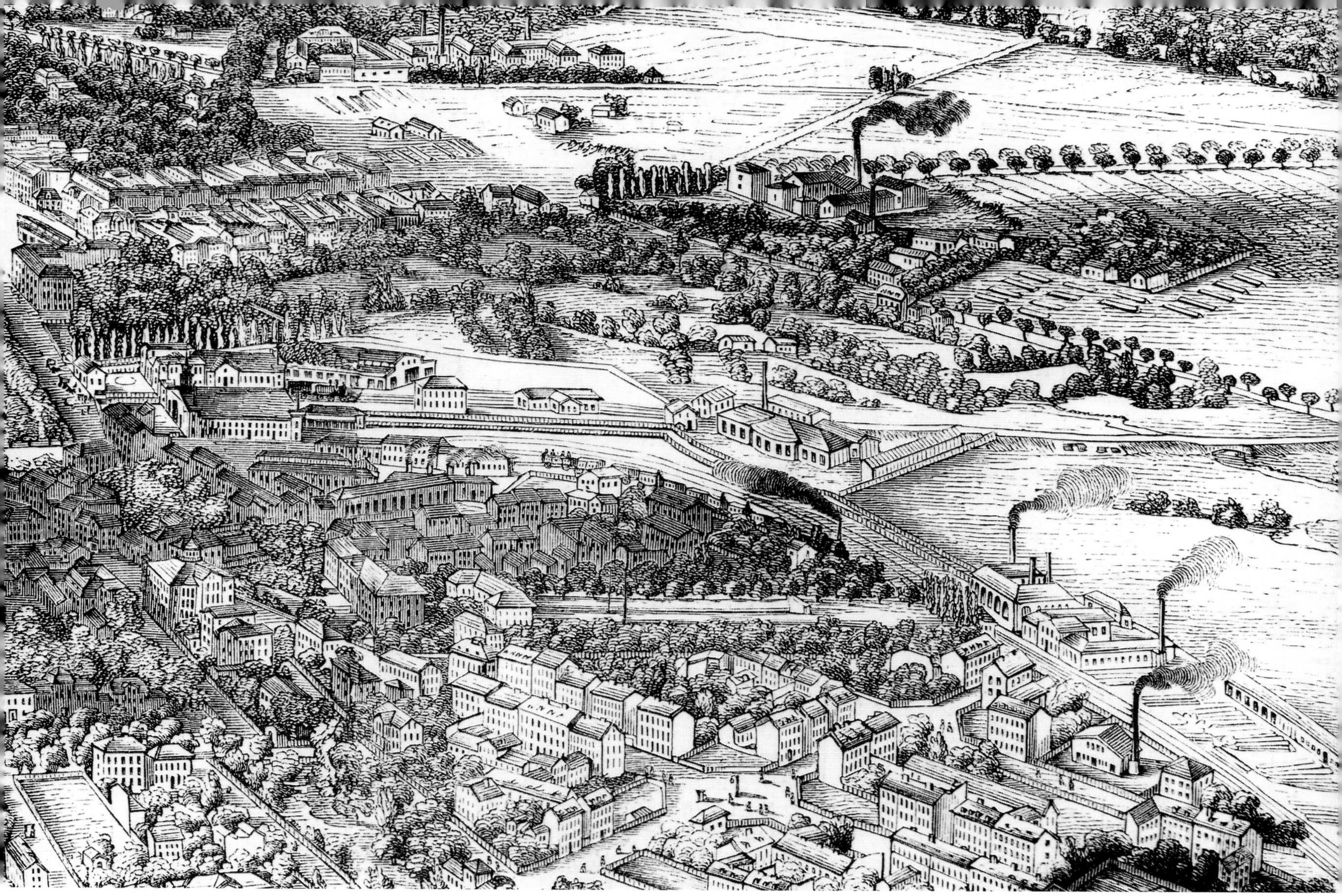

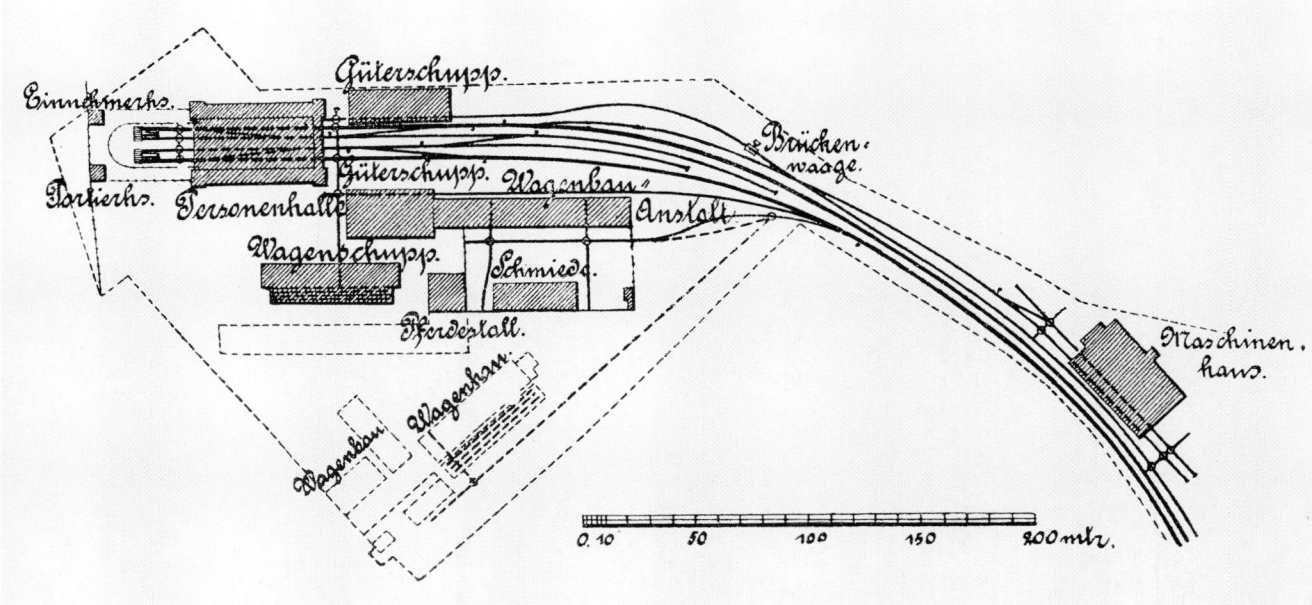

12 Dresdner und Magdeburger Bahnhof in Leipzig – Ansicht von der Promenade nach Erweiterung des Empfangsgebäudes des Dresdner Bahnhofs. Lithographie aus dem Jahre 1842

13 Die „Perronhalle" des ehemaligen Dresdner Bahnhofs mit hölzernen Bohlendachbindern, 1838

14 Das Panorama Leipzigs (Ausschnitt) mit dem Dresdner und dem Magdeburger Bahnhof, 1837

15 Lageplan des Dresdner Bahnhofs, 1840

13

16 „Empfang des Königs und der Königin von Sachsen auf dem Dresdner Bahnhof zu Leipzig", 1847

17 Der Dresdner Bahnhof – links der Ankunftsteil des Empfangsgebäudes, rechts die Güterabfertigung und die Güterschuppen, 1860

18 Der Dresdner Bahnhof, von Nordosten aus gesehen, 1860

19 Das Maschinenhaus des Dresdner Bahnhofs, 1860

20 Die Bahnsteighalle des Dresdner Bahnhofs – links die „Casse" mit Eingang zum Abfahrtsbahnsteig Richtung Dresden und Berlin. Nach Dresden war Links- und nach Berlin Rechtsverkehr

stätten und ein Pferdestall für den Rangierbetrieb waren nach dem damaligen Stand der Verkehrstechnik zweckentsprechend gestaltet beiderseits der Hauptgleise im Bahnhofsvorgelände angeordnet. Viele kleine Drehscheiben und Stichgleise dienten der Erschließung dieser Bauten sowie dem Rangieren. Insgesamt besaß der Bahnhof 1360 m Gleise, 20 Weichen, elf Drehscheiben und eine Schiebebühne.

Bereits 1842 genügte das Empfangsgebäude dem rasch gewachsenen Personenverkehr nicht mehr, so daß statt der eingeschossigen hölzernen Anbauten beiderseits der für den Durchgang der Passagiere um zwei Bogenöffnungen erweiterten Halle massive Baukörper angefügt werden mußten *(Bild 17)*. Vier Ecktürme sowie ein erhöhter Dachreiter mit Uhr und Glocke konnten die nun architektonisch unbefriedigende, breitgedrückte Gestalt des Giebels nur wenig verbessern *(Bild 16)*. An der Ausfahrtseite erhielt der Abfahrtsbahnsteig zur Verbesserung des Reisekomforts damals einen überdachten Laubengang, dessen Holzwerk Steinsäulen und -simse vortäuschte.

Im Gegensatz zu anderen Bahnen lagen bei der Leipzig-Dresdner Eisenbahn, die das englische Prinzip des Linksfahrens übernommen hatte, ursprünglich der Abfahrtsbahnsteig links und der Ankunftsbahnsteig rechts *(Bilder 18 und 20)*. Diese in Deutschland sonst ungewöhnliche Anordnung wurde erst nach der Verstaatlichung der Bahn 1884 verändert.

Ende der fünfziger Jahre erweiterte die Gesellschaft ihre Maschinen- und Reparaturwerkstätten nordöstlich des Personenbahnhofes wesentlich *(Bild 19)*. Eine zeitgenössische Lithographie zeigt etwa diesen Zustand des alten Dresdner und des 1840 eröffneten Magdeburger Bahnhofes »zu Anfang des Jahres 1862« kurz vor ihrem Umbau, aus der Vogelschau *(Bild 21)*.

Das alte Bahnhofsgebäude wurde 1864 abgebrochen, da es die weiter gestiegenen Anforderungen nicht mehr erfüllen konnte *(Bild 22)*. Der Neubau, 1864 bis 1866 nach Entwürfen des Dresdener Oberingenieurs Pöge und des Leipziger Architekten E. Hetzel ausgeführt, bedeutete vor allem betriebstechnisch keinen wesentlichen Fortschritt *(Bild 26)*. Die Bahnsteighalle blieb viergleisig; anstelle der kleinen Drehscheiben trat eine größere. Zwar erhielt der Bahnsteig am Empfangsgebäude eine Länge von 310 m, mußte aber sowohl abgehenden als auch ankommenden Zügen dienen. Schuld an dieser Situation trug der mit zu geringem Abstand herangebaute Magdeburger Bahnhof, der von vornherein jede Konzeption für einen neuen Dresdner Bahnhof einschränkte *(Bild 25)*.

Das neue, aus sieben Baukörpern bestehende Empfangsgebäude *(Bild 23)* war 253 m lang, die 122,60 m lange Bahnsteighalle überspannte, in der Mitte nur 17,50 m freitragend, vier Gleise und beiderseits, insgesamt 27 m breit, zwei Bahnsteige. Sie diente allein »dem Ablassen der Züge sowie der Unterbringung der Personenwagen«. Im ganzen waren 530 m Bahnsteige überdacht. Die sämtlich ohne Betriebsunterbrechung durchgeführten Hoch- und Tiefbauten des neuen Dresdner Bahnhofes erforderten zweieinhalb Jahre Bauzeit.

Der Dresdner Bahnhof erhielt 1874 bis 1879 im Norden einen Übergabebahnhof für den Güterverkehr in Richtung Berlin, Magdeburg und Thüringen. Durch diese Anlage und die Beseitigung mehrerer niveaugleicher Übergänge wurde das Hauptgleis der Leipzig-Dresdner Bahn auf 3,5 km Länge verlegt *(Bild 24)*. Die aufgegebene Trasse ging an die Stadt beziehungsweise Gemeinden über und bildete später die Eisenbahnstraße, die jetzige Ernst-Thälmann-Straße. Seinerzeit wurden auch die Güterbahnhofsanlagen vergrößert, 1880 ein Heizhaus für 33 Lokomotiven sowie größere Repa-

21 „Ansicht des Leipzig–Dresdner und Magdeburg-Leipziger Bahnhofs zu Anfang des Jahres 1862" von Süden aus
22 Abbruch des alten Empfangsgebäudes und der Halle des Dresdner Bahnhofs, 1864. Die korbbogenförmige Holzbohlenkonstruktion der Bahnsteighalle aus dem Jahre 1839 ist am Giebelende noch zu erkennen; über dem Hallendach der 1862/63 erbaute Uhrturm des Magdeburger Bahnhofs
23 Im Jahre 1866 war der neue Dresdner Bahnhof vollendet. Empfangsgebäude und Bahnsteighallenabschluß von Süden aus gesehen, links der Uhrturm des Magdeburger Bahnhofs

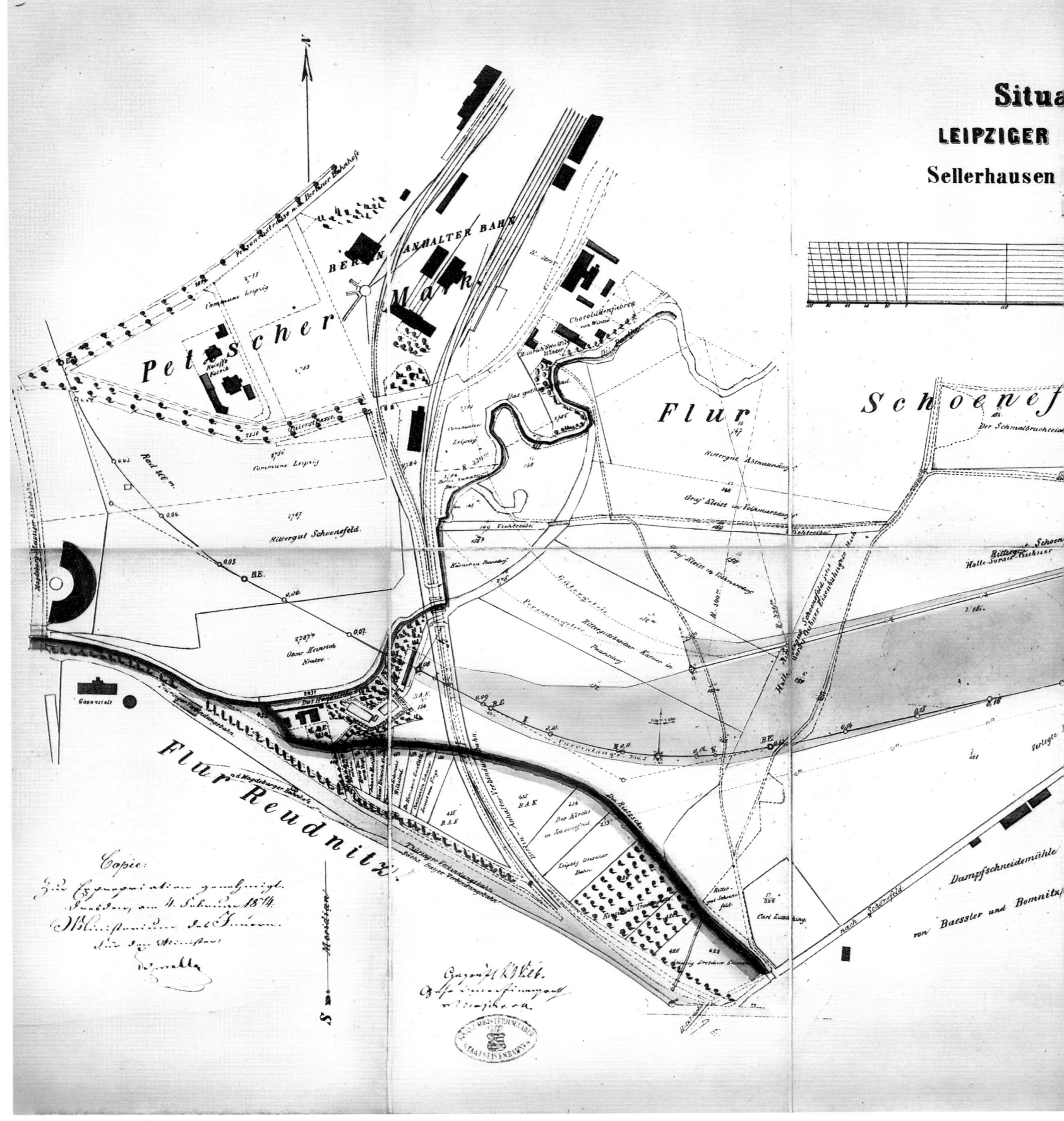

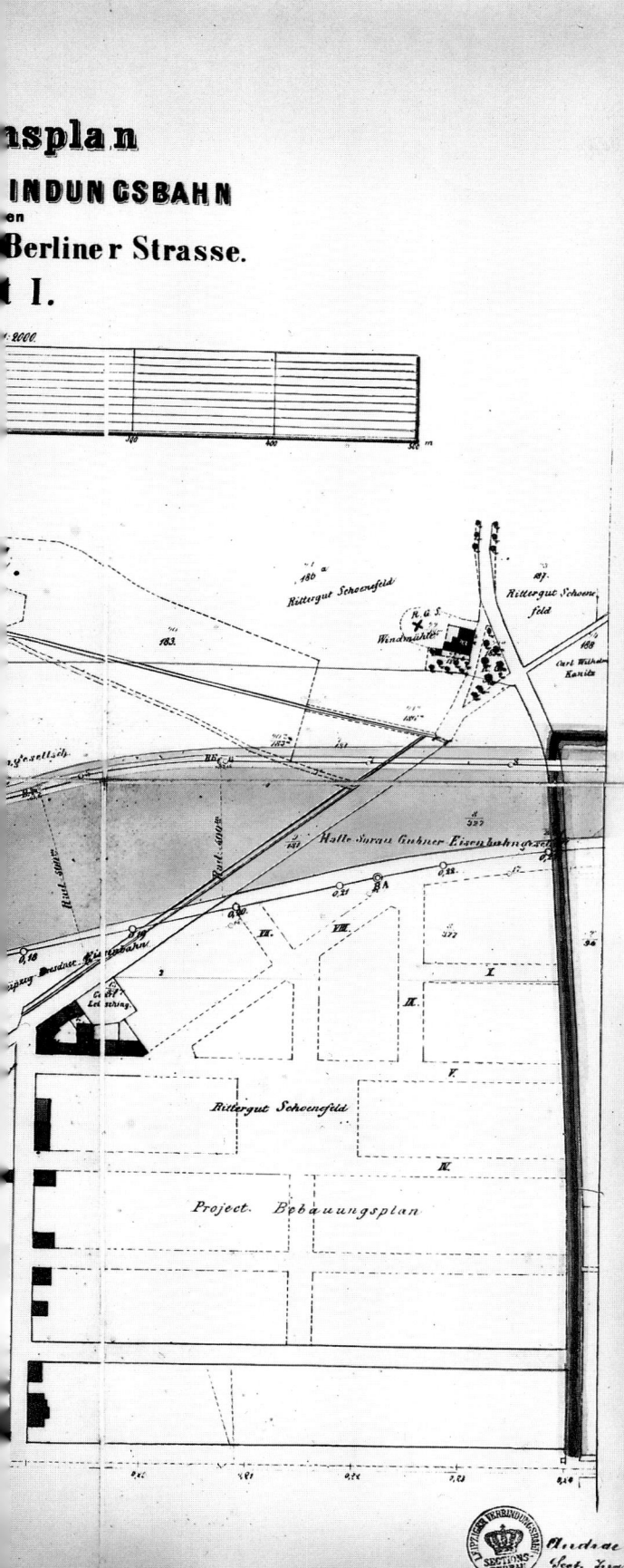

raturwerkstätten für Lokomotiven und Wagen gebaut. Ein Gebäude aus dieser Zeit, die Wagenwerkstätte, ist heute noch erhalten. Sonst erfuhr der Bahnhof bis zu seinem Abbruch wesentliche Veränderungen nicht mehr.

Am 1. Februar 1913 verließ der letzte Zug nach Dresden mit bekränzter Lokomotive den alten Dresdner Bahnhof, der danach abgebrochen wurde, so daß mit dem Bau der sächsischen Seite, des letzten Abschnittes des Hauptbahnhofs, begonnen werden konnte.

24 Die neue Leipziger Verbindungsbahn – Abschnitt zwischen Sellerhausen und der Berliner Straße mit dem Bahnhof der Berlin-Anhalter Eisenbahn (Ausschnitt), 1874. Links im Bild die Trasse der Magdeburg–Leipziger Eisenbahn mit dem Lokschuppen des Magdeburger Bahnhofs – vgl. auch Bild 29 auf Seite 21! Bei der Anlage des Berlin-Anhalter Bahnhofs hatte man sich den Durchgangsverkehr Richtung Süden und Osten vorbehalten

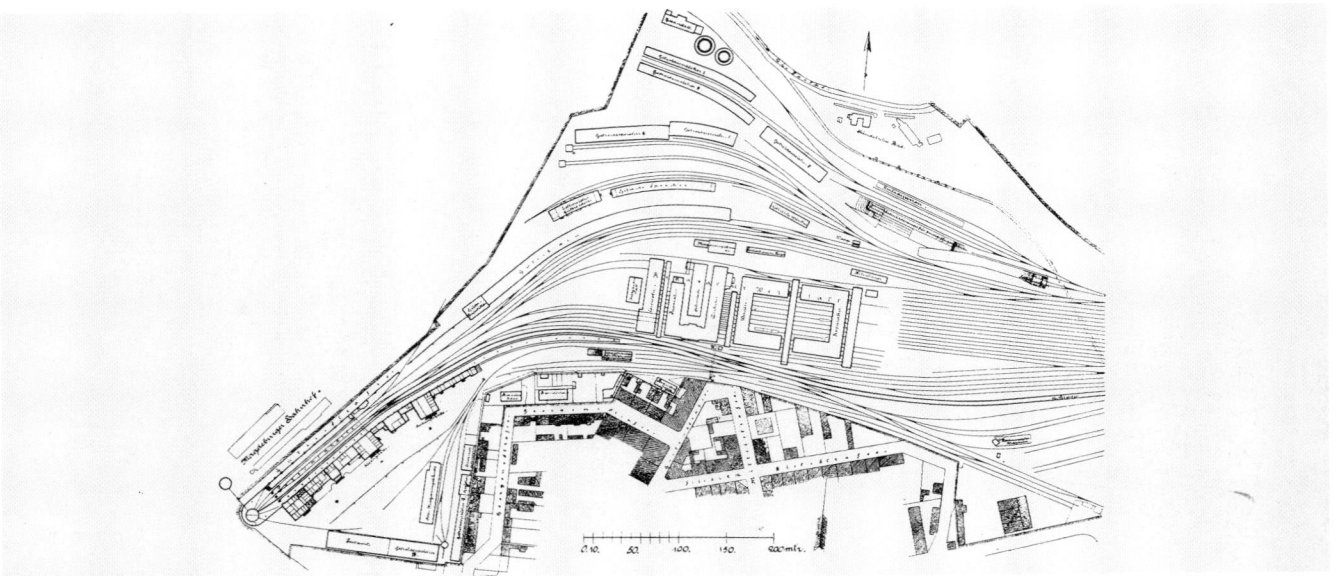

25 Südansicht des Dresdner Bahnhofs, 1909. Der kopfseitige Hallenabschluß (1866) wurde beim Neubau der Halle (1880) beseitigt, links der Magdeburger Bahnhof
26 Lageplan des Dresdner Bahnhofs, 1890
27 Die Bahnsteighalle und das Empfangsgebäude des Magdeburger Bahnhofs von Nordosten (Ausfahrtsseite) aus gesehen, 1844
28 Das Empfangsgebäude und die Bahnsteighalle des Magdeburger Bahnhofs von Südwesten aus gesehen, 1840, Lithographie von APELT
29 Lageplan des Magdeburger Bahnhofs, um 1890

Der Magdeburger Bahnhof

Am 18. August 1840, nur 16 Monate nach Vollendung der Leipzig-Dresdner Eisenbahn, eröffnete die Magdeburg-Leipziger Eisenbahngesellschaft unmittelbar westlich neben dem Dresdner Bahnhof ihre Station. Deren erstes Bahnhofsgebäude bestand aus einer vierschiffigen Bahnsteighalle, die an der Promenadenseite von zwei kleinen hochgestelzten Gebäuden symmetrisch flankiert wurde (Bild 28). Die in traditioneller Zimmermannskonstruktion ausgeführte Halle war stadtseitig mit einer säulengetragenen Attika, an der Ausfahrtseite durch eine fast antik anmutende Giebelfront abgeschlossen (Bild 27). Vor der Halle befand sich die übliche Drehscheibe, an der Promenade ein Kassen- und Portiergebäude. Die Gleisanlagen erstreckten sich nördlich bis zur Parthe, westlich bis zu den Steuergebäuden und dem Thüringer Bahnhof. Auch diese alte Bahnhofsanlage mußte Anfang der sechziger Jahre umgebaut und erweitert werden. 1862 bis 1863 wurde ein neues Empfangsgebäude (Bild 30), und zwar getrennt für Abfahrt und Ankunft beiderseits von drei Bahnhofsgleisen errichtet (Bild 29). Je ein schmaler Bahnsteig war auf Gebäudelänge mit einem Pultdach geschützt, während die Gleise selbst unbedeckt blieben. Preußische Sparsamkeit hatte hier auf eine Halle verzichtet, aber dennoch nicht auf gewisse Repräsentation: Die historisierenden Fassaden der wuchtigen Baukörper sollten beeindrucken, besonders der Uhrturm vor dem Abfahrtsgebäude (Bild 30)! Als 1864 der Dresdner Bahnhof sein neues Empfangsgebäude erhielt, wurde trotz strikter verwaltungsmäßiger und betrieblicher Trennung der preußischen von der sächsischen Eisenbahn eine möglichst einheitliche architektonische Ge-

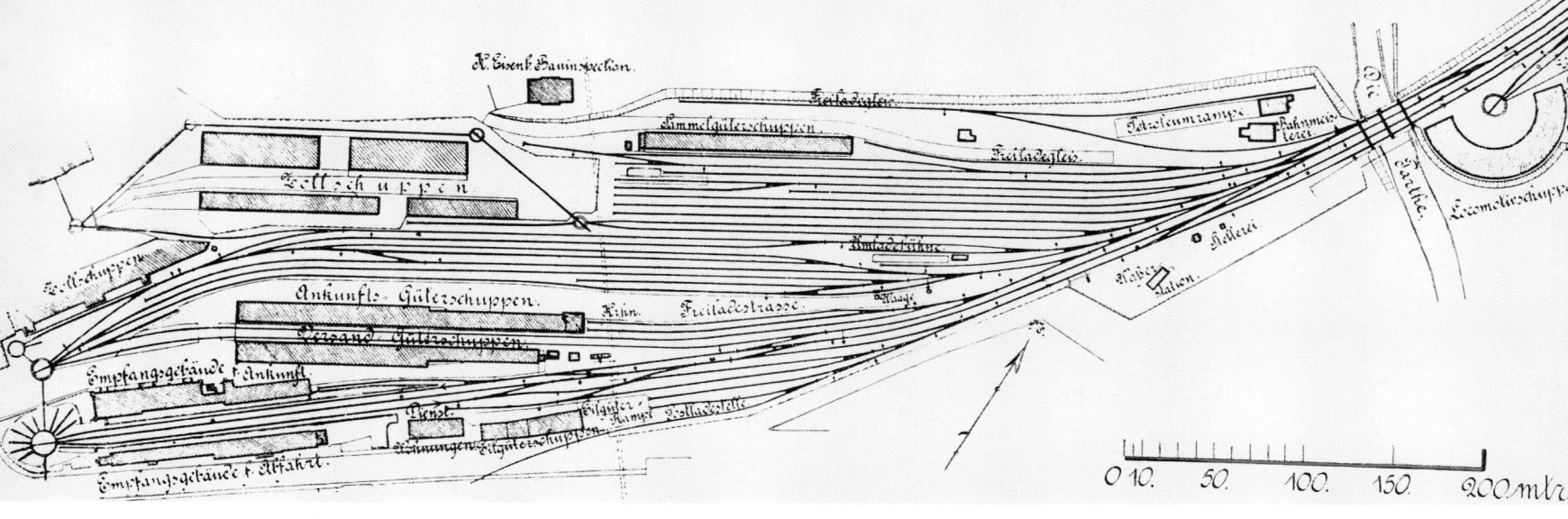

30 Südwestansicht des Empfangsgebäudes des Magdeburger Bahnhofs, um 1895

staltung der Kopffronten angestrebt und nach der Promenade hin mit den Uhrtürmen sogar eine gewisse Symmetrie erzeugt *(Bild 23)*. Da die eingeengte Lage zwischen Dresdner und Thüringer Bahnhof auch eine Erweiterung des Magdeburger Bahnhofs am ursprünglichen Standort nicht zuließ, wurde nördlich der Parthe ein neuer Rangierbahnhof angelegt, der es gestattete, vor allem den Übergabeverkehr und die Abfertigung der Güterzüge aus dem Innenbahnhof herauszunehmen *(Bild 29)*.

Um mit dem Bau des Hauptbahnhofes beginnen zu können, mußte zunächst der alte Thüringer Bahnhof abgebrochen werden. Deshalb wurden der Verkehr zwischen Leipzig und Magdeburg am 1. Oktober 1907 vom Berliner Bahnhof übernommen und die Thüringer Züge vom frei gewordenen Magdeburger Bahnhof abgefertigt, der nun «Provisorischer Thüringer Bahnhof» hieß. Dieser wurde am 1. Oktober 1912 geschlossen und danach ebenfalls abgerissen.

Der Bayrische Bahnhof

Zunächst seit 1. Juli 1841 durch die »Sächsisch-Bayrische Eisenbahnkompagnie« gebaut und betrieben, mußte der Staat seit 1. April 1847 das nicht vollendete Unternehmen fortführen. An diesem Tage wurde in Leipzig die »Königliche Direktion der Sächsisch-Bayrischen Eisenbahn« gebildet; in Sachsen begann damit der Staatseisenbahnbau.

Der Bayrische Bahnhof fand als erster in Leipzig seinen Standort weit entfernt vom Dresdner und Magdeburger Bahnhof im Weichbild südöstlich der Stadt vor dem Windmühlentor (Bild 31). Seine Anlage (Bild 32) und Hochbauten (Bilder 33 bis 35) entwarf der Leipziger Architekt EDUARD PÖTZSCH, der schon den 1837 bis 1839 gebauten Dresdner Bahnhof konzipiert hatte. Bereits am 19. September 1842 wurde der Bayrische Bahnhof mit Eröffnung der ersten Teilstrecke Leipzig – Altenburg in Betrieb genommen.

Inzwischen hatte PÖTZSCH Erfahrungen im Bahnhofsbau, und gleich vielen an technischen Projekten ingenieurmäßig arbeitenden Baumeistern jener Zeit entwarf er auch hier nicht nur das am 19. September 1844 vollendete Empfangsgebäude, sondern die gesamte Bahnhofsanlage (Bild 32).

Diese bereits ursprünglich 150 m breite, 600 m lange Anlage, die Anordnung ihrer Bauten, Empfangsgebäude, Personenhalle, Güter- und Wagenschuppen, Lokomotiv-Reparaturwerkstätten, Anheizgebäude, Gasanstalt usw., übertraf funktionell und architektonisch noch viele spätere Bahnhofsanlagen. Als Kopfbahnhof mit Abfahrts- und Ankunftsseite stellt er den ältesten Grundrißtyp großer Fern-Endbahnhöfe dar, die in größeren Städten infolge der Autonomie der jeweiligen Eisenbahngesellschaften separat entstanden. An

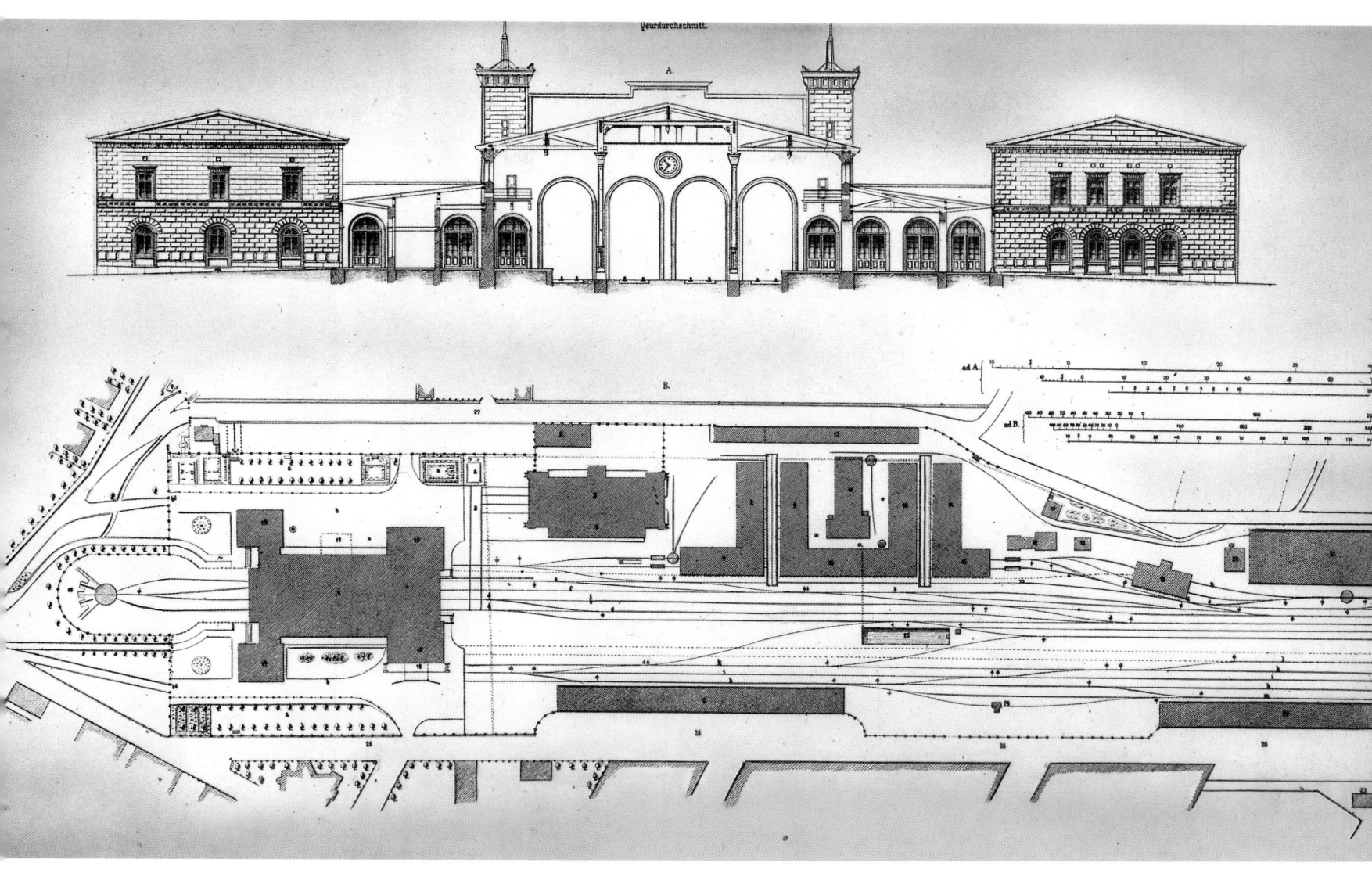

31 Der Bayrische Bahnhof – Ansicht von Norden, 1844, zeitgenössischer Stich von ELTZNER
32 Dieser Entwurf der Gesamtanlage des Bayrischen Bahnhofs im Jahre 1844 stammt von PÖTZSCH

eine viergleisige Bahnsteighalle schlossen sich seitlich die für die abfahrenden und ankommenden Reisenden bzw. Wartenden erforderlichen Räumlichkeiten an. Stadt- und bahnseitig wurde die Halle von zweigeschossigen Flügelbauten mit Abfertigungs-, Verwaltungs- und Wohnfunktionen flankiert.

Die Halle erhielt zur Stadt hin einen triumphbogenartigen Portikus für die nach der Drehscheibe *(Bild 36)* führenden vier Gleise (Abfahrts-, Ankunfts-, Maschinen- und Reservegleis), dessen seitliche Turmaufbauten seine repräsentative Wirkung noch erhöhten. Überspannt wurde die basilikale Personenhalle von einer schweren hölzernen Dachkonstruktion mit 10 m (!) Binderabstand und doppelt verzahnten Pfetten, die auf 12 m hohen Holzsäulen ruhten.

Besonders für den Güterverkehr und die Kohleversorgung der Stadt mußte der Bayrische Bahnhof 1857 bis 1860 und 1876 bis 1880 wesentlich erweitert werden. 1883 und 1892 wurden die Außenbahnsteige verlängert, der Abfahrtsbahnsteig um 260 m, davon 180 m überdacht *(Bild 37)*. Aufgrund seiner Lage blieb der Bayrische Bahnhof auch nach der Vereinigung des Dresdner, Magdeburger, Berliner und Thüringer Bahnhofs zu einem Hauptbahnhof weiter bestehen, büßte jedoch seine Bedeutung als Fernbahnhof ein *(Bild 38)*. Seit 1. Oktober 1912 verkehrten hier Schnell- und Eilzüge nicht mehr. Heute dient er noch dem Berufs-, Nah- und Güterverkehr sowie als Reservebahnhof. Während des Zweiten Weltkrieges wurden besonders Teile der Ankunftsseite durch den Luftangriff vom 4. Dezember 1943 zerstört, die tragenden Holzkonstruktionsteile der Halle jedoch erst 1950 demontiert. Wesentliche Baukörper, vor allem der eindrucksvolle Portikus blieben aber erhalten, so daß dieses älteste, in vielen Bestandteilen noch originale Empfangsgebäude eines großen Kopfbahnhofes aus der Frühzeit der Eisenbahn als Denkmal der Verkehrsgeschichte von internationalem Rang eingestuft worden ist.

SAECHS.-BAYERSCHE STAATS-EISENBAHN

24

Königlich Sächsische Westliche Staats - Eisenbahn
Empfangs- und Administrationsgebäude
in Leipzig

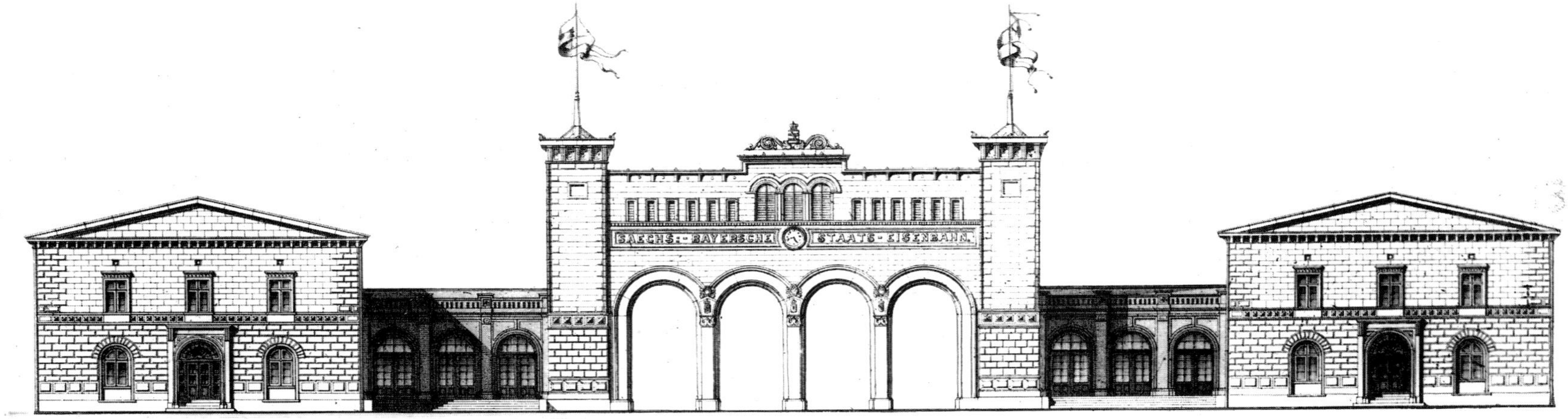

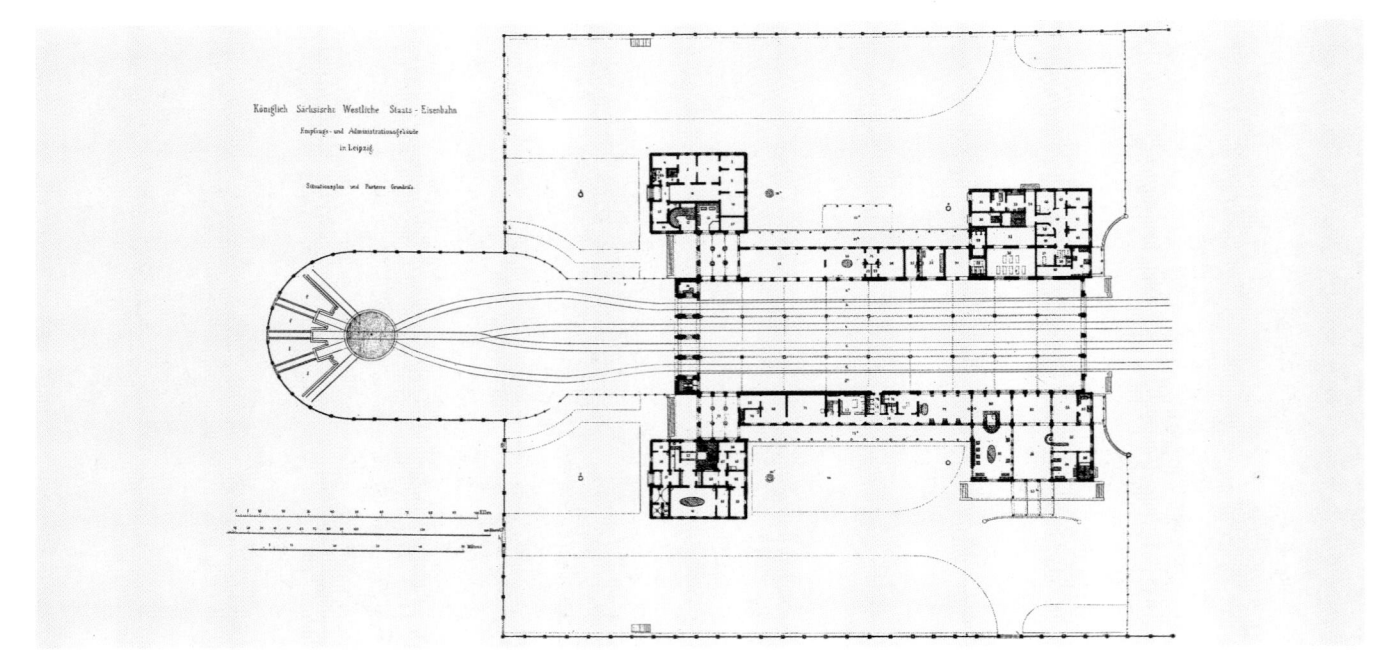

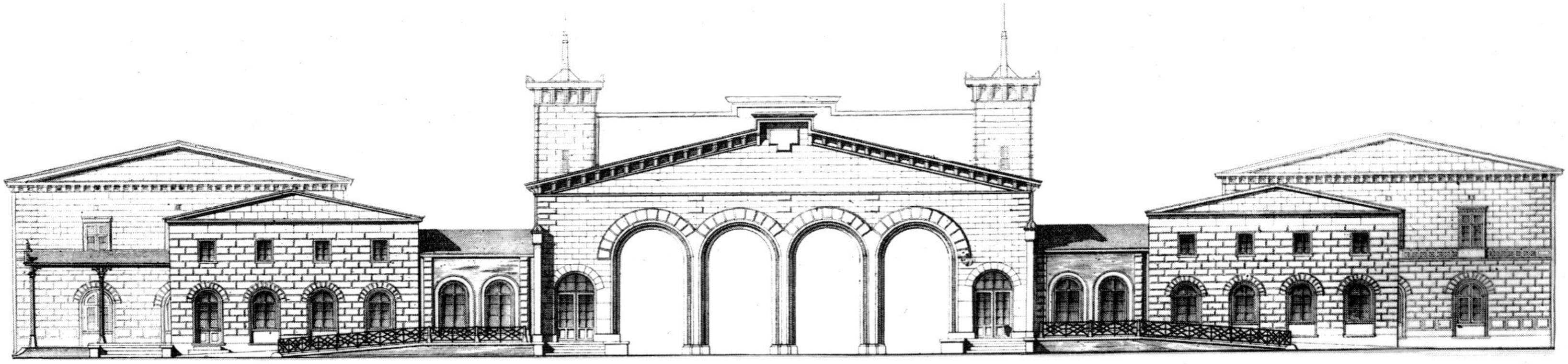

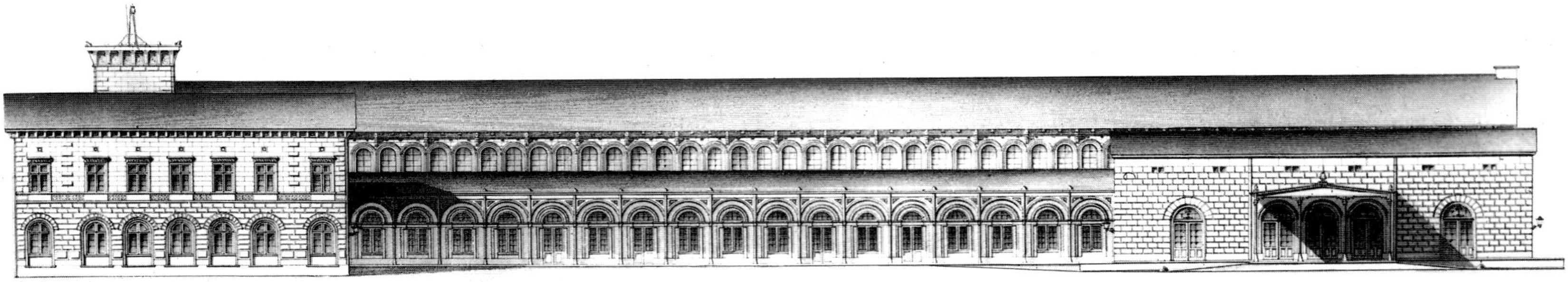

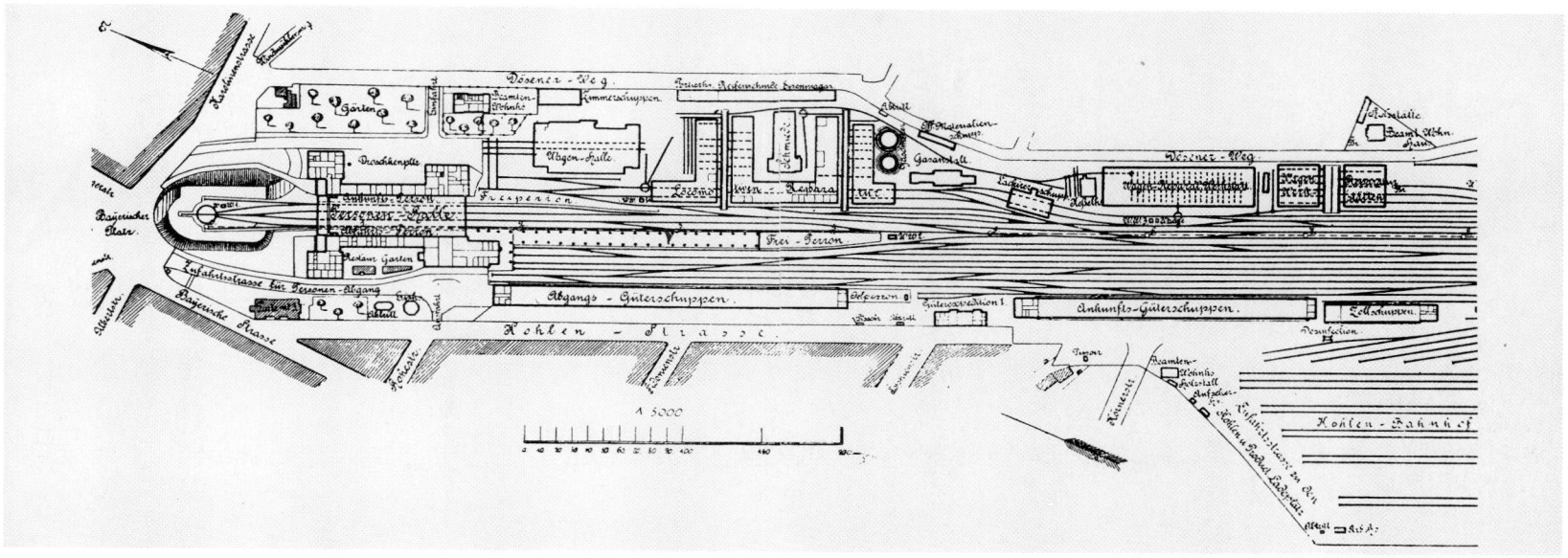

33 Ansichten des Bayrischen Bahnhofs von der Stadt- und Bahnseite, 1844
34 Westliche Seitenansicht des über 100 Meter langen Empfangsgebäudes, 1844
35 Situationsplan und Erdgeschoßgrundriß des Empfangsgebäudes mit Bahnsteighalle, 1844
36 Nordansicht des Bayrischen Bahnhofs mit Drehscheibe, um 1900
37 Lageplan mit wesentlichen Erweiterungen der Anlagen für den Reise- und Güterverkehr, um 1890
38 Fahrplan der „Sächsisch-Bayerischen Staats-Eisenbahn", 15. Mai 1855

Der Thüringer Bahnhof

Zur Verbindung ihrer Stammstrecke Halle–Erfurt mit Leipzig eröffnete die Thüringische Eisenbahn-Gesellschaft am 22. März 1856 die Zweigstrecke Leipzig–Corbetha. Für die Leipziger Bahnhofsanlage hatte sie schon im Juli 1855 nördlich der Stadt die Gerberwiese gekauft, ein moriges, von der Parthe und Wassergräben umschlossenes Gelände, das heute von der Rudolf-Breitscheid-Straße (der früheren Blücherstraße), der Parthe und der Westfront des Hauptbahnhofs begrenzt wird. Enorme Erdarbeiten waren zu bewältigen, um das Baugelände tragfähig zu machen. Mit 300 zweirädrigen Kippkarren, mit von Pferden gezogenen »Lowrys« und weiteren 100 Handkarren bewegten über 800 Arbeiter allein 550 000 m³ Kiessand, um das Terrain um etwa 3 m aufzufüllen. Vorher mußte der Moorboden bis zur Gründungstiefe entfernt werden. »Wo das Empfangsgebäude jetzt steht, glich der Ort einem See«, wurde damals berichtet.

Als erste Hochbauten wurden ein Lokomotivschuppen für neun Maschinen, die Wasserstation, eine Schmiede, Reparaturwerkstatt, Schlosserei und andere betriebswichtige Gebäude errichtet. Es waren Backsteinrohbauten mit Pappdächern, wie im damaligen Industriebau üblich. Die großen Güterschuppen hatten Fachwerkwände, überdachte »Ladeperrons« mit Hubvorrichtungen für schwere Lasten. Mit diesen in nur einem halben Jahr fertiggestellten Baulichkeiten wurde auch der Personenverkehr am 22. März 1856 zwischen Leipzig und Thüringen provisorisch eröffnet.

Am 28. März 1856 erfolgte die Grundsteinlegung für das Empfangsgebäude und die Bahnsteighalle der Kopfstation (Bild 30). Letztere überspannte mit einer schmiedeeisernen

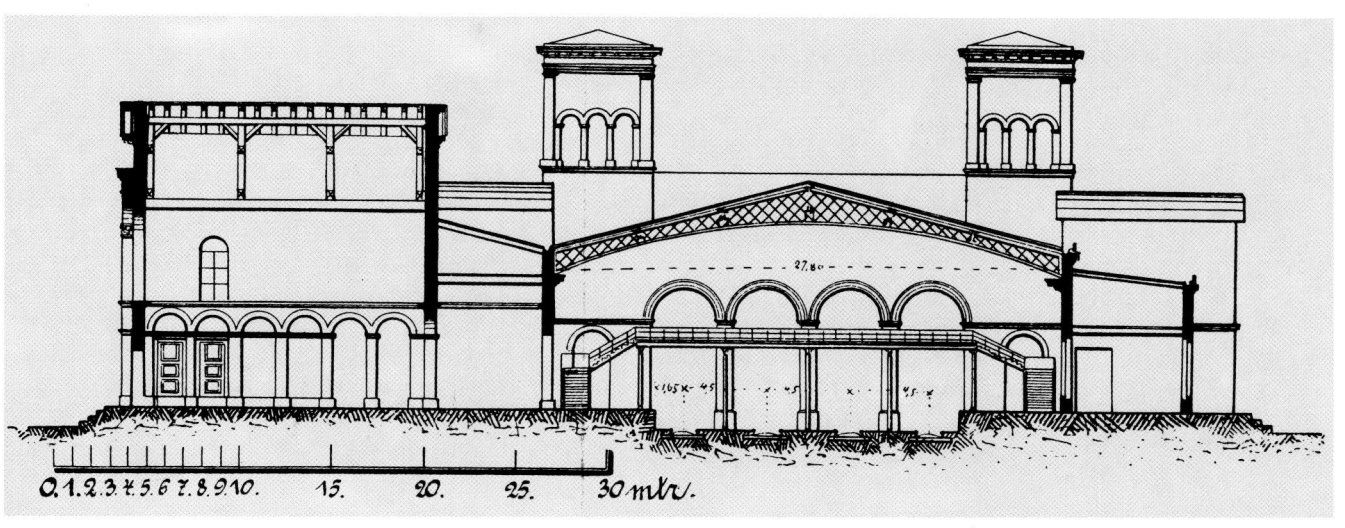

39 Kopfseite mit Portikus des Thüringer Bahnhofs von Südsüdwest aus gesehen, mit Drehscheibe, 1857
40 Südliche Teilansicht des Kopfbaues des Thüringer Bahnhofs, um 1890
41 Schnitt durch die Bahnsteig- und die Eingangshalle des Empfangsgebäudes, Thüringer Bahnhof, 1857

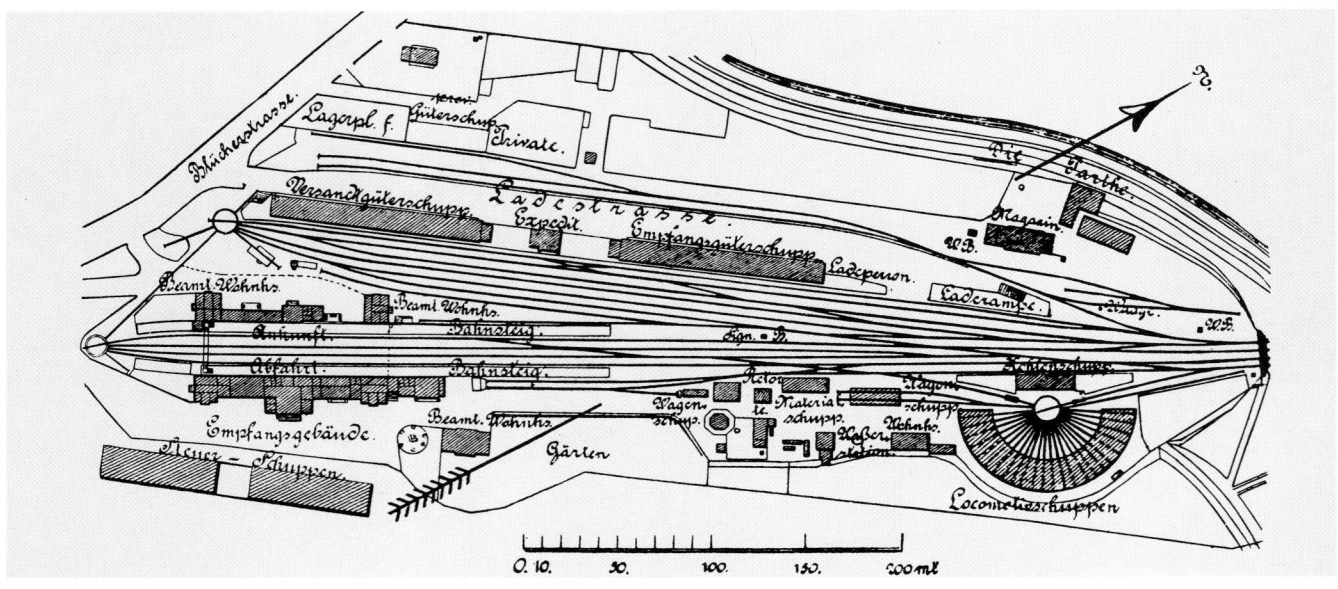

42 Gesamtansicht des Empfangsgebäudes von Südwesten, um 1900

43 Der Thüringer Bahnhof während seines Abbruchs im Herbst 1907

44 Lageplan des Thüringer Bahnhofs um 1890

freitragenden Gitterbogenkonstruktion auf 96 m Länge und 27,80 m Breite vier Gleise sowie Abfahrts- und Ankunftsbahnsteig *(Bild 41)*. Der Kopfbau des am 11. Juli 1857 in Betrieb genommenen Empfangsgebäudes entsprach im Prinzip dem des 15 Jahre vorher erbauten Bayerischen Bahnhofes, seine Komposition der Baukörper und die Fassadengestaltung, besonders Details der Türme und der erhöhte Hallenabschluß durch eine Galerie *(Bild 40)*, lassen aber vermuten, daß der 1845 bis 1847 durch FRIEDRICH NEUHAUS geschaffene Hamburger Bahnhof in Berlin beim Entwurf des Thüringer Bahnhofs als Vorbild diente. Das von der Eisenbahnverwaltung entworfene spätklassizistische Gebäude war nach einer zeitgenössischen Beschreibung »im gräcisierenden Stil durchgeführt... Zwei Wohngebäude bilden im Verein mit den Türmen das Widerlager für die Bogenstellung der Halle, welche eine korinthische Säulengalerie, mit Pilastern über den Rundbogenpfeilern, trägt.« *(Bild 42)*

Im östlichen Mittelbau befand sich »eine große Eingangshalle mit Billetausgabe, Gepäckräumen, Portierzimmer, Retiraden und der Passage zu den Wartezimmern. An dem Perron für ankommende Züge liegt ein kleines Vestibül, das den Reisenden Ausgang gewährt, daran schließt sich die Gepäckausgabe, eine Kofferträgerstube und ein reserviertes Zimmer an« *(Bild 44)*. Wie damals üblich, waren Abfahrts- und Ankunftsbahnsteig nicht miteinander verbunden. Von den dazwischenliegenden vier Gleisen dienten die mittleren zur Aufstellung von Personenwagen und zum Rücklauf der Maschinen angekommener Züge.

Der Thüringer Bahnhof wurde am 1. Oktober 1907 zur Vorbereitung der von Westen nach Osten fortschreitenden Bauabschnitte des neuen Hauptbahnhofes geschlossen und als erster der vier benachbarten alten Leipziger Bahnhöfe abgebrochen *(Bild 43)*. Der Magdeburger Bahnhof diente bis zum 1. Oktober 1912 als »Provisorischer Thüringer Bahnhof«.

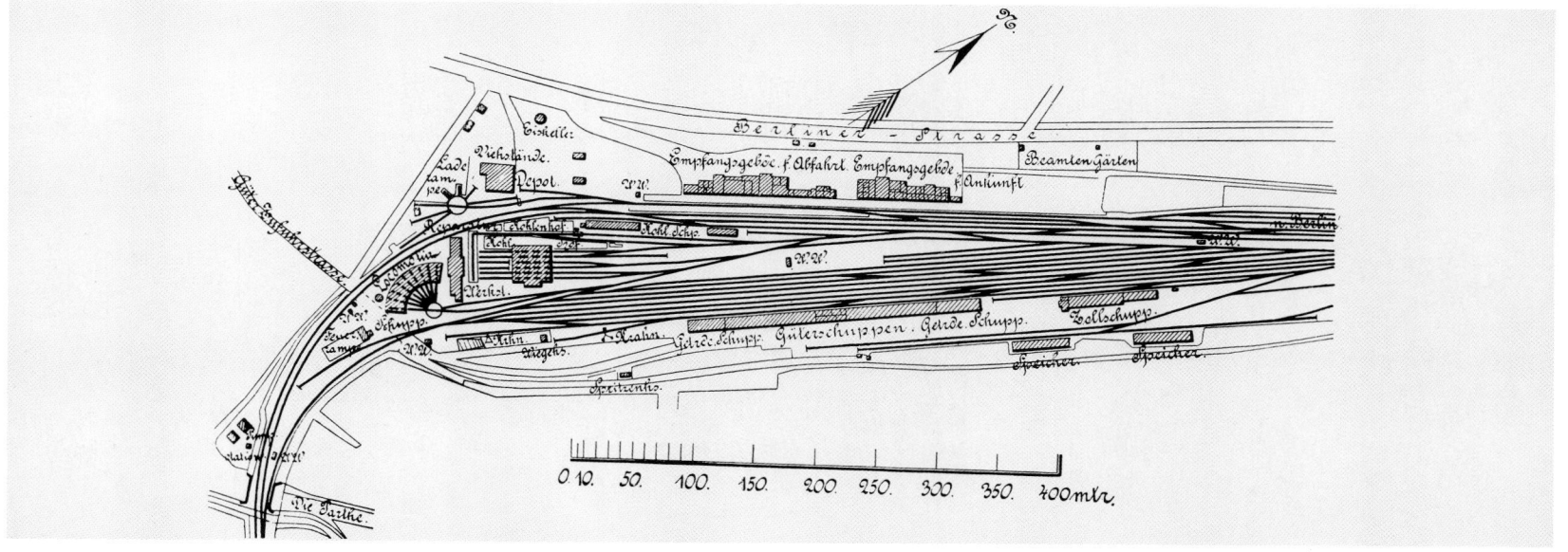

45 Szene auf dem Fahrsteig, Motiv einer historischen Ansichtskarte
46 Empfangsgebäude des Berliner Bahnhofs von Westen aus gesehen, 1899; vorn der Abfahrts- und hinten der Ankunftsbau
47 Lageplan des Berliner Bahnhofs um 1890

Der Berliner Bahnhof

Die Anlagen des Berliner Bahnhofes, des vierten der später in den Hauptbahnhof integrierten Leipziger Bahnhöfe, wurden am 1. Februar 1859 für den Verkehr von Berlin nach Leipzig und weiter nach Hof in Betrieb genommen. Er erstreckte sich auf der sogenannten Petzscher Mark, einer zum Leipziger Stadtgut Pfaffendorf gehörigen Wüsten Mark zwischen der Mockauer Straße, der heutigen Berliner Straße, und dem Plösner Weg, der heutigen Rackwitzer Straße, von der Parthe nach Norden bis zur Berliner Brücke. Dieser mehr als ein Kilometer lange Standort gestattete flächenmäßig eine großzügige, erweiterungsfähige Anlage. 1890 umfaßte der Bahnhof insgesamt 21 Hektar und 16 000 m² bebaute Fläche mit über 22 km Gleisen und 110 Weichen *(Bild 47)*. Für den Personenverkehr war der Berliner Bahnhof jedoch zu weit von der Stadt entfernt und ursprünglich nur mit der Pferdedroschke oder zu Fuß erreichbar. Die Eröffnung einer Straßenbahnlinie zwischen Mockau und Schönefeld am 20. Mai 1896 brachte zwar seinen Anschluß an das innerstädtische Verkehrsnetz, aber zu dieser Zeit hatte er seine Bedeutung für den Personenverkehr bereits eingebüßt, denn seit 1891 war er nur noch Durchgangsbahnhof, da alle Züge vom Bayrischen Bahnhof abgingen, bzw. dort endeten. Schon 1879 wurde zwischen dem Berliner und Bayrischen Bahnhof eine neue zweigleisige Verbindung geschaffen.

Der Berliner Bahnhof wurde auch als Durchgangsbahnhof angelegt. Die längs eines Hausbahnsteiges für Abfahrt und Ankunft getrennt angeordneten Empfangsgebäude *(Bilder 45 bis 47)* standen an einem Abzweig der Berliner Straße gegenüber der einmündenden Apelstraße am Betriebshof Wit-

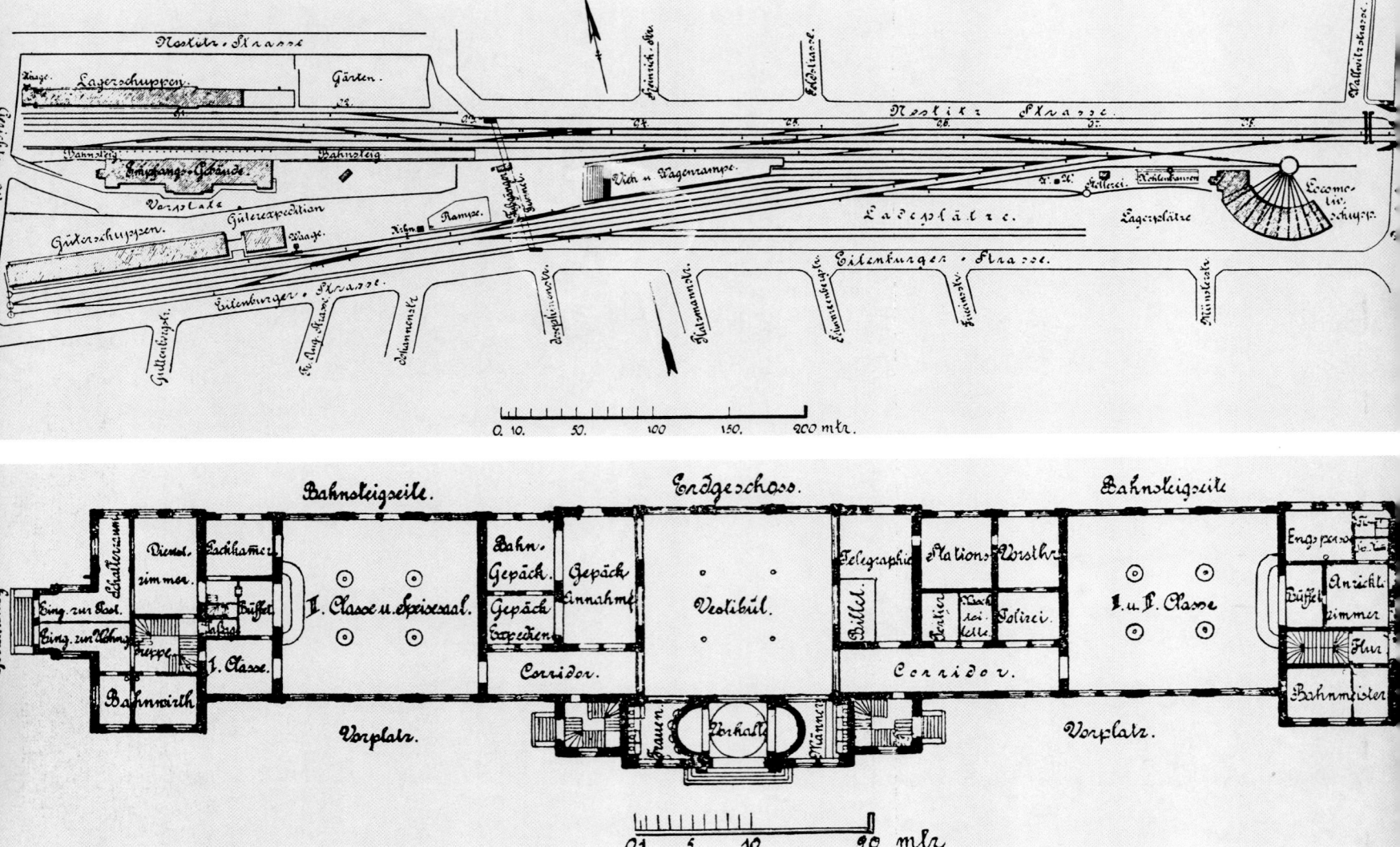

tenberger Straße der »Leipziger Electrischen Straßenbahn«. Für abfahrende Züge war außerdem noch ein Zwischenbahnsteig vorhanden. Zum Bahnhof gehörten große Güter- und Zollschuppen, Speicher und Verladeeinrichtungen, Werkstätten und ein Ringschuppen für neun Lokomotiven. Die Gleisanlagen waren ebenfalls im Gegensatz zu allen bis dahin geschaffenen Leipziger Bahnhöfen für den Durchgangsverkehr konzipiert *(Bild 47)*.

Nachdem der Berliner Bahnhof seit 1. Oktober 1907 den Leipzig-Magdeburger Personenverkehr mit abzufertigen hatte, wurde er mit Inbetriebnahme der preußischen Seite des Hauptbahnhofes am 1. Oktober 1912 für den Personenverkehr geschlossen und danach abgebrochen.

Der Eilenburger Bahnhof

In Anbetracht der völlig eingeengten, nicht erweiterungsfähigen Lage der vier alten Leipziger Bahnhöfe baute die Halle-Sorau-Gubener Eisenbahngesellschaft 1873 bis 1874 als letzten Kopfbahnhof der Messestadt den Eilenburger Bahnhof, Endpunkt ihrer Zweigstrecke von Eilenburg, zwischen der Eilenburger und der jetzigen Reichpietzschstraße mit seiner Kopfseite am Gerichtsweg und der Ausfahrt an der Riebeckstraße *(Bild 48)*. Dieses Gelände war bis dahin im wesentlichen noch unbebaut. Sie zog damit die kostengünstigere Variante eines großen selbständigen Bahnhofs in Leipzig einer Endigung im damaligen Thüringer Bahnhof vor, die viele aufwendige Brücken- und Straßenbauarbeiten erfordert hätte.

Die früher beabsichtigte Anlage auf den Rietzschkebachwiesen konnte wegen des dort vorgesehenen Güterübergabebahnhofes und der inzwischen eingeleiteten Planung eines Gemeinschaftsbahnhofes für die sechs in Leipzig einmündenden Bahnen nicht ausgeführt werden.

Zur Verbindung mit dem Zentralbahnhof sollte zwischen Schönefeld und Paunsdorf ein Trennungsbahnhof angelegt und von diesem eine 3 km lange Verbindungsbahn abgezweigt werden. Nach Konzessionserteilung am 24. Dezember 1872 wurde sofort mit dem Bau der Strecken und Anlagen begonnen, so daß diese mit dem Bahnhof bereits am 1. November 1874 eröffnet werden konnten.

Der Eilenburger Bahnhof hatte ähnlich wie der Thüringer Bahnhof eine gabelförmige Gleisanlage. An der Reichpietzschstraße lagen die für den Personenverkehr bestimmten, an der Eilenburger Straße die dem Güter- und Rangierverkehr dienenden Gleise. Dazwischen befanden sich Güterabfertigungsanlagen und das Empfangsgebäude (Bild 50). Das nach Entwürfen des Dresdener Architkten RICHARD STECHE 1874 bis 1876 erbaute Bahnhofsgebäude (Bild 49) war mit 115 m Länge, dem dreigeschossigen Mittelbau und den Seitenrisaliten ein recht groß angelegtes Bauwerk, besonders im Hinblick auf die isolierte Lage des Bahnhofs und die bereits diskutierten Pläne für einen Zentralbahnhof in Leipzig.

Der erwähnte zugehörige Rangierbahnhof Schönefeld ist beim Bau der Strecke nicht vollendet, sondern 1878 eine Verbindungsbahn mit zwei Nebengleisen zum Leipziger Übergabebahnhof hergestellt worden. Erst 1888 wurde in Schönefeld ein Personenbahnhof eingerichtet und 1889 eine Rangiergleisgruppe verlegt.

Am 1. Mai 1915 übernahm der neue Hauptbahnhof den Fernverkehr des Eilenburger Bahnhofs. Seit 2. November 1942 ist von hier aus auch der Vorortverkehr nach Taucha eingestellt worden.

48 Lageplan des Eilenburger Bahnhofs mit dem Empfangsgebäude in Seitenlage, um 1890
49 Grundriß des Empfangsgebäudes, typische Anordnung der Funktionsbereiche, 1874
50 Westansicht des Empfangsgebäudes des Eilenburger Bahnhofs, 1905

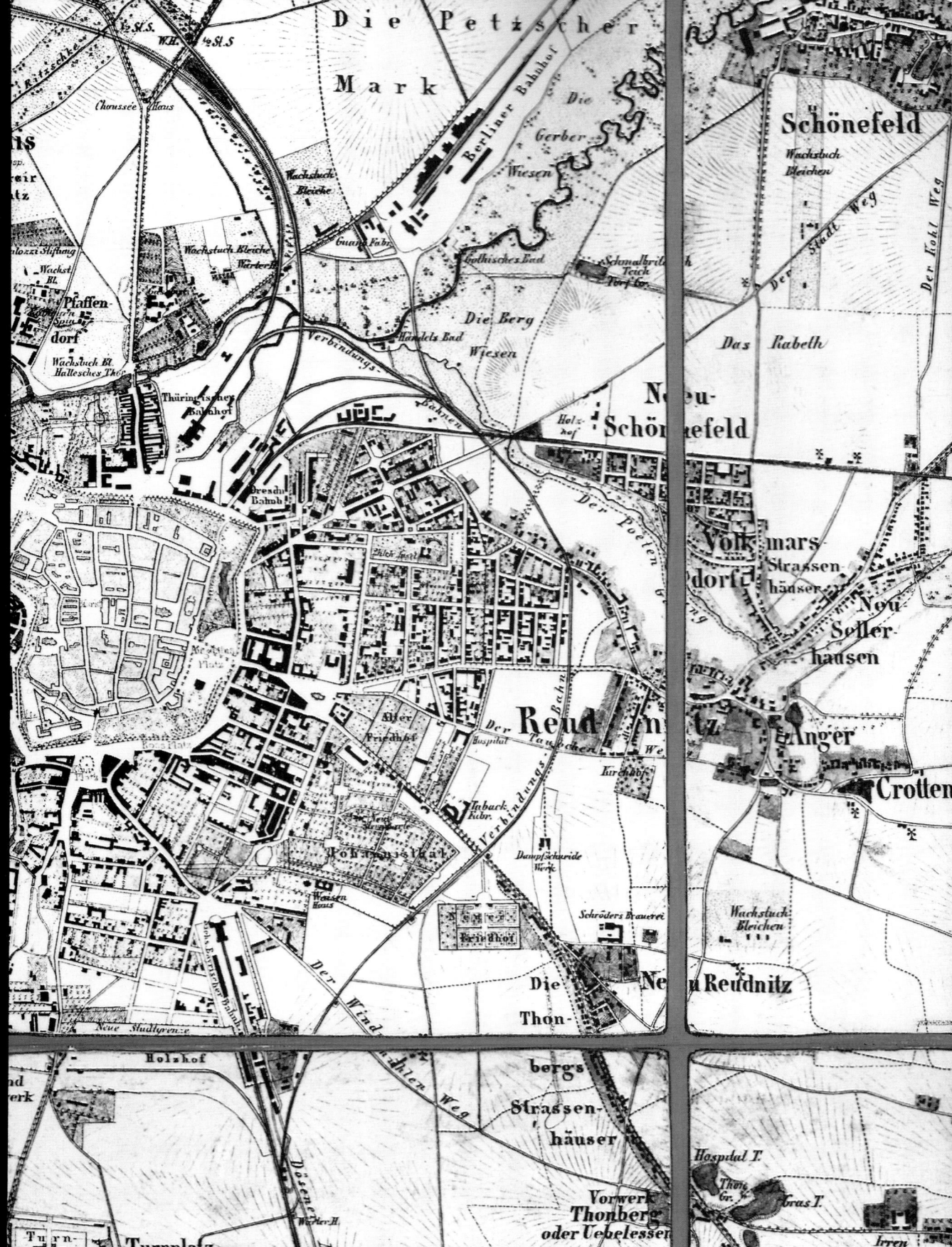

51 Alte Bahnhöfe und Verbindungsbahnen in Leipzig, 1863

DIE NEU-GESTALTUNG DER LEIPZIGER EISENBAHN-ANLAGEN 1902 BIS 1915

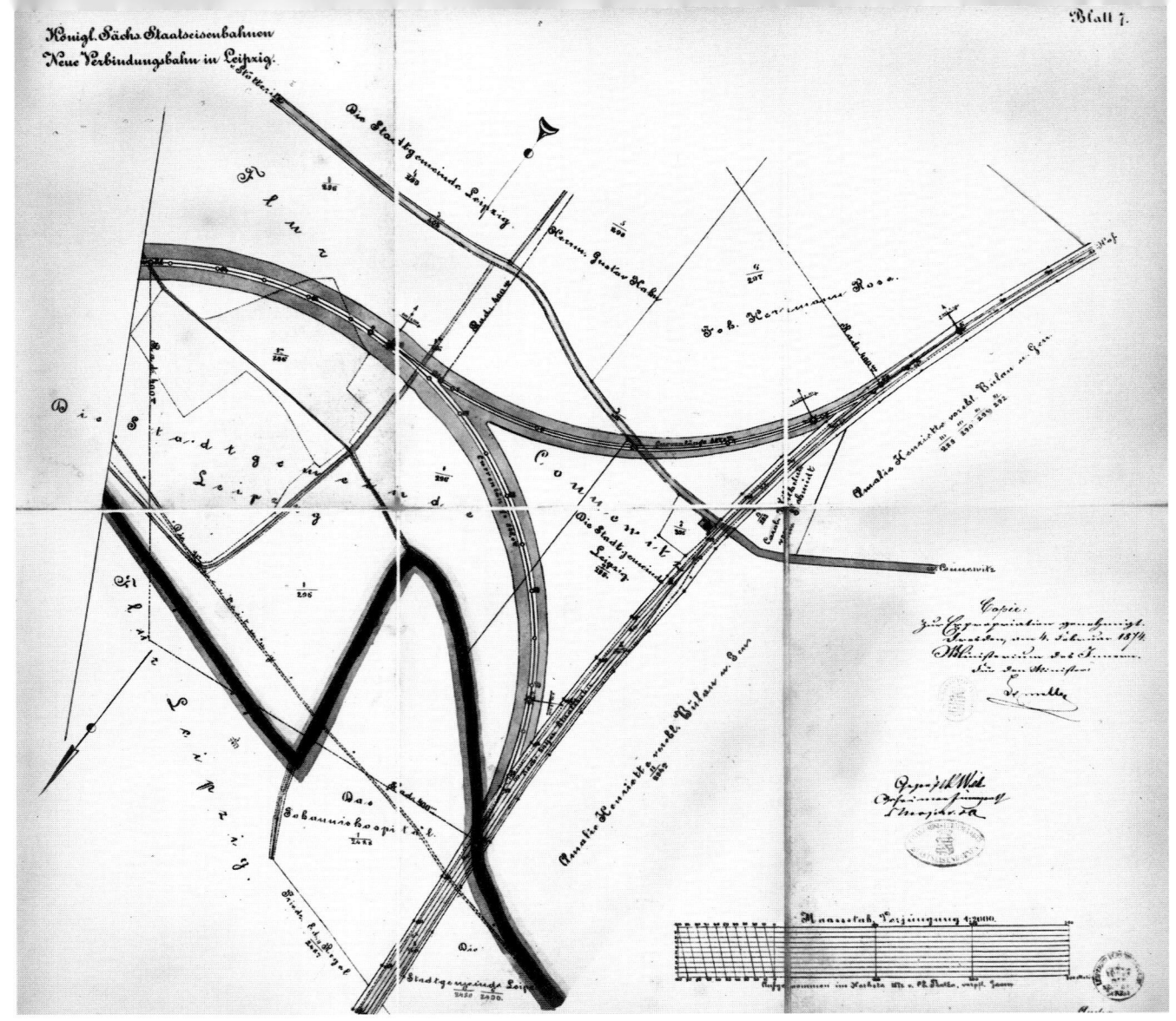

52 Neue Verbindungsbahn in Leipzig, Gleisdreieck Connewitz, 1874

Verkehrsverhältnisse

Nicht nur im Personenverkehr auf und zwischen den seit ihrer Entstehung den ständig steigenden Anforderungen oft notdürftig angepaßten alten Bahnhofsanlagen, sondern auch im Güterverkehr traten trotz neuer Verbindungsbahnen, Übergabebahnhöfe und anderer neugeschaffener Verkehrsstellen gegen Ende des 19. Jahrhunderts untragbare Zustände ein. Die schnell veraltenden Bahnhöfe und -anlagen, die bis auf wenige Ausnahmen nicht großzügig-perspektivisch gestaltet wurden – ihre Situation ließ dies oft gar nicht zu –, konnten auf Dauer den wachsenden Ansprüchen nicht gerecht werden. Tage- und wochenlange Verkehrsstockungen und Verzögerungen bei der Abfertigung von Güterzügen wurden infolge Überlastung der Rangierbahnhöfe die Regel.

Vor der Umgestaltung existierten folgende Verbindungsbahnen: Die zuerst 1851 zwischen dem Dresdner und Bayerischen Bahnhof erbaute eingleisige Güterbahn, die seit 1859 auch dem Personenverkehr diente und deren alte 5 km lange Trasse aus städtebaulichen und betrieblichen Gründen – sie kreuzte viele Straßen niveaugleich und tangierte die Einfahrt des Bayerischen Bahnhofs in südlicher Richtung, was umständliche Rangierbewegungen erforderte – zugunsten einer 1874 durch die Königlich-Sächsischen Staatseisenbahnen neu geschaffenen zweigleisigen Verbindungsbahn aufgegeben wurde, wobei in Connewitz ein Gleisdreieck entstand (Bild 52). Diese weiter östlich um die sich ausdehnende städtische Bebauung geführte „Neue Leipziger Verbindungsbahn" verband im Norden den Bayerischen auch mit dem Berliner Bahnhof (Bild 24), der nach 1891 hauptsächlich nur noch dem Durchgangsverkehr zum beziehungsweise vom Bayerischen Bahnhof diente.

An die alte „Bayerische Verbindungsbahn" erhielten später auch der Magdeburger und Thüringer Bahnhof Anschluß *(Bild 51)*. Zugleich mit der Verlegung dieser Bahn wurde nordöstlich des Dresdner Bahnhofs 1874 bis 1878 ein Übergabebahnhof für den Güterverkehr aller sechs in Leipzig mündenden Linien angelegt, der durch eine Zweigbahn auch mit der neuen Eilenburger Linie verbunden war. Der ebenfalls in dieser Zeit in Angriff genommene Rangierbahnhof Schönefeld ist damals nur im Unterbauplanum fertiggestellt und 1878 lediglich mit zwei Nebengleisen ausgestattet worden. Seit 1888 wurden hier auch Personenzüge abgefertigt und erst 1899 eine Rangiergleisgruppe verlegt. Zur Entlastung des Dresdner Bahnhofes richtete die Leipzig-Dresdner Eisenbahn-Compagnie außerdem 1874 bis 1876 einen Rangierbahnhof in Engelsdorf ein *(Bild 53)*, der sechs Gleise und in Richtung Leipzig einen Ablaufberg mit einem 1 : 150 geneigten Gleis besaß *(Tafel I)*.

Den Güterverkehr des sich rasch entwickelnden Industriestandortes Plagwitz-Lindenau mit der bayerischen Linie, besonders zum südlich Leipzigs gelegenen Braunkohlenrevier sollten schließlich die am 1. September 1879 eröffnete, 9,9 km lange Plagwitz-Gaschwitzer, zum Bayerischen und zum Übergabebahnhof die am 17. September 1888 in Betrieb genommene, sechs km lange Leipzig-Plagwitzer Verbindungsbahn verbessern *(Tafel II)*.

Sowohl durch das Wachstum der Industrie als auch der Stadt Leipzig, die zur Zeit der Eröffnung der Leipzig-Dresdner Eisenbahn nur 49076 Einwohner zählte, aber 1871 bereits 106225, 1890 schon 295025, 1900 456156 und 1910 589850 Einwohner – fast soviel wie heute – zählte, nahm nicht zuletzt der Eisenbahnverkehr enorm zu, so daß im Laufe der Zeit an den Hauptstrecken und Verbindungsbahnen neue Bahnhöfe oder Haltestellen eingerichtet werden mußten: Schönefeld, Paunsdorf-Stünz, Stötteritz, Conne-

53 Rangierbahnhof der Leipzig-Dresdner Eisenbahn, Ansicht von Osten, 1876
54 Vor dem kleinen Dienstgebäude der Haltestelle Oetzsch mit Dienstpersonal, 8. Januar 1900

Seiten 36/37:
Plan von Leipzig und seiner näheren Umgebung mit den Eisenbahnanlagen nach dem Bau der neuen Verbindungsbahnen und nach der Verlegung der Leipzig–Dresdner Trasse in nördliche Richtung. Section 11, Leipzig, Oktober 1879

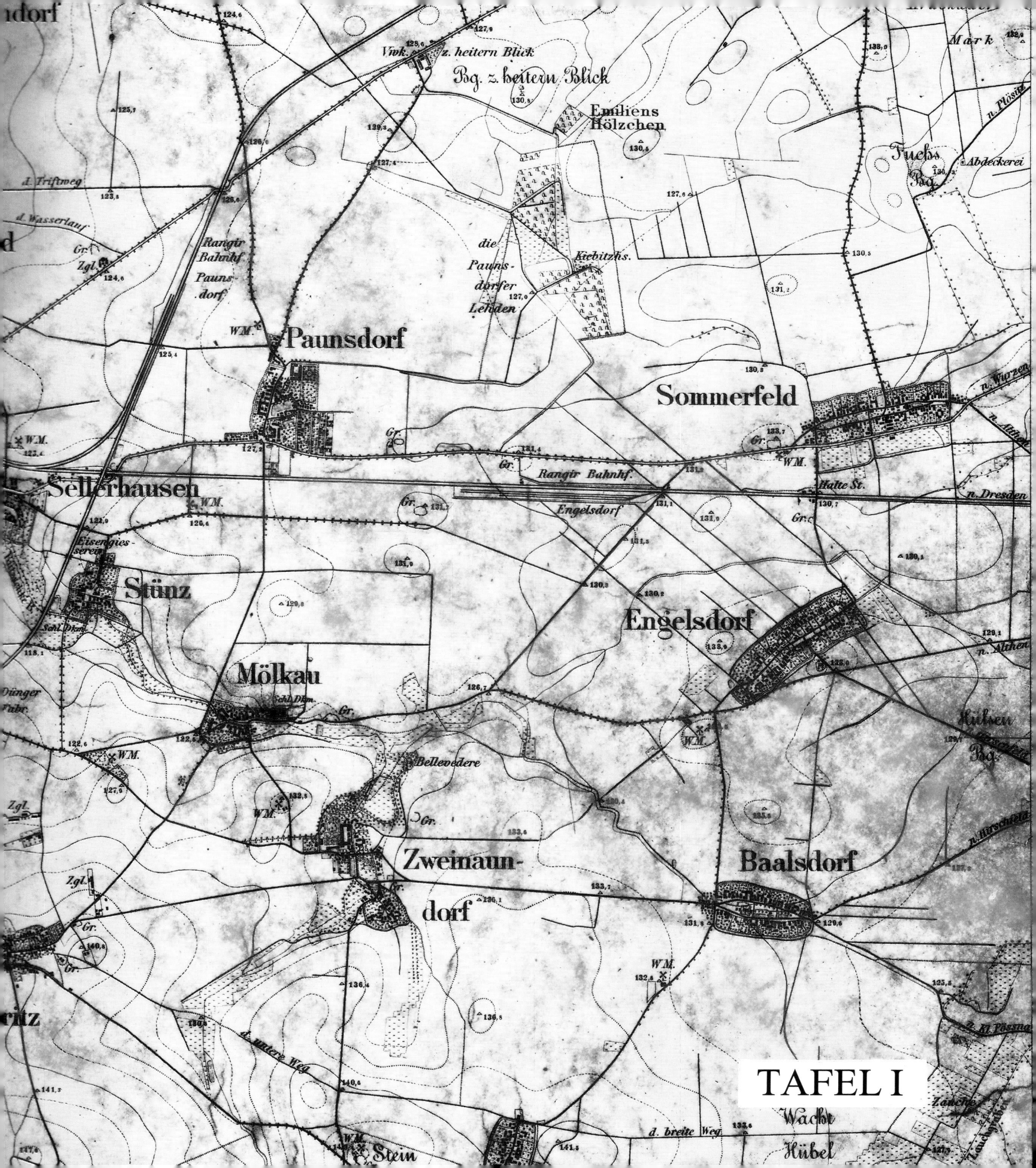
TAFEL I

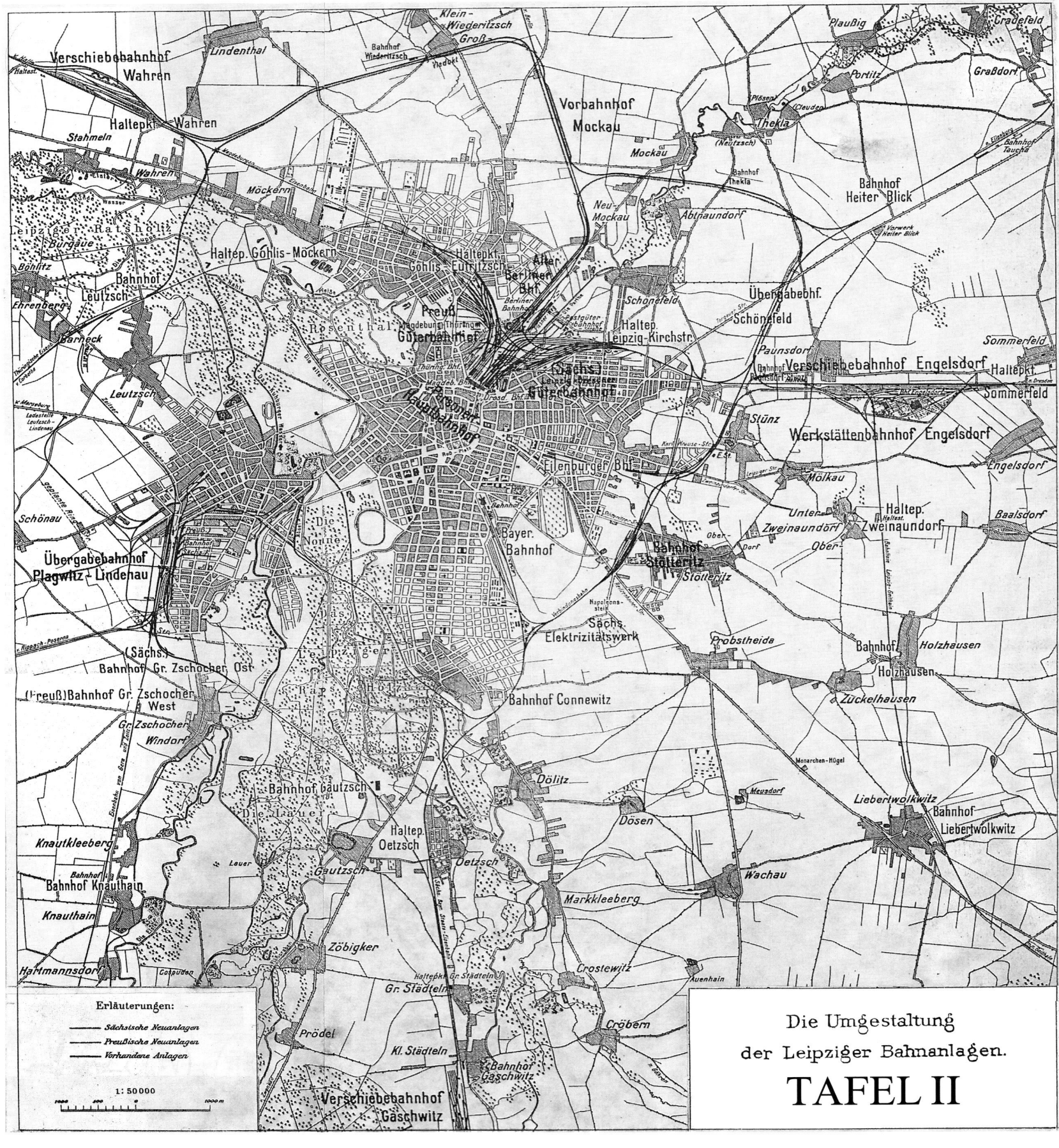

witz, Oetzsch (heute Markkleeberg) *(Bild 54)*, Gaschwitz, Großzschocher, Plagwitz-Lindenau, Gohlis-Eutritzsch, Wahren und Leutzsch; Plagwitz-Lindenau bekam einen preußischen und sächsischen Bahnhof *(Tafel II)*.

Diese Verkehrsstellen und die alten Bahnhöfe wurden von einem erheblichen Teil der „Erwerbstätigen", 1910: 310 000 „frequentiert". Allein auf den alten sächsischen Bahnhöfen stieg die Zahl der Reisenden von 1 481 000 im Jahr 1872 auf 6 288 000 im Jahr 1899! Besonders beschwerlich waren die Entfernungen zwischen den Bahnhöfen für Reisende im Durchgangsverkehr, die zum Beispiel zwischen

Bayerischem und Eilenburger Bahnhof	= 1,7 km
Dresdner und Eilenburger Bahnhof	= 1,9 km
Thüringer und Berliner Bahnhof	= 1,85 km
Dresdner und Bayerischem Bahnhof	= 2,12 km
Berliner und Bayerischem Bahnhof	= 4,0 km

betrugen und mit Gepäck nur mit der Pferdedroschke zurückgelegt werden konnten.

Der Handel und eine vielseitige Industrie von Weltgeltung erreichte im Leipziger Raum eine derartige Konzentration, daß sich der Güterverkehr zwischen den preußischen und sächsischen Eisenbahnen von 1 148 730 t im Jahr 1887 auf 2 426 450 t im Jahr 1899 erhöhte. Im Übergabebahnhof mußten 1879 317 026, 1899 811 000 Wagen behandelt werden!

Auch durch die beschriebene Verbesserung der Linienführung, durch neue Verbindungsbahnen und Verkehrsstellen sowie häufigen Umbau der alten Bahnhöfe konnten die mißlichen Verkehrsverhältnisse auf Dauer nicht behoben werden. Viele derartige Maßnahmen wurden schnell von den rasch steigenden Anforderungen überholt und schienen deshalb provisorischen Charakter zu tragen. Eine totale Neugestaltung der Leipziger Eisenbahnanlagen war schließlich unumgänglich geworden.

Planungsvorbereitungen

Bereits im Zusammenhang mit der Anlage des 1874 bis 1878 errichteten Güterübergabebahnhofes erwog das nach der Reichsgründung gebildete Reichseisenbahnamt in dessen Nähe den Bau eines gemeinschaftlichen Personenbahnhofes für alle in Leipzig endenden Linien. Aber der daraufhin von der Königlich-Sächsischen Staatsregierung – sie hatte 1876 die Leipzig-Dresdner Eisenbahn erworben – 1878 vorgelegte Entwurf eines mit 17 250 000 Mark veranschlagten Gemeinschaftsbahnhofes wurde von allen anderen Eisenbahngesellschaften aus ökonomischen Gründen verworfen.

Die nicht eben leichte Aufgabe einer Neugestaltung der Eisenbahnanlagen Leipzigs sollte den Ansprüchen eines perspektivisch langen Zeitraumes genügen. Naturgemäß erforderte die optimale Lösung eines so gewaltigen Vorhabens langjährige Vorbereitungszeit für die Planung und hinsichtlich möglicher oder gewünschter Varianten schwierige Verhandlungen zwischen den Eisenbahnverwaltungen, der Stadt, der Reichspostverwaltung und anderer beteiligter Stellen. Erst nach Übergang der in Leipzig einmündenden außersächsischen Bahnen an den preußischen Staat 1886 verhandelten Preußen und Sachsen erneut wegen der Umgestaltung der Leipziger Bahnanlagen. Daraufhin wurden 1887, 1890, 1892 und 1896 verschiedene Variantenentwürfe für einen „Centralbahnhof" bearbeitet, der die neun großen Hauptstrecken und die Nebenstrecken entweder als Durchgangs- oder als Kopfbahnhof oder auch als kombinierter Durchgangs- und Kopfbahnhof wie der geplante Dresdner Hauptbahnhof vereinigen sollte.

Interessant ist ein Projekt von Professor A. RINCKLAKE, das er

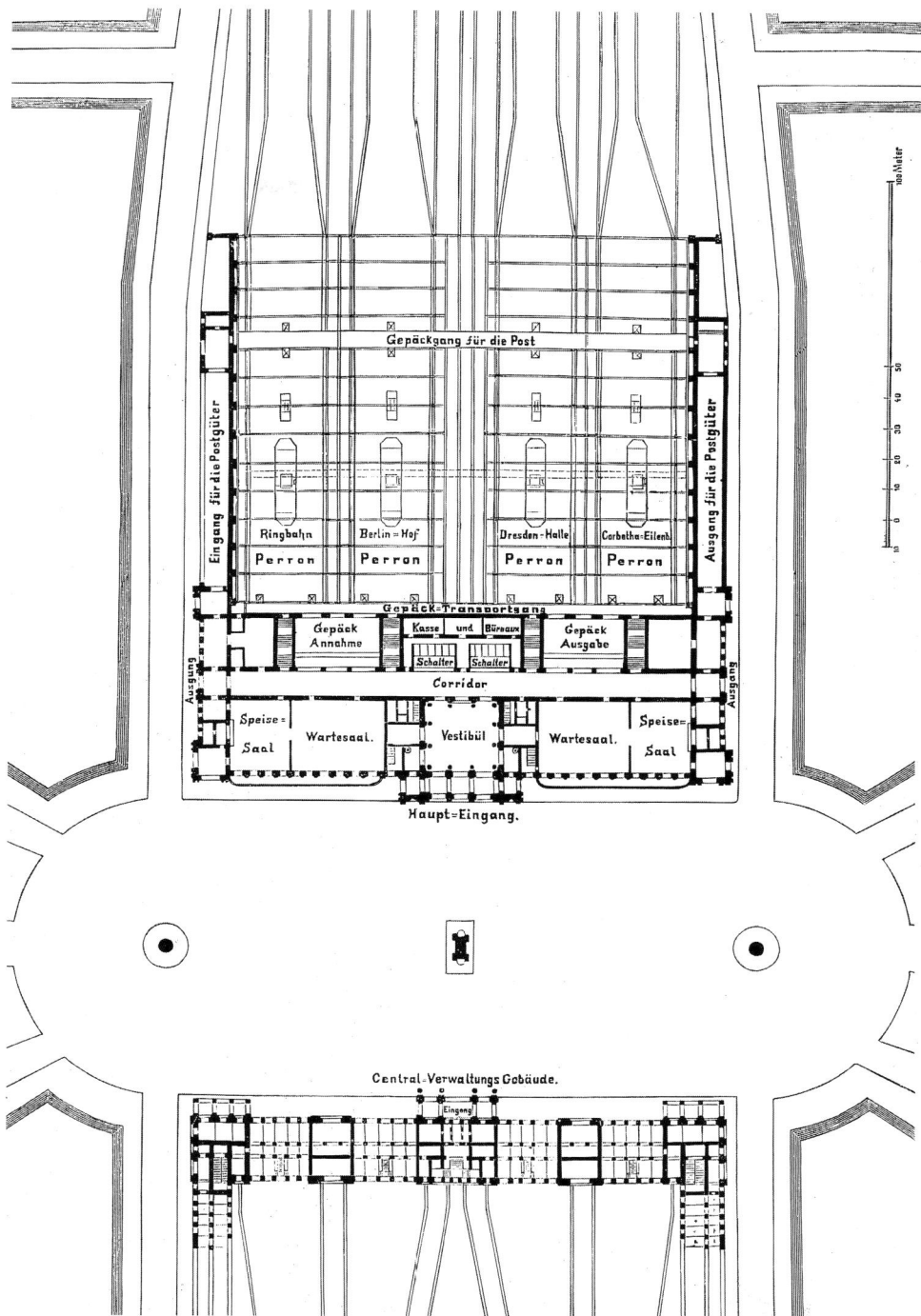

55 Entwurf für einen Zentralbahnhof in Leipzig von Prof. RINCKLAKE. Konzeption als Durchgangsbahnhof mit tiefliegenden Bahnsteiggleisen und brückenartigen Empfangsgebäuden mit zentralem Vorplatz

1888 vorstellte *(Bild 55)*. Er schlug einen Durchgangsbahnhof vor, bei dem die vorhandenen Hauptstrecken so zusammengefaßt werden, daß durchgehende Fernstrecken entstehen, zum Beispiel Berlin – Hof, Dresden – Halle, Corbetha – Eilenburg. Außerdem sah er eine Ringbahn vor. Der Bahnhof entsprach dem Prinzip des kreuzungsfreien Verkehrs. Dementsprechend entwarf er einen „Centralbahnhof" mit unterer Ebene für den Zugverkehr und einer oberen mit dem Empfangsgebäude, klarer Verteilung der Personenströme, mit Gepäck- und Postguttransporte durch Aufzüge. „Mittels langsam ansteigenden Radialstraßen gelangt man links und rechts vom Bahnkörper auf einen hoch über den Gleisen angelegten freien Platz, unter welchem die Bahnzüge mittels Tunnels durchgeführt werden sollen", beschreibt Rincklake seinen Entwurf, und fährt fort: „An diesen ist quer zur Schienenrichtung über die Gleise hin das Empfangsgebäude projektiert, so daß die Züge auch unter diesem hinfahren. Es wäre damit die völlig gleiche Zugänglichkeit des Empfangsgebäudes von beiden Seiten des Bahnkörpers her erreicht, ein Gewinn, der es endlich möglich machen würde, daß ein in der Nähe des Bahnhofes entstehender Stadtteil sich um den Bahnhof wie ein Kern zusammenschlösse und letzterer nicht mehr wie jetzt der Ausdehnung der Stadt eine fast unüberschreitbare Grenze steckte". [1]

Mit diesem Entwurf verfocht Rincklake ein noch heute modernes Prinzip, nach dem zum Beispiel auch der 1975 vollendete neue Zentralbahnhof Warschaus, Warszawa Centralna, einer der modernsten, architektonisch schönsten Großstadtbahnhöfe Europas, gestaltet wurde. Leider fand dieser vielseitige Architekt, der als engagierter Professor für mittelalterliche Baukunst an der Technischen Hochschule Braunschweig „Kirchengotiker" und zugleich so couragiert war, neben anderen Profanbauten auch Bahnhofsgebäude zu entwerfen, mit seinen bahnbrechenden Ideen aus leicht durchschaubaren Gründen wenig Resonanz.

Natürlich wurde das Für und Wider, ob Durchgangs- oder Kopfbahnhof, von vielen Gesichtspunkten und Gegebenheiten, vor allem von den städtebaulichen Tatsachen und verfügbaren Freiflächen sowohl für die Bahnhofsanlagen selbst als auch für die Streckenführung, bestimmt. Und schließlich endeten die alten, an den Stadtkern herangeführten Linien auch in Kopfbahnhöfen, deren zusammenzufassende Betriebsflächen für einen neuen Gemeinschaftsbahnhof genügend Raum boten. Demgegenüber wäre insbesondere die Nord-Süd-Trasse eines Durchgangsbahnhofes in Verbindung mit dessen gewünschter stadtnaher Anlage wegen der fortgeschrittenen städtischen Bebauung nur unter größten Schwierigkeiten zu realisieren gewesen. Nicht zuletzt deshalb führten die Verhandlungen zwischen Sachsen und Preußen, während derselben die Sächsischen Staatsbahnen für einen Durchgangsbahnhof bei Schönefeld eintraten, den Preußen jedoch als Konkurrenz seines Halleschen Durchgangsbahnhofs ablehnte, 1898 zur Entscheidung für einen Kopfbahnhof am jetzigen Standort. Dabei spielte der Wunsch der Stadt Leipzig, die einen nahe am Stadtzentrum gelegenen Bahnhof anstrebte, eine ausschlaggebende Rolle.

Zwischen den Staats-Eisenbahn-Verwaltungen Preußens und Sachsens, der Stadt Leipzig und der Reichspost-Verwaltung wurde daher 1902 vertraglich folgendes vereinbart:

„Es ist ein gemeinschaftlicher Personenbahnhof als Kopfstation am Georgi-Ring auf dem Gelände des jetzigen Dresdener-, Magdeburger- und Thüringer Bahnhofes zu erbauen, in den alle preußischen und sächsischen Linien eingeführt werden sollen. Zu beiden Seiten des Personen-Bahnhofes sind die Güter-Bahnhöfe anzulegen, und zwar auf der Ostseite derjenige der sächsischen Verwaltung und auf der Westseite derjenige der preußischen Verwaltung *(Bild 64)*. Die Baulichkeiten der genannten drei alten Bahnhöfe (Dresdener, Magdeburger und Thüringer) müssen daher vollständig beseitigt werden. Der Bayerische Bahnhof und der Eilenburger Bahnhof sind für den Vorort-Personenverkehr und den Güterverkehr beizuhalten, während der Berliner Bahnhof fernerhin lediglich nur der Güterabfertigung dienen soll.

Für den Postverkehr wird auf der Ostseite des Haupt-Bahnhofes, an der neu anzulegenden Brandenburger-Straße, ein Briefpostamt erbaut, welches durch einen Tunnel mit den Post-Anlagen in der Bahnsteighalle verbunden wird. Weiter ist für den Postpaket-Verkehr auf der Nordostseite des Hauptbahnhofes zwischen den preußischen und den sächsischen Gleisanlagen ein besonderer Postpaket-Bahnhof mit Gleisanschluß an den Personen-Hauptbahnhof anzulegen, auf dem die Postwagen sämtlicher preußischer und sächsischer Linien abgefertigt werden sollen. Der alte Übergabe-Bahnhof Leipzig, nördlich vom Dresdener Bahnhof gelegen, auf dem die Übergabe der Güterwagen zwischen den beiden Eisenbahn-Verwaltungen bisher stattfand, wird ersetzt durch zwei Übergabestellen, und zwar einmal durch den im Osten der Stadt Leipzig auszubauenden Bahnhof Schönefeld, das andere Mal durch die Bahnhofs-Anlagen der beiden Verwaltungen in Plagwitz im Westen der Stadt Leipzig, die den neuen Verkehrsverhältnissen entsprechend zu erweitern sind.

Für das Rangiergeschäft werden preußischerseits der Rangierbahnhof Wahren an der Magdeburger Linie sowie der Vorrangierbahnhof Mockau an der Berliner Linie hergestellt, sächsischerseits der Rangierbahnhof Engelsdorf an der Leipzig-Dresdener Linie erbaut und der Bahnhof Gaschwitz an der Hofer Linie als Vorrangierbahnhof ausgebaut. Der alte sächsische Werkstättenbahnhof am Dresdner Bahnhof ist durch einen neuen, im Anschluß an den Rangierbahnhof Engelsdorf zu erbauenden Werkstättenhof zu ersetzen.

Zur Verbindung der verschiedenen alten Bahnlinien mit dem neuen Hauptbahnhof Leipzig einerseits und mit den Rangier- und Übergabe-Bahnhöfen andererseits sind eine Anzahl neuer Verbindungsbahnen herzustellen, und zwar preußischerseits die Verbindungsbahnen Leutzsch – Wahren, Wahren – Mockau – Hauptbahnhof Leipzig, Wahren – Mockau – Thekla – Schönefeld und Heiterer Blick – Thekla – Mockau – Hauptbahnhof. Außerdem ist die Thüringer Linie zwischen dem Haltepunkt Gohlis-Eutritzsch und der Einmündung in den Hauptbahnhof Leipzig den neuen Verhältnissen entsprechend umzubauen.

Sächsischerseits sind die Verbindungsbahnen Engelsdorf – Schönefeld, Engelsdorf – Stötteritz und Plagwitz – Großzschocher herzustellen und die Linie Leipzig – Dresden zwischen dem Hauptbahnhof Leipzig und

56 Die Anfänge des sächsischen Eisenbahnwesens: Der erste deutsche Eisenbahnzug nach dem Entwurf von FRIEDRICH LIST (oben), der erste Bahnhof in Leipzig (Mitte), zeitgenössische Lithographie aus dem Jahre 1837 mit einem der ersten sächsischen Eisenbahnzüge (unten)

57 Historische Postkarte „Der neue Hauptbahnhof in Leipzig" – eine der ersten künstlerischen Darstellungen dieses imposanten Kopfbahnhofes, die noch vor dessen Fertigstellung angeboten wurde

58 Von Anfang an war die Bahnhofsarchitektur ein Motiv für Souvenirs wie diese Postkarte

59 Auch diese Postkarte aus dem Jahre 1916 widerspiegelt die Dimensionen des neuen Hauptbahnhofes

60 Wie vielfältig die künstlerische Umsetzung des neuen Bahnhofs war, zeigt diese Impression der Westhalle be Nacht
61 Die preußische Empfangshalle als historisches Postkartenmotiv

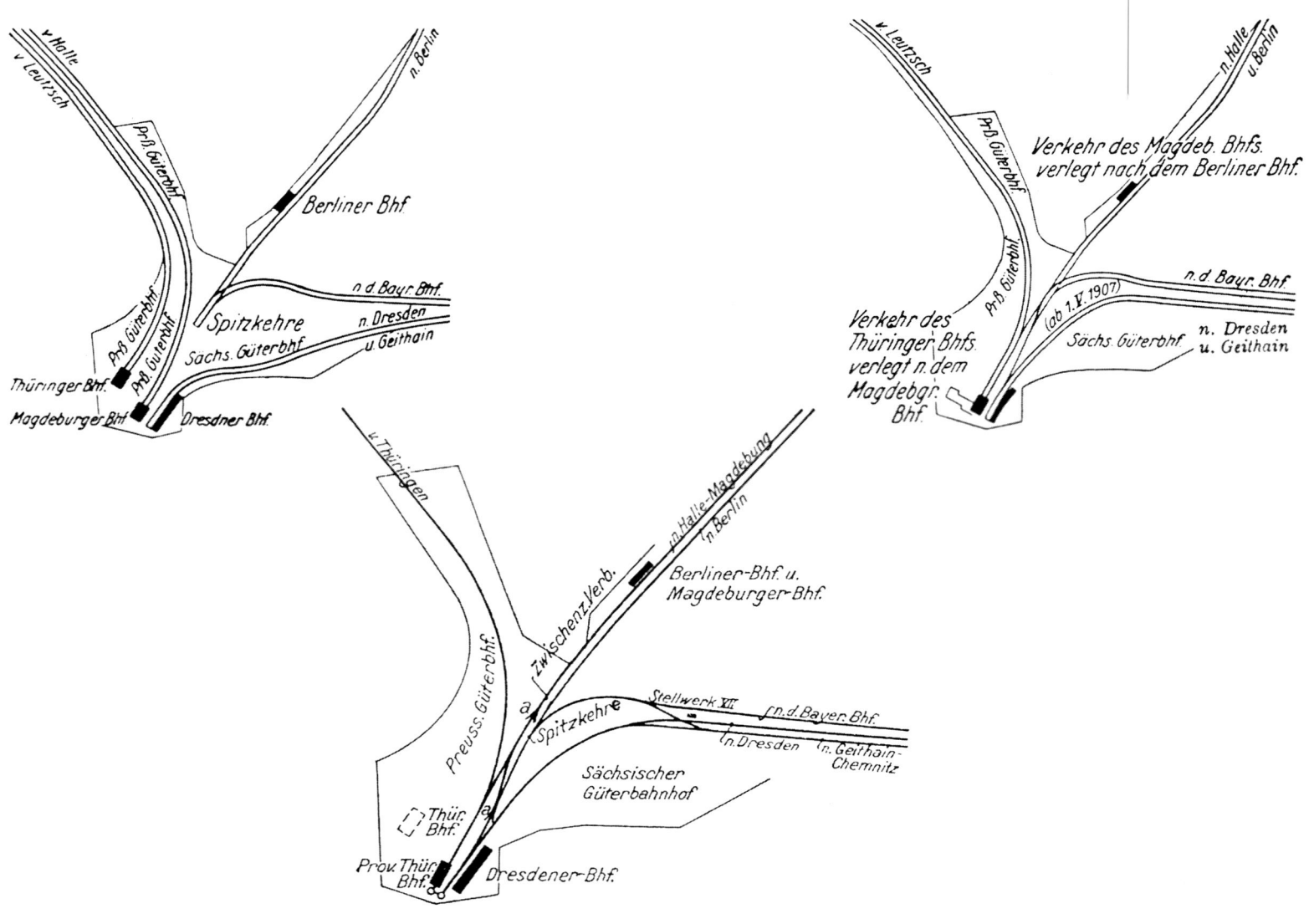

65 Bau- und Betriebszustand am 1. Oktober 1906 (links) und am 1. Oktober 1907 (rechts)

66 Die provisorische Spitzkehrenanlage (mit Stellwerk VII) wurde am 16. November 1906 in Betrieb genommen. Diese drei Darstellungen vermitteln einen Eindruck von den erheblichen betrieblichen Veränderungen bereits während der ersten Bauphase in den Jahren 1906 und 1907

„*Bauabschnitt I*, 1902 bis 1907: Die Herstellung der außerhalb des Weichbildes der Stadt Leipzig gelegenen Rangier-Bahnhöfe nebst Verbindungsbahnen, des Werkstättenbahnhofes Engelsdorf, des Elektrizitätswerkes, sowie auf den Innenbahnhöfen diejenigen Arbeiten, die zur Freilegung des Bauplatzes für die erste Hälfte des neuen Empfangsgebäudes des Hauptbahnhofes Leipzig erforderlich sind.

Bauabschnitt II, 1908 bis 1911: Den Bau der ersten Hälfte des neuen Empfangsgebäudes des Haupt-Bahnhofes und eines Teiles der Bahnsteiganlagen nebst Zubehör, sowie die Fertigstellung der Güterbahnhöfe.

Bauabschnitt III, 1912 bis 1914: Den Bau der zweiten Hälfte des Empfangsgebäudes und der Bahnsteig-Anlagen und somit die Fertigstellung der Gesamt-Anlage des Hauptbahnhofes." [3]

Die Baudurchführung der Bahnanlagen in und bei Leipzig

Die 1902 vertraglich fixierten Bauablaufpläne wurden bei den Anlagen, Kunst- und Hochbauten im wesentlichen programmgemäß eingehalten, während das Empfangsgebäude des Hauptbahnhofes nicht zuletzt infolge des Kriegsausbruchs erst ein Jahr später als vorgesehen vollendet werden konnte. Das Hauptbahnhofsgebäude mit seinem riesigen Hallenkomplex stand besonders im Blickfeld öffentlichen Interesses, obwohl es nur einen Teil des gewaltigen Bauvorhabens der Umgestaltung der Leipziger Bahnanlagen bildete. Diese zu Unrecht wenig beachteten Leistungen vor allem des Bauabschnittes I hat der Finanz- und Oberbaurat

E. Toller, 1901 bis 1912 Chef des Neubauamtes für die Bahnhofsbauten Leipzig, für den Zeitraum bis 1907 kurz zusammengefaßt mitgeteilt:

„Zur Einhaltung des Arbeitsplanes beschleunigte die preußische Verwaltung die Bauarbeiten auf dem bereits im Jahre 1901 in Angriff genommenen Freilade-Bahnhof an der Eutritzscher Straße, so daß die Fertigstellung desselben im Jahre 1903 bewirkt war, und ließ vom Jahre 1902 ab den Bau des Rangier-Bahnhofes Wahren, der Übergabe-Bahnhöfe Schönefeld und Plagwitz, sowie der Verbindungsbahnen Leutzsch – Wahren und Wahren – Mockau – Schönefeld folgen.

Die sächsische Eisenbahn-Verwaltung begann die Bauarbeiten im Jahre 1902 auf dem Rangier- und Werkstätten-Bahnhof Engelsdorf und nahm anschließende die Bauarbeiten für den viergleisigen Ausbau der Linie Leipzig – Dresden, einschl. Umbau des Haltepunktes Paunsdorf-Stünz für die Verbindungsbahnen Engelsdorf – Schönefeld, Engelsdorf – Stötteritz, L.H.V.C. und L.H.V. einschließlich Bahnhof Stötteritz in Angriff. Außerdem wurde der bereits im Jahre 1900 begonnene Erweiterungsbau auf Bahnhof Plagwitz dem allgemeinen Umbau-Entwurf für die Leipziger Bahnhofbauten entsprechend fortgeführt und im September 1904 mit dem Bau des neuen Elektrizitätswerkes im Bogendreieck bei Connewitz und im Anfang des Jahres 1906 mit der Erweiterung des Bahnhofes Gaschwitz begonnen. Endlich wurde im Jahre 1903 die Erbauung einer Anzahl Beamten- und Arbeiterhäuser in Engelsdorf in Angriff genommen, um für einen Teil der auf dem Rangier- und Werkstätten-Bahnhof Engelsdorf beschäftigten Arbeiter und Beamten Wohnungen zu schaffen.

Die Bauarbeiten der beiden Eisenbahn-Verwaltungen wurden allenthalben planmäßig gefördert, so daß vollendet und in Betrieb genommen werden konnten:

1. Im Laufe des Jahres 1905 die Neuanlage des Haltepunktes Paunsdorf-Stünz nebst den neuen Leipzig-Dresdener Gleisen, und der Umbau des Bahnhofes Stötteritz nebst der Linie L.H.V. von Stat. 36 bis zum Bayerischen Bahnhof.

2. Ende November 1905 das Elektrizitätswerk im Bogendreieck zu Connewitz so weit, daß für die Engelsdorfer Anlagen Strom für Beleuchtung und Kraftmaschinen abgegeben werden konnte.

3. Am 1. Dezember 1905 der erste Teil des Werkstätten-Bahnhofes Engelsdorf, die Lokomotiv-Ausbesserungs-Werkstatt nebst Nebenanlagen, als Lokomotiv-Schmiede, Siederohr-Werkstatt, Kesselhaus mit Bad usf. betreffend, und sechs Arbeiterhäuser.

Infolgedessen konnten die alten Werkstätten-Anlagen auf dem Dresdener Bahnhof zu Leipzig außer Betrieb gestellt werden.

4. Am 1. Mai 1906 der Rangier-Bahnhof Engelsdorf nebst den Verbindungsbahnen Engelsdorf – Stötteritz und Engelsdorf – Schönefeld.

Da die preußische Verwaltung inzwischen den Rangier-Bahnhof Wahren nebst den Verbindungsbahnen und den Übergabe-Bahnhof Schönefeld fertiggestellt hatte, so konnte vom 1. Mai 1906 ab der Übergabe-Verkehr zwischen Sachsen und Preußen auf letztgenannten Bahnhof verlegt und der alte Übergabe-Bahnhof Leipzig außer Betrieb gestellt werden.

Durch den Abbruch des alten Übergabe-Bahnhofes und der Werkstätten-Anlagen am Dresdener Bahnhof wurde ein großer Teil des Geländes für den zukünftigen Haupt-Bahnhof, im besonderen für den sächsischen Güter-Bahnhof, freigelegt, so daß auch hier die Bauarbeiten im Laufe des Jahres 1906 in Angriff genommen werden konnten, indem mit der Herstellung von Schleusen-Anlagen und Erdschüttungen, sowie mit dem Bau der Güter-Anlagen und des Maschinen-Bahnhofes begonnen wurde.

Am 1. Oktober 1906 *(Bild 65)* erfolgte die Verweisung des Berlin-Hofer Schnellzug-Verkehres nach dem Bayrischen Bahnhof zu Leipzig, indem diese Züge von genanntem Zeitpunkte ab ohne Anlaufen des Berliner Bahnhofes über die östlichen preußischen und sächsischen Verbindungsbahnen geleitet wurden. Hieran schloß sich am 16. November desselben Jahres die Verlegung der Anschluß-Strecke der L.H.V. Verbindungsbahn an den Berliner Bahnhof. Der Verkehr der Personenzüge zwischen dem Berliner Bahnhof und dem Bayrischen Bahnhof wird vermittels einer am Südende des Berliner Bahnhofes hergestellten Spitzkehre aufrecht erhalten *(Bild 66)*.

Der zweite Teil des Werkstätten-Bahnhofes zu Engelsdorf – die Wagen-Ausbesserungswerkstatt nebst Nebenanlagen, als Wagenschmiede, Brett- und Material-Schuppen, Trockenkammern, Magazingebäude usw. umfassend – wurde im Oktober 1906 fertiggestellt.

Im Laufe des Jahres 1907 wurden weiter im Bau vollendet und in Betrieb genommen: Am 1. Mai 1907 der Bahnhof Plagwitz nebst der Verbindungsbahn nach Großzschocher zum Anschluß der Neu-Anlage an die alte Gaschwitz-Plagwitzer Bahnlinie. Im Juni 1907 die Verlegung der Hauptgleise der Linie Leipzig – Dresden innerhalb des zukünftigen Hauptbahnhofes Leipzig, einschl. der veränderten Bahnsteig-Anlagen des Dresdener Bahnhofes. Am 1. Juli 1907 das neue Lagerhaus auf dem Güterbahnhof Leipzig II; am 1. Oktober 1907 der größte Teil des Bahnhofes Gaschwitz. Außerdem wurden auf dem Hauptbahnhof Leipzig im Laufe des Jahres 1907 die Erd-, Schleusen- und Oberbauarbeiten fortgeführt und verschiedene Gebäude errichtet. Die für den bis Ende des Jahres 1907 reichenden ersten Bauabschnitt vorgesehenen Arbeiten sind sonach sämtlich dem vereinbarten Bauplan entsprechend hergestellt, das Arbeitsprogramm allenthalben erfüllt und es sind hierbei allein innerhalb des sächsischen Baubereiches ausgeführt worden: 2 156 000 cbm Erdbewegung, 52 500 cbm Brückenmauerwerk aller Art, 5 000 t Eisenkonstruktion für Brücken und Dächer, 571 Stück Weichen, 147 700 m Gleisoberbau, 17 525 m Schleusen verschiedenen Profils und 143 Gebäude verschiedener Größe." [3]

Preußischerseits wurde am 1. Oktober 1907 der Thüringer Bahnhof an der Blücherstraße geschlossen und anschließend abgebrochen *(Bild 43)* sowie der Leipzig-Magdeburger Verkehr vom Berliner Bahnhof übernommen, so daß nun Baufreiheit für den Haupt-Personenbahnhof hergestellt war.

67 Gleis- und Anlagenplan „Entwurf A" aus dem Jahre 1907

DER HAUPT-BAHNHOF LEIPZIG

3

49

Planungs-grundlagen

1901 bis 1903 wurden bereits grundlegende Prämissen für Betrieb und Dimensionen der Kopfstation erarbeitet, denen der endgültige „Entwurf A" von 1907 *(Bild 67)*, nur geringfügig neuen betrieblichen Gesichtspunkten angepaßt, Rechnung trug. Sie waren auch für den Wettbewerb zur Erlangung von Entwürfen zur Gestaltung des Empfangsgebäudes verbindlich und beinhalteten im einzelnen folgendes: *(Tafeln III und Faltblatt)*

«An dem durch die Stadt Leipzig nördlich der Promenade anzulegenden Vorplatz wird das Empfangsgebäude mit 298 m Frontlänge errichtet. Sein Eingang liegt in Vorplatzhöhe, die Schienen-Oberkante der Bahnsteiggleise 2,62 m darüber. Dem Empfangsgebäude schließt sich ein 24 m breiter Querbahnsteig als Verteiler-Zugang zu den Längsbahnsteigen an.

Es sind 26 Bahnsteiggleise vorgesehen. Von diesen dient jeder der beiden Verwaltungen je die Hälfte, und zwar sind entsprechend der geographischen Lage der verschiedenen Linien gegen Leipzig von Nordwest nach Südost angeordnet für die preußische Verwaltung:
5 Gleise für den Verkehr der beiden Thüringer Linien,
2 Gleise für den Verkehr der Eilenburger Linie,
3 Gleise für den Verkehr der Magdeburger Linie,
3 Gleise für den Verkehr der Berliner Linie;

für die sächsische Verwaltung:
5 Gleise für den Verkehr der Linien nach Hof, nach Gaschwitz–Meuselwitz und nach Borna–Chemnitz,
5 Gleise für den Verkehr der beiden Dresdener Linien,
2 Gleise für den Verkehr der Linie nach Geithain–Chemnitz
1 Gleis für Sonderzüge aller Art.

Sämtliche Linien sind in den Bahnhof so eingeführt, daß für die regelmäßigen Zugläufe bei der Einfahrt Gleis-Überschneidungen in Schienenhöhe nicht vorkommen.

Bei der gewählten Anordnung der Linien liegen die Bahnsteig-Gleise der Linien Leipzig–Berlin und Leipzig–Hof unmittelbar nebeneinander, so daß sich die Durchführung geschlossener Züge der Richtung Berlin–Leipzig–Hof und umgekehrt ohne erhebliche Schwierigkeiten bewerkstelligen läßt.

Zur Erleichterung des Durchgangs-Verkehres der Richtungen Dresden–Magdeburg bzw. Dresden–Thüringen und umgekehrt hat die Sächsische Eisenbahnverwaltung im Osten des Hauptbahnhofes nachträglich eine zweigleisige Verbindung zwischen der Leipzig–Dresdener Linie und der Leipzig–Hofer-Verbindungsbahn geplant, so daß die von und nach Dresden verkehrenden Schnellzüge, die dem Durchgangsverkehr dienen, ebenfalls auf den beiden den preußischen Anlagen unmittelbar anliegenden, sächsischen Bahnsteig-Gleisen I und II zur Abfertigung kommen können.

Bei diesem Durchgangs-Verkehr handelt es sich in der Hauptsache um Weiterführung von einzelnen Durchgangswagen (Kurswagen); denn in den Schnellzügen zwischen Leipzig und Dresden laufen gleichzeitig sowohl Durchgangswagen für die Magdeburger, als auch für die Thüringer Richtung, so daß in Leipzig eine Teilung der Züge bzw. ein Zusammensetzen derselben stattzufinden hat. Die Übergabe der Durchgangswagen zwischen der sächsischen und preußischen Verwaltung kann nun bei der vorerwähnten Führung der Leipzig–Dresdener Züge erfolgen, ohne daß der übrige Verkehr der sächsischen Linien, im besonderen der Personen- und Vorortverkehr, wesentlich beeinträchtigt wird.

Zwischen den 2,62 m über Vorplatzhöhe liegenden Bahnsteig-Gleisen sind abwechselnd Personen-Bahnsteige und Gepäck-Bahnsteige, die eine Höhe von 0,76 m bzw. 0,36 m über Schienenoberkante erhalten sollen, angeordnet, so daß der Gepäckverkehr vollständig vom Personenverkehr getrennt ist. Die Gepäckbahnsteige sind mittels zahlreicher Aufzüge mit den unter den Gleisen angeordneten Quer- und Längstunneln verbunden, welche letztere nach den im Empfangsgebäude gelegenen, in Vorplatzhöhe liegenden Gepäck-Abfertigungs-Stellen führen.

Die Bahnsteig-Anlagen werden auf rd. 220 m Länge, von der Hinterfront des Empfangsgebäudes ab gerechnet, überdacht werden, und zwar ist die Erbauung von 6 größeren Hallen von je 45 m und 42,5 m Spannweite und 2 kleineren Seitenhallen für die beiderseitigen Rand-Bahnsteige von je 15 m Spannweite in Aussicht genommen, die nach dem Empfangs-Gebäude zu in die 36 m weit gespannte Überdachung des Quer-Bahnsteiges einlaufen werden.

Das Empfangsgebäude und die Bahnsteighalle werden bei etwa 298 m Breite und etwa 275 m Mindestlänge eine Fläche von rd. 82 000 qm bedecken. Östlich vor der Bahnsteighalle sind zwischen den Hauptgleisen der verschiedenen Linien die Aufstellungsgleise für die Personenzüge, sowie für Reserve-Personenwagen angeordnet. Die Weichenverbindungen sind so gewählt, daß die Leerzüge zwischen der Bahnsteighalle und den Aufstellungsgleisen zumeist direkt, höchstens aber durch eine Rückstoßbewegung nach und von den Aufstellungsgleisen befördert werden können, damit das Wegsetzen der Züge in möglichst kurzer Zeit erfolgen kann.

Auf diesen Aufstellungsgleisen wird auch die gewöhnliche Reinigung der Personenwagen vorgenommen werden, während die gründliche, nur periodisch vorzunehmenden Reinigungen dieser Wagen in der am Ostende des Bahnhofes geplanten Reinigungshalle stattfinden sollen. An diese Reinigungshalle wird eine Betriebs-Wagenreparatur-Werkstatt angeschlossen, in der kleinere Ausbesserungen der Personenwagen im Anschluß an die Reinigung vorgenommen werden können. Zu beiden Seiten der Anlagen für den Personen-Verkehr sind die Güteranlagen vorgesehen, und zwar auf der Westseite die der preußischen Verwaltung, auf der Ostseite die der sächsischen Verwaltung. Von den Anlagen der sächsischen Verwaltung liegt unmittelbar anschließend an die Bahnsteiganlagen der Eilgut-Schuppen mit Eilgutrampe, der mit der gleichen auf der Westseite befindlichen Anlage der preußischen Verwaltung durch einen 4,5 m weiten und 2,5 m im Lichten hohen Tunnel verbunden wird, damit Einzelladungen von Eilgut auf dem kürzesten Wege übergeben werden können. Der Tunnel, in dem die Wagen mit Seilantrieb befördert werden, ist mit den Eilgutschuppen durch Fahrstühle verbunden.

Weiter besteht noch die Möglichkeit der Durchführung von Eilgut-Kurswagen. Die Übergabegleise hierfür liegen nördlich der Leipzig–Hofer Hauptgleise. Nach diesen Übergabegleisen werden die von der preußischen Verwaltung kommenden und nach den sächsischen Linien bestimmten Eilgut-Kurswagen vom preuß. Bahnsteiggleis 8 durch einen unter den Hauptgleisen der Eilenburger, Magdeburger und Berliner Linien hinwegführenden Tunnel und von da unter Rückstoßbewegung nach den sächsischen Eilgutanlagen befördert. Der Wagenverkehr in entgegengesetzter Richtung erfolgt entsprechend.

Die weiteren Anlagen für den Güterverkehr sind möglichst nahe dem Stadtinneren geplant. Es finden sich auf der Ostseite des Bahnhofes für die sächsische Verwaltung angeordnet: zunächst vom Georgiring ebenfalls unmittelbar zugängig die beiden Güterschuppen für ankommende und abgehende Güter von je 3600 qm Grundfläche; letzterer Schuppen mit Zahnladesteigen, damit auch einzelne Wagen leicht auswechselbar sind.

An die Güterschuppenanlagen schließen sich nordwärts eine Laderampe, der Zollschuppen nebst Lagerhaus, sowie 7 Lagerspeicher an. Das Lagerhaus bildet den Ersatz für den zum Abbruch gelangenden städtischen Lagerhof.

Weiter ostwärts von den Lagerschuppen befindet sich der Freiladebahnhof mit Feuerrampe, Überladekran usw. und mit einer größeren Anzahl von Lagerplätzen mit Gleisanschluß zur Vermietung an Private. Zunächst kommen Ladegleise mit einer nutzbaren Gesamtlänge von 4750 m zur Ausführung, doch ist eine Erweiterung der Anlage um 1400 m vorgesehen, wie überhaupt für die gesamten Güteranlagen eine Vergrößerung möglich ist.

Für den Maschinendienst vorgesehen ist der Neubau eines neuen Rundheizhauses mit 27 Ständen nebst Nebenanlagen, als Heizhaus-Verwaltungsgebäude, Kohlenschuppen, Wasserstationsanlage usw. nördlich der Leipzig–Hofer Hauptgleise. Außerdem soll das alte auf der Südostseite des Bahnhofes gelegene Heizhaus nach entsprechendem Umbau beibehalten werden. Östlich von dem neuen Maschinenbahnhof kommt die Ölgasanstalt zur Bereitung des für die Beleuchtung der Personenwagen nötigen Gases zur Erbauung.

Die Güter- und sonstigen Anlagen für die Linien der preußischen Verwaltung sind auf der Westseite des Bahnhofes entsprechend angeordnet und es reicht der Freiladebahnhof bis zur Eutritzscher Straße hinaus.

Zwischen den Bahnhofsteilen der beiden Eisenbahnverwaltungen wird der Postgüter-Bahnhof erbaut, auf dem künftig alle in Leipzig ein- und auslaufenden Postwagen zu behandeln sein werden. Er soll 30 Stutzgleise besitzen, die in einer an der Rohrteichstraße zu errichtenden Verladehalle enden, in der gleichzeitig etwa 90 Postwagen aufgestellt werden können. Die Gleise des Postbahnhofes sind an die nach der Bahnsteighalle führenden Durchfahrtsgleise, auf denen sich auch der Maschinenverkehr bewegen wird, angeschlossen, so daß die Überführung der Postwagen zwischen dem Postbahnhof und den einzelnen Bahnsteiggleisen ohne erhebliche Schwierigkeiten durchgeführt werden kann. Für den Postwagenverkehr der preußischen Linien wird der Tunnel, der unter den Hauptgleisen der Linien Leipzig–Eilenburg, Leipzig–Magdeburg und Leipzig–Berlin hinweg erbaut wird, benutzt werden. Dieser Tunnel bietet überdies die Möglichkeit, einzelne Schnellzüge der Richtungen Dresden–Thüringen bzw. Magdeburg und umgekehrt im Bedarfsfall ohne wesentliche Gleiskreuzungen geschlossen durch Leipzig zu leiten. Mit den verschiedenen Stadt-Postämtern soll der Post-Güterbahnhof durch eine elektrische Straßenbahn, die über den Bahnhof im Zuge der auf Kosten der Stadt Leipzig zu erbauenden Brandenburger Straße geführt wird, verbunden werden. Die Brandenburger Straße überschreitet den Bahnhof mittels einer 140 m langen Brücke mit 3 Öffnungen, deren größte eine Stützweite von 86,72 m erhält.

An der Brandenburger Straße werden seitens der sächsischen Verwaltung zwei Verwaltungs- und Dienstgebäude errichtet. In dem größeren werden die Diensträume der Betriebsdirektion II, der Bauinspektion II, der Telegraphen- und der Maschinen-Inspektion, sowie einige Wohnungen untergebracht, im kleineren Gebäude hauptsächlich die Räume der Telegraphen-Werkstatt." [4]

Das Postamt II an der Brandenburger Straße, das mit den Postanlagen in der Bahnsteighalle des Hauptbahnhofes verbunden werden sollte, war zur Zeit der Vorlage des endgültigen „Entwurfs A" des Hauptbahnhofes Leipzig (1907) bereits ausgeführt.

Der Wettbewerb zur Architektur des Empfangsgebäudes

Auf der Grundlage jener 1901 bis 1903 bearbeiteten generellen Projekte für den Haupt-Personen- und -Güterbahnhof Leipzig, die bezüglich des Empfangsgebäudes und der Hallen auch im „Entwurf A" (siehe vorangegangener Abschnitt) nicht wesentlich modifiziert wurden, schrieben die sächsische und preußische Staatsregierung im Oktober 1906 für deutsche Architekten einen öffentlichen „Wettbewerb zur Erlangung von Entwürfen für das Empfangsgebäude des neuen Hauptbahnhofes in Leipzig" aus. Damit sollte die beste architektonische Form für den endgültigen Entwurf des größten deutschen Bahnhofsbaues gefunden und gesichert werden.

In den Wettbewerbsbedingungen wurde ausdrücklich gefordert, daß dieses Bauwerk als repräsentatives Architekturdenkmal der Messestadt den wirtschaftlichen Aufschwung Deutschlands dokumentieren solle. Außerdem war die verwaltungsmäßige Zweiteilung in eine sächsische und preußische Seite durch zwei Eingangshallen zum Ausdruck zu bringen. Auch Größe und Lage (Bild 68) des Empfangsgebäudes, seine Zuordnung zu den Bahnsteighallen und der Betriebsablauf lagen fest. Das Raumprogramm mit schematischer Anordnung der funktionell wichtigsten Räumlichkeiten und das konstruktive System der Bahnsteighallen mit Gleislage, Tunnel, Aufzügen usw. (Bild 69) waren vorgegeben, substantielle Abweichungen nicht statthaft. Insbesondere durfte die

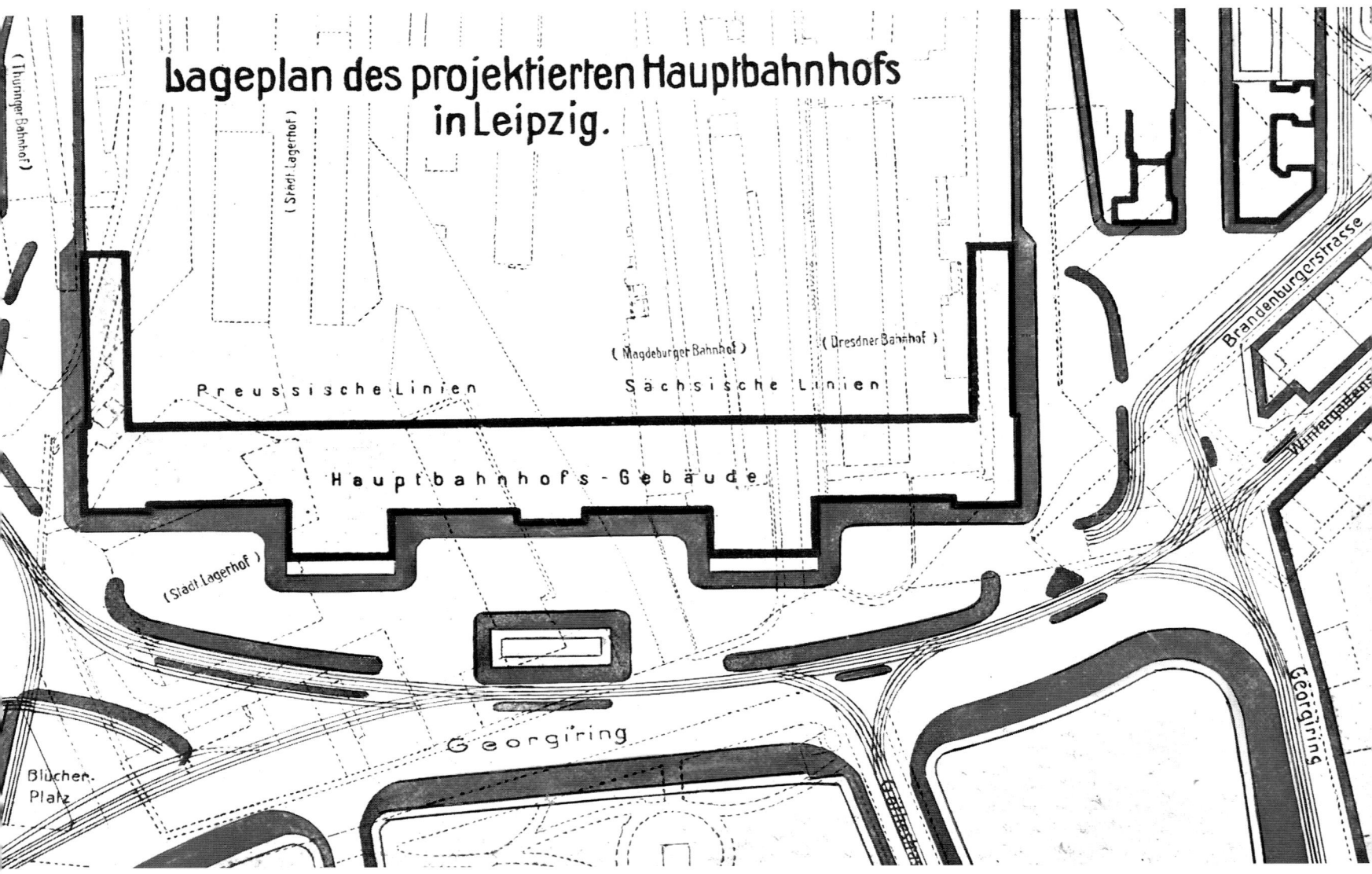

Grundriß-Anordnung *(Bild 70)* „in bezug auf die Lage der Eingangs- und Ausgangshallen, der Gepäckräume, der Wartesäle, Fürstenzimmer und der Auswanderer-Registratur" *nicht* abgeändert werden. Die Baukosten für das Empfangsgebäude sollten 5 800 000 Mark (ohne Ausrüstung bzw. Ausstattung) nicht überschreiten. Die Entwurfszeichnungen mußten in den Maßstäben 1 : 100 und 1 : 200 dargestellt werden. Abgabetermin war der 15. April 1907. [5]

Das den Wettbewerbsbedingungen zugrundeliegende exakte, in jeder Hinsicht detaillierte, auch für die Ausführung gültige Bau- und Raumprogramm stellte an die Teilnehmer höchste Anforderungen *(Bilder 71 bis 75)*:

Der attraktive Wettbewerb fand eine Rekordbeteiligung fast aller namhaften Architekten Deutschlands, die 76 Entwürfe einreichten. Ihre baukünstlerischen Schöpfungen waren jedoch nicht möglich ohne die vorher erarbeiteten Grundlagen durch einen großen Kreis von Verkehrs-, Finanz- und Wirtschaftsfachleuten, Städtebauern, Eisenbahnbau-Ingenieuren und -Technikern, Bauingenieuren und Architekten, die den Bahnhofsgrundriß und -betrieb bereits konzipiert hatten *(Bilder 67 bis 70)*.

Die aus 25 Mitgliedern bestehende Jury, der neben Bürgermeister Dr. Dittrich *(Bild 76)* und Oberbürgermeister Dr. Tröndlin *(Bild 77)* unter anderen so hervorragende Architekten, Bauingenieure und Eisenbahnfachleute wie Prof. Dr. Durm, Karlsruhe, Prof. Theodor Fischer, Stuttgart, Oberbaudirektor Hinkeldeyn, Berlin, Prof. Albert Hofmann, Darmstadt, von Kirchbach, Generaldirektor der Sächsischen Staatseisenbahnen, Baurat Prof. Dr.-Ing. Hugo Licht, Leipzig, Oberbaurat Rüdell, Berlin, Baurat Franz Schwechten, Berlin-Charlottenburg, Ministerialdirektor von Seydewitz, Dresden, Prof. Dr. Friedrich von Thiersch, München, Baurat Toller, Leipzig, Baurat Prof. Dr. Wallot, Dresden, angehörten, hatte die schwierige Aufgabe, nach entsprechender Vorprüfung durch das sächsische

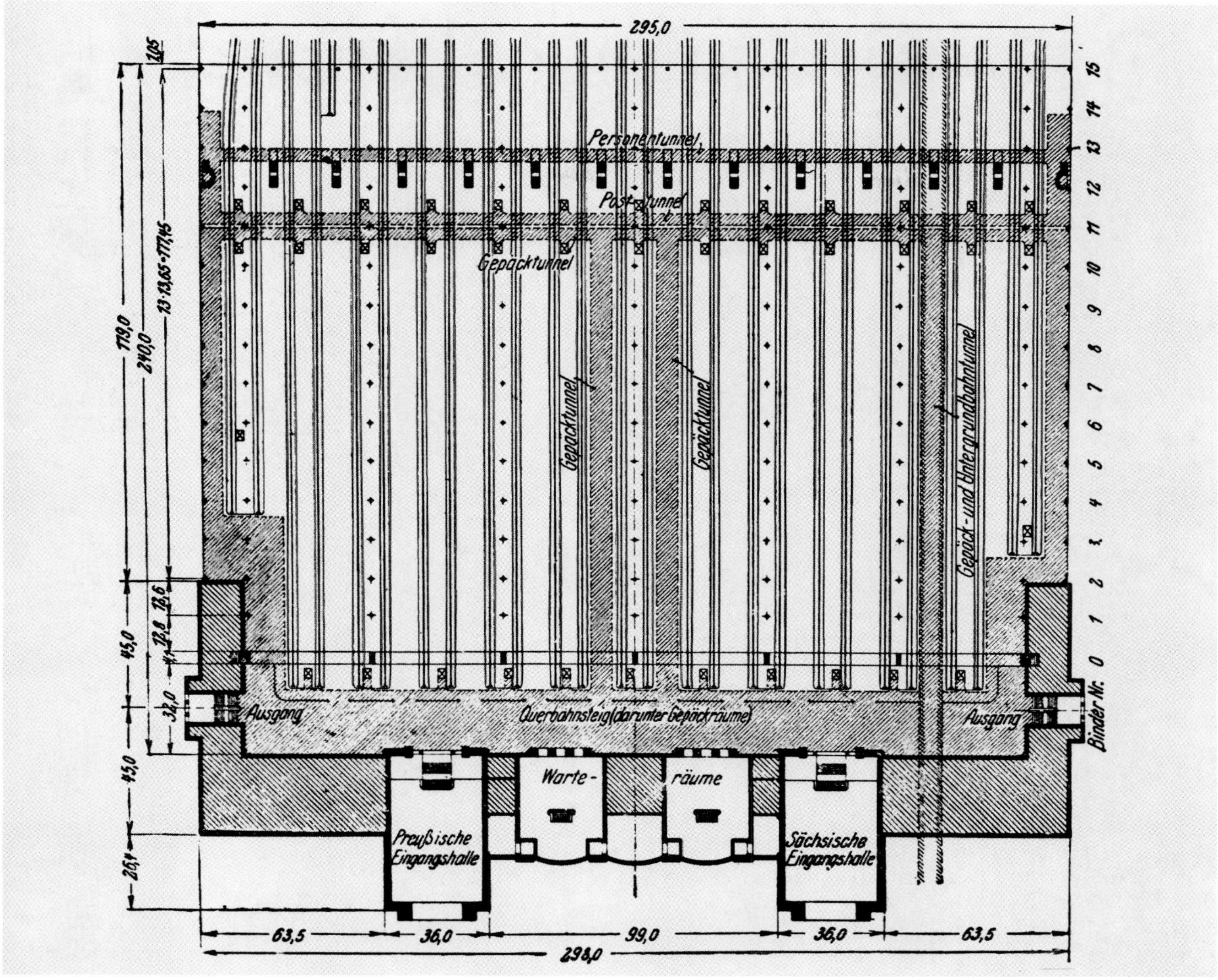

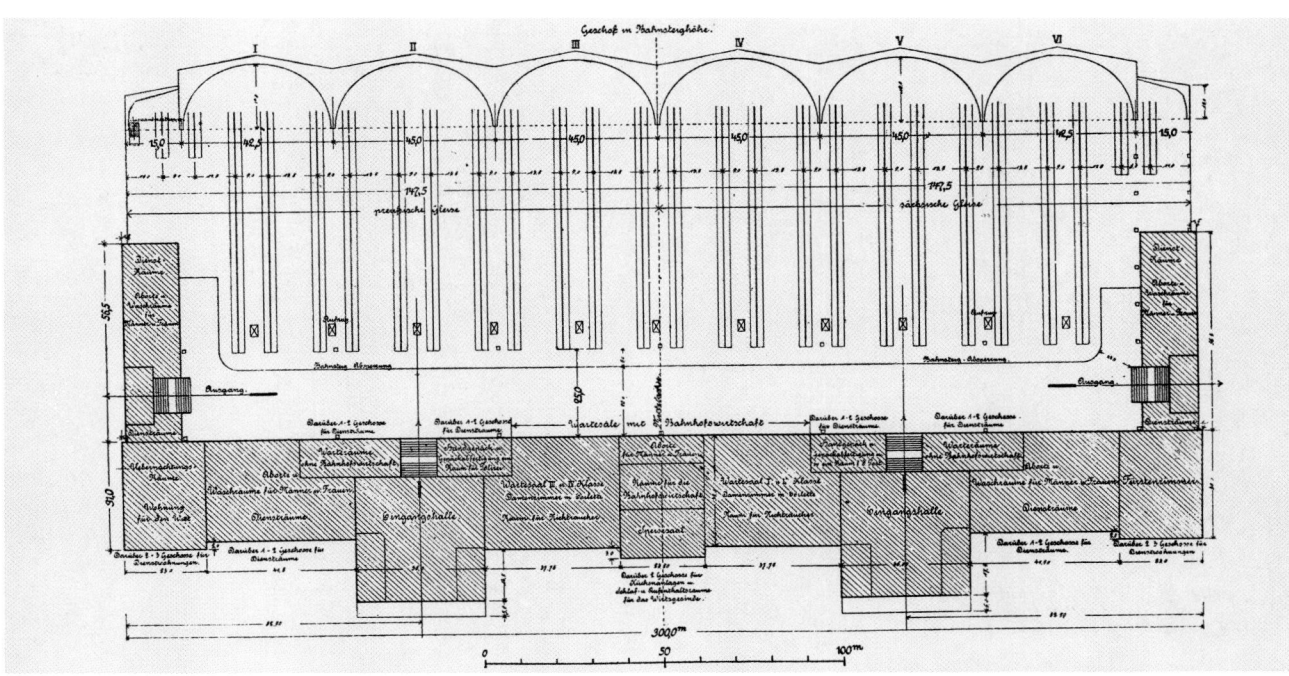

68 Lageplan als Grundlage für den Wettbewerb zur Gestaltung des Empfangsgebäudes; die alten Bahnhöfe und die städtische Bebauung sind gestrichelt dargestellt, 1906
69 Grundrißschema des Empfangsgebäudes und der Bahnsteighallen mit Angaben der Bahnsteige, des Stützensystems, der Tunnel und der Hauptabmessungen, bearbeitet vom Neubauamt für die Bahnhofsbauten Leipzig, 1906
70 Vorgegebenes Grundrißschema mit Raumprogramm und Querschnitt des Hallensystems für den Wettbewerb 1906 bis 1907

Empfangsgebäude für den Hauptbahnhof zu Leipzig.

Aus dem Ausschreiben.

1. Das neue Empfangsgebäude der Sächsischen und Preussischen Staatseisenbahnen zu Leipzig soll am Georgiring, zwischen dem Blücherplatze und der Wintergartenstrasse, auf dem Gelände des Thüringer-, Magdeburger- und Dresdener Bahnhofes errichtet werden.

Vor dem neuen Empfangsgebäude wird ein grosser, freier Platz angelegt, von dem aus der Zugang der abfahrenden Reisenden erfolgt. Die ankommenden Reisenden verlassen den Bahnhof, soweit sie Gepäck in Empfang nehmen oder mit Droschke unmittelbar vom Bahnhofe abfahren wollen, an den Seitenfronten. — Die Grenzen des zur Verfügung stehenden Bauplatzes sind auf den Anlagen 1 und 2 durch den Gebäudeumriss angegeben. Die Fluchten der Seitenfronten dürfen nicht überschritten werden, dagegen sind an der Vorderfront Vorsprünge bis zu 2 m über die gezeichnete Umrisslinie gestattet.

2. Der auf der Anlage 2 dargestellte Gleisplan mit den Bahnsteigen und der Einteilung der Bahnsteighallen darf nicht abgeändert werden.

Die Gleise östlich der eingetragenen Mittelachse sind für die sächsische, die westlichen für die preussische Staatseisenbahnverwaltung bestimmt. — Dementsprechend sind auch die Diensträume der beiden Verwaltungen anzuordnen.

3. Der Vorplatz vor dem Gebäude, dessen Ausgestaltung die Stadt Leipzig nach dem in Anlage 3 dargestellten Plane in Aussicht genommen hat, wird am Mittelbau auf der Höhe von 109,00 über N. N. liegen und, mit schwachem Gefälle nach beiden Seiten hin verlaufend, an der westlichen Ecke die Höhe 108,9, an der östlichen Ecke die Höhe 108,83 über N. N. erreichen.

Der Fussboden des Erdgeschosses soll in der mittleren Höhe des Vorplatzes (also auf 109,00 über N. N.) liegen.

Die Oberkante der Schienen in der Bahnsteighalle liegt auf der Höhe von 111,62 über N. N. Für die Gepäckbahnsteige ist als Höhe 112,00 über N. N. anzunehmen.

Die Personenbahnsteige sollen die Höhe von 112,38 über N. N. besitzen und mit dieser in den Querbahnsteig einlaufen, welcher nach dem Gebäude mit Neigung 1 : 40 ansteigen kann, so dass der Fussboden der in Bahnsteighöhe befindlichen Räume im allgemeinen auf rund 113,00 über N. N. liegt.

4. Die Entwässerung des Gebäudes erfolgt in die städtischen Schleusen auf dem Vorplatze und den Nebenstrassen; die Kellersohle liegt im allgemeinen auf Ordin. 106,20, die Schleusensohle am westlichen Eckbau auf Ordin. 105,00 über N. N.

5. Das Empfangsgebäude muss in 2 Bauabschnitten hergestellt werden, und zwar der westliche Teil zuerst. Die Trennungslinie zwischen den beiden Bauteilen ist auf der Anlage 1 farbig ersichtlich gemacht. Bei der Planung ist darauf Rücksicht zu nehmen, dass der westliche Bauteil auf die Dauer von 3—4 Jahren eine für beide Verwaltungen gemeinschaftliche betriebsfähige Anlage bildet.

6. Die im Abschnitt II aufgeführten Flächengrössen dürfen bei den Räumen, bei denen sie als Mindestmafs angegeben sind, nicht überschritten werden und sind auch im übrigen tunlichst genau einzuhalten.

7. Alle Nebeneingänge, Nebentreppen, Fluren, sowie Kellerräume sind im Abschnitt II nicht besonders aufgeführt, sie sind dem Bedarfe entsprechend anzuordnen.

Die für die Wohnungen angegebenen Flächenmasse enthalten allenthalben nur die Grössen der Wohn- und Schlafräume, während die zugehörigen Küchen, Fluren, Aborte und andere Nebenräume in den angegebenen Flächen nicht mit enthalten sind.

Bei den Uebernachtungsräumen für Zugsbedienstete sind auf das Bett wenigstens 15 cbm Luftraum zu rechnen.

8. Die Beheizung wird von besonderen Heizstellen aus erfolgen, die ausserhalb des Gebäudes unter den Randbahnsteigen angelegt werden.

9. Auf eine reichliche Zuführung von Luft und Licht, sowie Absaugung gebrauchter Luft, besonders auch für die nicht an die Umfassungen des Gebäudes grenzenden Räume wird besonderer Wert gelegt.

10. Die in den Anlagen angedeutete Grundrissanordnung darf in bezug auf die Lage der Eingangs- und Ausgangshallen, der Gepäckräume, Wartesäle, Fürstenzimmer und der Auswanderer-Registratur nicht abgeändert werden.

11. In bezug auf die Architektur des Gebäudes und der Bahnsteighallen wird dem Architekten volle Freiheit gelassen, jedoch unter Beachtung der nachfolgenden Bestimmungen und Innehaltung der später erwähnten Bausumme.

Deutsche Konkurrenzen. XXII. Bd., Heft 253.

Besondere Bestimmungen.

A. Für das Empfangsgebäude.

In dem Empfangsgebäude sind die nachstehend aufgeführten Räume und Einrichtungen unterzubringen:

α) Im Geschoss in Vorplatzhöhe (Räume No. 1—25).

1\. Die beiden Eingangshallen mit einer Grundfläche von mindestens je 800 qm nach Abzug der Vor- und Einbauten. Die Hauptachsen dieser Hallen sollen mit den Achsen der Bahnsteighallen II und V zusammenfallen.

Ausser den Haupteingängen soll jede Halle einen seitlichen Eingang erhalten. Vor den Haupteingängen sind überdeckte Vorfahrten für Wagen ohne Gepäck anzuordnen.

2\. In jeder Eingangshalle 13 Fahrkartenschalter in 2 Gruppen von 6 bez. 7 Stück links und rechts des Haupteinganges. Die einzelnen Schalterräume sollen im Lichten 2,30 m Weite und etwa 4,00 m Tiefe erhalten. Die Schalterräume jeder Gruppe sind unter sich durch einen Gang und mit den unmittelbar darunter im Kellergeschosse hinter Lichtgräben gelegenen Kassen- und Arbeitsräumen durch eine Treppe zu verbinden.

3\. Die von den Eingangshallen nach den Bahnsteigen führenden Treppen mit einer Breite von mindestens 10 m.

Im Anschluss an jede der beiden Eingangshallen:

4\. Je eine Aufbewahrungsstelle für Handgepäck von etwa 180 qm Grundfläche mit einem Aufzug nach den in Bahnsteighöhe anzuordnenden gleichen Aufbewahrungsstellen.

5\. Stände oder Räume für den Verkauf von Zigarren, Zeitungen, Blumen, für Geldwechsel, Pförtner und dergl. mehr.

Zwischen den beiden Eingangshallen in der Mitte des Gebäudes:

6\. Die Gepäckannahmen für beide Verwaltungen mit je etwa 50 m nutzbarer Tischlänge und den erforderlichen Räumen für die Kassen, die Vorsteher und für die Gepäckträger.

Vor den Gepäcktischen ein etwa 10 m breiter Gang mit einer möglichst grossen Anzahl Türen nach der Vorfahrt für Wagen mit Gepäck. Diese Vorfahrt ist in der vollen Länge zwischen den Eingangshallen zu überdachen.

7\. Die für den Betrieb der Bahnhofswirtschaft erforderlichen Anlagen, welche vom Kellergeschosse bis wenigstens in das zweite Obergeschoss reichen. Der Zugang zu den Räumen des Bahnhofswirtes soll neben der westlichen Eingangshalle ohne Berührung mit dem Eisenbahnverkehre mittels Treppe nach dem Kellergeschosse erfolgen. In der Nähe dieses Einganges sind im Kellergeschosse auch einige Geschäftsräume für den Bahnhofswirt vorzusehen.

In den Rücklagen links und rechts der Eingangshallen in der Nähe der letzeren und von ihnen mittels Fluren zugängig:

8\. Oeffentliche Aborte,

9\. auf sächsischer Seite ein Postdienstraum von mindestens 75 qm Grösse,

10\. auf preussischer Seite Räume für Polizeizwecke (Wachtlokal, Schlafraum, Haftzelle) von insgesamt etwa 80 qm Fläche;

ausserdem auf jeder Seite und soweit nötig in die Eckbauten hineinfallend:

11\. Wasch-, Bade- und Frisierräume für Herren und Damen, nebst einigen Aborten. Diese Räume sollen sowohl von den Eingangshallen als auch von dem Vorplatze aus zugängig sein.

Im östlichen Eckbau (sächsische Seite):

12\. Eine Eingangshalle mit überdeckter Vorfahrt für die in Bahnsteighöhe anzuordnenden Fürstenzimmer.

13\. Räume für zeitweiligen militärischen Bahnhofswachtdienst, bestehend aus:

Einem Wachtlokal und einem Zimmer für den Bahnhofs-Kommandanten von zusammen 45—50 qm Grösse;

14\. Zimmer für einen Hausmeister und einen Bahnhofswächter,

15\. die zu 13. und 14. gehörigen Aborte.

Im westlichen Eckbau (preussische Seite):

16\. Eine Hausmannswohnung von 45—50 qm Grundfläche,

17\. eine Wohnung für einen mittleren Beamten von 68—75 qm Grundfläche.

In den an die Eckbauten sich anschliessenden beiden Seitenflügeln:

18\. An den Enden des Querbahnsteiges die beiden Ausgangshallen mit überdeckten Vorfahrten und Verbindungstreppen von mindestens 10 m Breite,

19\. die Gepäckausgaben mit je etwa 30 m langen Gepäcktischen und überdeckten Vorfahrten.

20\. Räume für Gepäckträger und Steuerbeamte,

21\. Räume für die Paketfahrt nebst den erforderlichen Lagerräumen;

ferner im östlichen Seitenflügel (sächsische Seite):

22\. Eine Kantine mit Küche und Nebenräumen, sowie Wasch- und Baderäume für Bahnbedienstete,

23\. eine Tunnelschänke für Kutscher, Dienstleute usw.

Soweit nötig, können diese Räume ausserhalb des Flügels unter dem Randbahnsteige untergebracht werden.

Im westlichen Seitenflügel (preussische Seite), welcher oberhalb des Bahnsteiges gleiche Länge wie der sächsische erhalten soll:

24\. Eine Kantine mit Küche und Nebenräumen, sowie Wasch- und Baderäume für Bahnbedienstete wie unter 22,

25\. die Auswanderer-Registratur, in der Hauptsache ausserhalb des Flügels unter dem Randbahnsteige liegend, mit einem Flächeninhalte von 850 qm.

Hierzu gehören:

a) Ein etwa 350 qm grosser Warteraum mit einem Ausschank,
b) ein etwa 12 m langer Schalterraum,
c) ein Arztzimmer,
d) Aufenthaltsräume für einen Kommissar und einen Wachtmeister,
e) zwei Untersuchungszimmer für Männer und Frauen,
f) ein Isolierraum,
g) ein grösserer Raum für Gepäckaufbewahrung,
h) Aborte für Männer, Frauen und Bedienstete,
i) Wasch- und Baderäume für Männer und Frauen.

Ein Teil dieser Räume kann auch im Kellergeschosse untergebracht werden. Die Räume unter d, f und g sollen von der Strasse aus ohne Berührung des Warteraumes zugängig sein, ausserdem ist der Warteraum mit dem Randbahnsteige zu verbinden, um die Auswanderer tunlichst ohne Störung der übrigen Reisenden durch einen am nördlichen Ende der Bahnsteige liegenden Tunnel von und nach den Zügen leiten zu können.

β) Im Geschoss in Bahnsteighöhe (Räume Nr. 26—64).

In der Mitte des Gebäudes zwischen den beiden Eingangshallen für beide Verwaltungen gemeinsam die Wartesäle mit Bahnhofswirtschaft nebst Nebenanlagen und zwar:

26\. Ein Wartesaal 1. und 2. Klasse, etwa 650 qm gross,

27\. ein Wartesaal 3. und 4. Klasse von etwa derselben Grösse,

28\. ein Speisesaal, etwa 280 qm gross,

29\. ein Warteraum 1. und 2. Klasse für Nichtraucher, etwa 200 qm gross,

30\. ein Warteraum 3. und 4. Klasse für Nichtraucher von etwa derselben Grösse,

31\. ein Warteraum 1. und 2. Klasse für Frauen von etwa 70 qm Grösse mit besonderem Waschraum und Abort,

32\. ein dergl. 3. und 4. Klasse, im übrigen wie unter Nr. 31,

33\. einige Schreibzellen in Angliederung an die Wartesäle,

34\. öffentliche Aborte für Männer und Frauen mit Zugang vom Querbahnsteige,

35\. die Räume für die Bahnhofswirtschaft (siehe auch unter II, 7).

Eine mässige Erhöhung des Fussbodens des Speisesaals über die Höhe der übrigen Wartesäle, sowie die Anlage von Balkons vor dem Speisesaal und den Wartesälen soll nicht ausgeschlossen sein.

Am Querbahnsteige zwischen den Wartesälen mit Bahnhofswirtschaft und den Eingangshallen für jede der beiden Eisenbahnverwaltungen:

36\. Je ein Handgepäckaufbewahrungsraum, etwa 75 qm gross, z. vergl. II, 4.

Ferner auf sächsischer Seite:

37\. Ein Raum für die Post von etwa 60 qm Grundfläche.

Auf preussischer Seite:

38\. Ein Raum von etwa gleicher Grösse für die Polizei.

In den Rücklagen links und rechts der beiden Eingangshallen, zwischen diesen und den Eckbauten:

39\. Je ein Warteraum 1. und 2. Klasse ohne Bahnhofswirtschaft, etwa 100 qm gross,

40\. je ein Warteraum 3. und 4. Klasse ohne Bahnhofswirtschaft, etwa 150 qm gross,

41\. je eine Abortanlage für Männer und Frauen mit Waschräumen.

Ferner die Diensträume der beiden Bahnhofsverwaltungen und zwar:

42\. Ein Zimmer für den Bahnhofs-Oberinspektor (nur auf sächsischer Seite), etwa 25 qm gross, mit Vorzimmer,

43\. je eins dergl. für den sächsischen und preussischen Bahnhofs-Vorstand, je etwa 25 qm gross,

44\. je ein Zimmer für die stellvertretenden Bahnhofsvorstände von etwa 20 qm Grösse,

45\. je 2 Zimmer für die Fahrdienstleiter, jedes etwa 20 qm gross,

46\. je 2—4 Räume für die Stationsverwaltung, jeder Raum etwa 20 qm gross,

47\. je ein Zimmer für Fundsachen, etwa 25 qm gross,

48\. je eine Auskunftsstelle, etwa 30 qm gross.

Auf sächsischer Seite:

49\. Ein Arztzimmer, } zusammen 45 qm gross,
50\. zwei Krankenzimmer, }

51\. Aufwärter- und Fernsprechräume,

52\. Aborte für männliche und weibliche Bahnbedienstete.

Die Räume unter 39—41, 45 und 48 müssen vom Querbahnsteige aus zugänglich sein.

Im östlichen Eckbau: Die Fürstenzimmer mit Nebenräumen und zwar:

53\. Ein Empfangsraum von etwa 150 qm Grösse,

54\. ein Fürstenzimmer mit 2 daran anstossenden Umkleide- und Toilettenräumen, zusammen etwa 100 qm gross,

55\. 2 bis 3 Zimmer nebst Toilettenräumen für die Damen und Herren des Gefolges, zusammen etwa 150 qm gross,

56\. Dienerzimmer mit besonderem Zugange sowie die nötigen Aborte.

Im westlichen Eckbau:

57\. Mehrere Uebernachtungszimmer für Oberbeamte mit Zugang vom Querbahnsteig,

58\. die Wohnung für den Bahnhofswirt.

In dem östlichen Seitenflügel:

59\. Aborte für Männer und Frauen mit Waschgelegenheit für Unbemittelte,

60\. 2 Zimmer für den Bahnhofsdienst, je etwa 15 qm gross,

61\. je ein Zimmer von etwa 15 qm Grundfläche für Begleiter von Hofzügen, für einen Beleuchtungsaufseher, einen Aufzugswärter, einen Wagenmeister, einen Schirrmeister und für Wagenrückervormänner,

62\. je ein Raum von etwa 30 qm Grundfläche für Gepäckträger, für Bahnsteigschaffner, für Wagenrevisionsbedienstete und für Wagenrücker,

63\. Wasch- und Kleidertrockenräume von etwa 30 qm Grundfläche für Bahnbedienstete, daran anschliessend eine Anzahl Brausebäder, sowie die nötigen Aborte.

Im westlichen Seitenflügel:

64\. Die gleichen Diensträume wie auf der östlichen Seite.

γ) Im 1. Obergeschosse über Bahnsteighöhe (Räume Nr. 65—92),

soweit es von den bis in dieses Geschoss einreichenden Räumen nicht in Anspruch genommen wird:

65\. Räume für die Bahnhofswirtschaft.

Für beide Verwaltungen:

66\. Je ein Telegraphenzimmer von etwa 130 qm Grundfläche,

67\. je ein Zimmer für den Vorstand des Telegraphenwesens von etwa 20 qm Grundfläche,

68\. je ein Blockzimmer von etwa 20 qm Grundfläche.

Die Räume unter 66—68 sind nach dem Querbahnsteige zu zu legen.

69\. Je 1 Sitzungszimmer, etwa 85 qm gross, nebst Vorzimmer mit Kleiderablage, Waschgelegenheit und Abort,

70\. je 7 bis 8 Diensträume von je 20 bis 40 qm Grundfläche,

71\. je ein Unterrichtszimmer von etwa 40 qm Grundfläche,

72\. mehrere Lagerräume von zusammen etwa 100 qm Grundfläche nebst einigen Dienstzimmern,

73\. 2 bis 3 Boten- und Aufwärterstuben, sowie die nötigen Nebenräume und Aborte.

Die unter 70—73 genannten Räume können, soweit nötig, auch in einem darüber anzuordnenden Geschosse untergebracht werden.

In jedem der beiden Eckbauten:

74\. Je eine Dienstwohnung von 5 bis 6 Wohn- und Schlafräumen mit zusammen etwa 130 qm Grundfläche,

75\. eine Dienstwohnung von 5 Wohn- und Schlafräumen von zusammen etwa 95—100 qm Fläche.

Im Seitenflügel:

a) auf sächsischer Seite:

76\. 4 bis 5 Uebernachtungszimmer von je 20 bis 40 qm Grundfläche für höhere Beamte,

77\. 4 Schlafräume zu je 2 Betten für Oberschaffner,

78\. 3 Aufenthaltsräume für Oberschaffner von zusammen etwa 60 qm Grundfläche,

79\. ein Raum für Schränke von etwa 40 qm Grundfläche,

80\. zwei Diensträume von je etwa 15 qm Grundfläche,

81\. ein Trockenraum von etwa 20 qm Grundfläche,

82\. ein Kochraum von 25—30 qm Grundfläche,

83\. ein Speiseraum von 30—35 qm Grundfläche,

84\. ein Wäscheaufbewahrungsraum,

85\. ein Aufwärterraum, sowie die nötigen Aborte;

b) auf preussischer Seite:

86\. 7 Uebernachtungsräume mit je 2 Betten für Fahrbeamte,

87\. 8 Räume mit je 4 Betten,

88\. mehrere Waschräume,

89\. ein Trockenraum,

90\. Räume für Wäscheaufbewahrung,

91\. Koch- und Speiseräume, sowie die dazu erforderlichen Nebenräume,

92\. ein Aufwärterraum, sowie die nötigen Aborte.

Die unter 88—92 genannnten Räume mit ähnlichen Abmessungen wie auf sächsischer Seite.

54

Neubauamt innerhalb von nur drei Tagen vom 6. bis 8. Juni 1907 unter den vielen meist brillanten Entwürfen die künstlerisch wie funktionell wertvollsten auszuwählen.

Am 8. Juni 1907 verkündete die Jury ihre Entscheidung. Sie vergab je einen Ersten Preis von 12 500 Mark für die Entwürfe Nr. 2 „Wahrheit, Klarheit, Licht und Luft" des Architekten JÜRGEN KRÖGER, Berlin, und Nr. 21 „Licht und Luft" der Professoren WILLIAM LOSSOW und MAX HANS KÜHNE, Dresden, indem beide als gleichwertig anerkannt wurden, bei Nr. 2 vor allem der Grundriß, bei Nr. 21 dessen architektonische Gestaltung besonderes Lob fanden. Die Arbeiten Nr. 41 „Bahnsteighalle", Verfasser HERMANN BILLING und WILHELM VITTALI, Karlsruhe, und Nr. 42 „Nufa" *(Bilder 78 und 79)* von Prof. FRITZ KLINGHOLZ, Aachen, erhielten je einen Zweiten Preis und 7500 Mark.

Schließlich empfahl das Preisgericht für je 1000 Mark den Ankauf der Arbeiten Nr. 10 „D.A.M.M." *(Bild 90)*, Architekt

71 bis 74 und 77 Wettbewerbsbedingungen für die Gestaltung des Empfangsgebäudes des Hauptbahnhofes Leipzig

75 Dr. RUDOLF DITTRICH, ab 1908 Oberbürgermeister der Stadt Leipzig, gehörte zur Jury des Wettbewerbs für das Empfangsgebäude des Hauptbahnhofs

76 Dr. BRUNO TRÖNDLIN, Oberbürgermeister der Stadt Leipzig von 1899 bis 1908 war ebenfalls Mitglied der Jury und förderte mit seinem Nachfolger, Oberbürgermeister Dr. R. DITTRICH, den Bau des Empfangsgebäudes für den neuen Hauptbahnhof

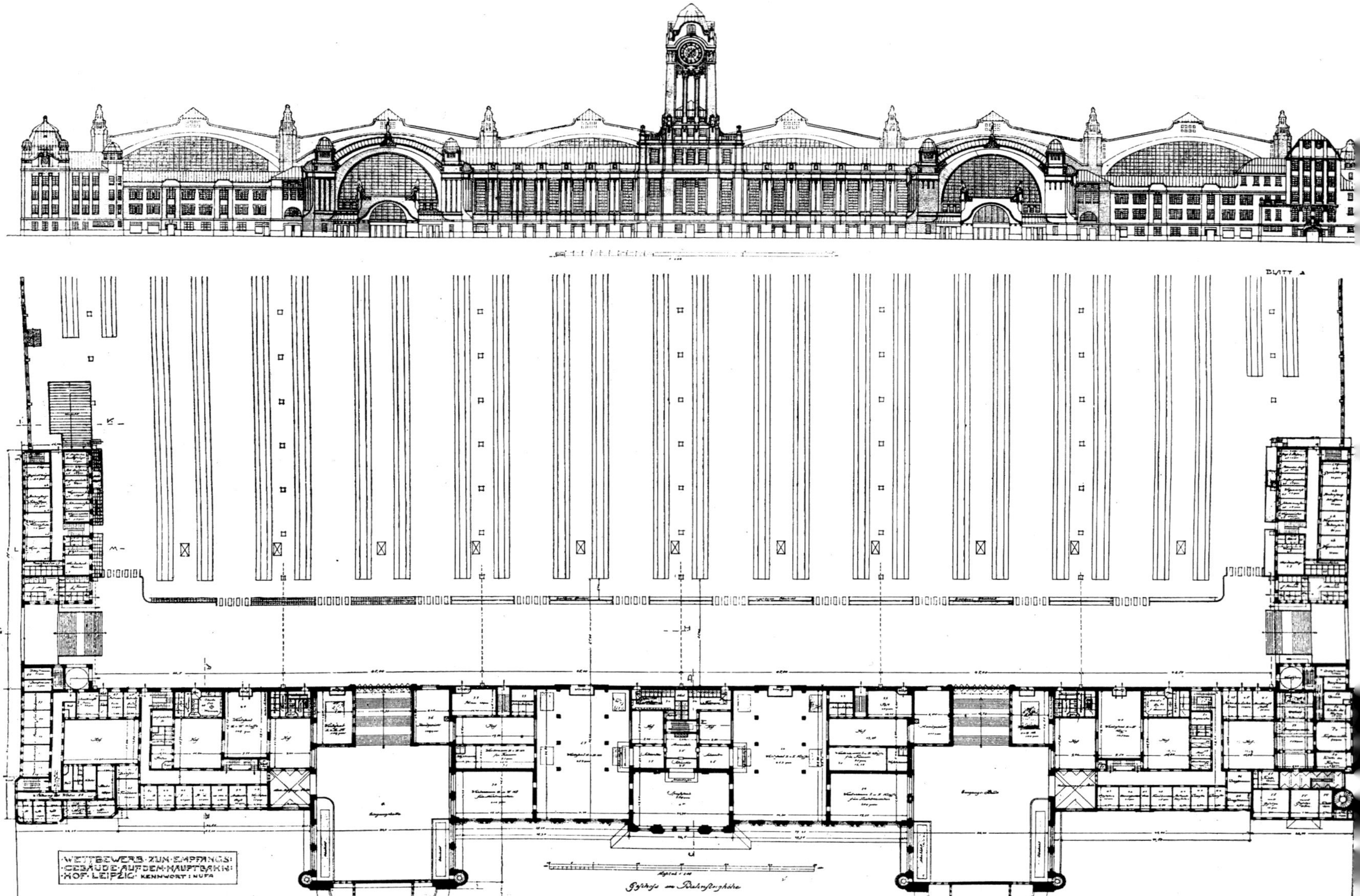
BLATT 2
·WETTBEWERB·ZUM·EMPFANGS·
·GEBÄUDE·AUF DEM·HAUPTBAHN·
·HOF·LEIPZIG· KENNWORT: NUFA

KENNWORT NUFA

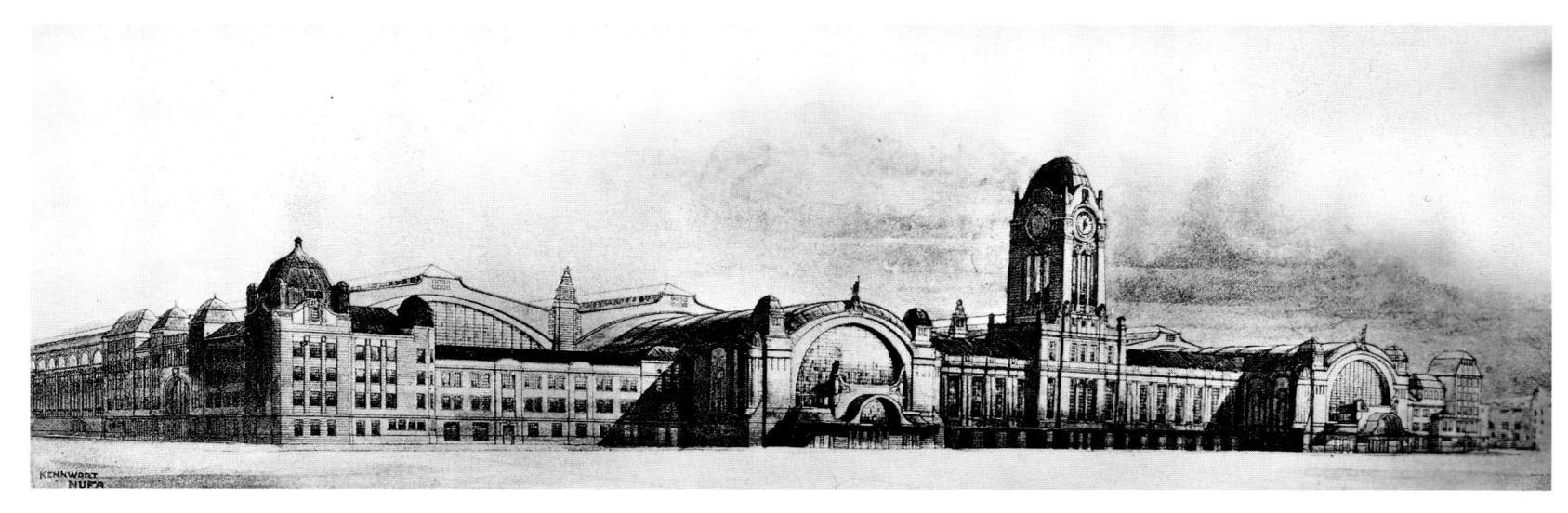

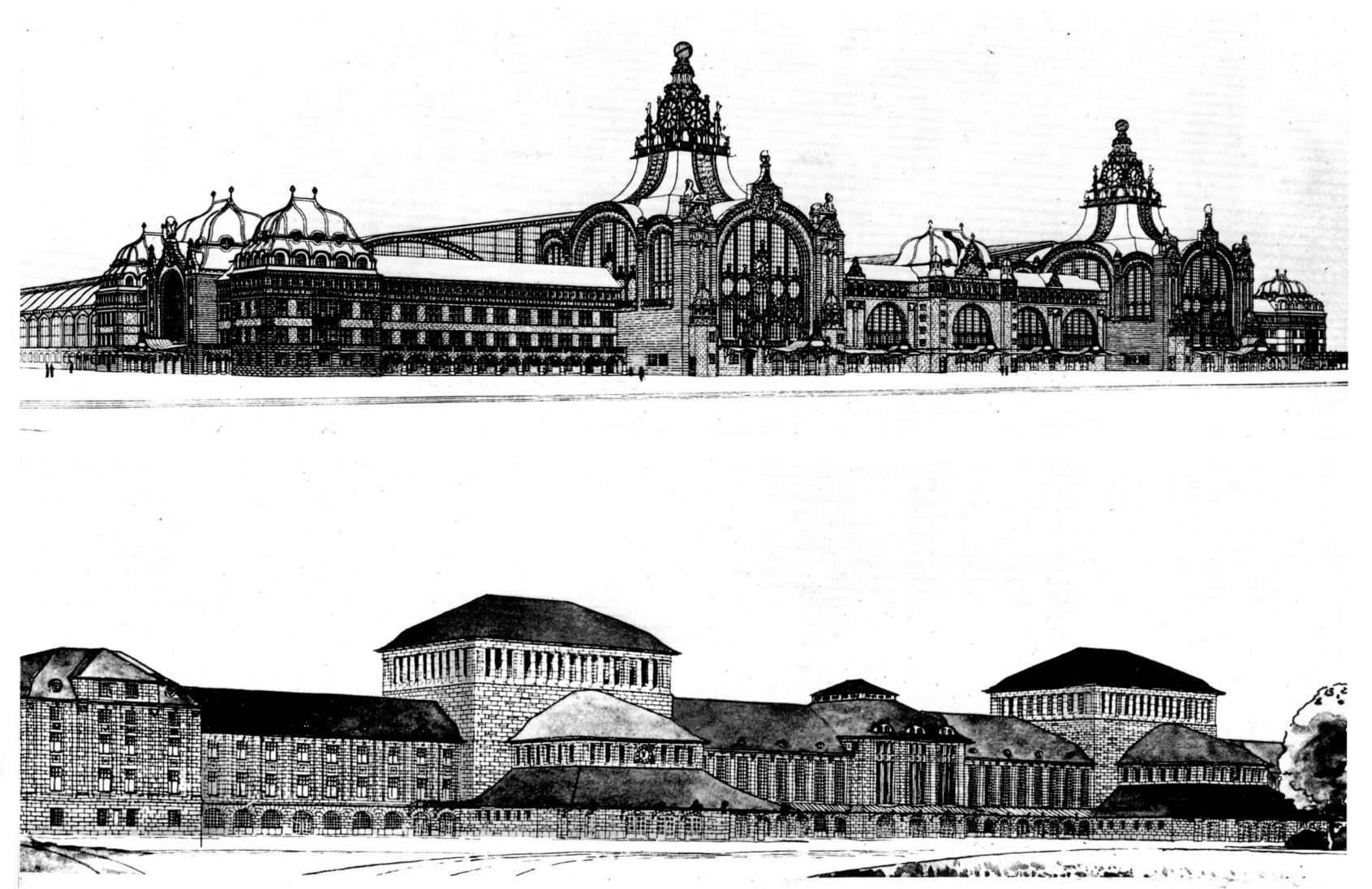

C. A. Meckel, Freiburg i. Br., Nr. 20 „St. Georg" von Ernst Rentsch, Berlin, und Otto Herold, Düsseldorf, Nr. 29 „Licht und Luft" I des Regierungs- und Baurates Ernst Schwartz, Berlin Nr. 32 „Luft und Licht" der Architekten Friedrich W. Werz und Paul Huber, Wiesbaden, Nr. 37 „Ad hoc" *(Bild 81)* von Alfred Lorenz, Hannover, und Nr. 71 „Deutschland" der Architekten Heidenreich und Michel zusammen mit R. Jacobs, Charlottenburg. Außerdem empfahl die Jury, zwei weitere Entwürfe wegen ihrer hervorragenden künstlerischen Details mit einer „ehrenden Erwähnung" besonders zu würdigen, und zwar Nr. 74 „Reiter mit Hund" des Architekten Peter Birkenholz, München, und Nr. 72 „Leipzig ... an".

Nach dieser Konkurrenz-Auswahl standen den Eisenbahnverwaltungen zehn Entwürfe zur weiteren Bearbeitung zur Verfügung. Ob sich, abgesehen von den Ersten Preisen, unter diesen zehn oder den 25 vorher zunächst in der engeren Wahl verbliebenen Arbeiten mindestens im Detail für die Projektierung verwendbare Entwürfe befanden, ist acht Jahrzehnte danach nicht gerecht zu beurteilen. Aber gewiß hat sich die Jury und später die Sächsische Staatseisenbahn-Verwaltung, die Projektierung und Bauleitung des Empfangsgebäudes und der Bahnsteighallen übernahm, richtig entschieden, als sie den Entwurf von Lossow und Kühne bevorzugten.

Nicht nur aus heutiger Sicht, sondern auch zeitgenössisch kritisch betrachtet, boten die Wettbewerbsbedingungen den Architekten außerordentlich wenig Freiraum. Allein das Baukostenlimit von 5 800 000 Mark, eine im Verhältnis zu den damals geplanten 130 Millionen Mark Gesamtkosten für die Umgestaltung der Leipziger Bahnanlagen bescheidene Summe, schränkte eigenwillige Lösungen von vornherein ein. Ebenso bedenklich war der geforderte Dualismus in Form einer preußischen und sächsischen Hälfte, schließlich auch das verbindliche Raumprogramm. Bedenkt man, daß dazu noch die Abmessungen der Gebäudefront sowie der

78 Wettbewerbsentwurf »Nufa« von Prof. Klingholz für das Empfangsgebäude des Hauptbahnhofes Leipzig. Ansicht vom Vorplatz und Grundriß in Bahnsteighöhe, 1906/07
79 Wettbewerbsentwurf »Nufa«, perspektivische Ansicht vom Vorplatz
80 Wettbewerbsentwurf »D.A.M.M.« für das Empfangsgebäude des Hauptbahnhofes Leipzig von C. A. Meckel, Freiburg i. B., Ansicht vom Vorplatz, 1906/07
81 Wettbewerbsentwurf »Ad hoc« von Alfred Lorenz, Hannover, Schaubild vom Vorplatz, 1906/07

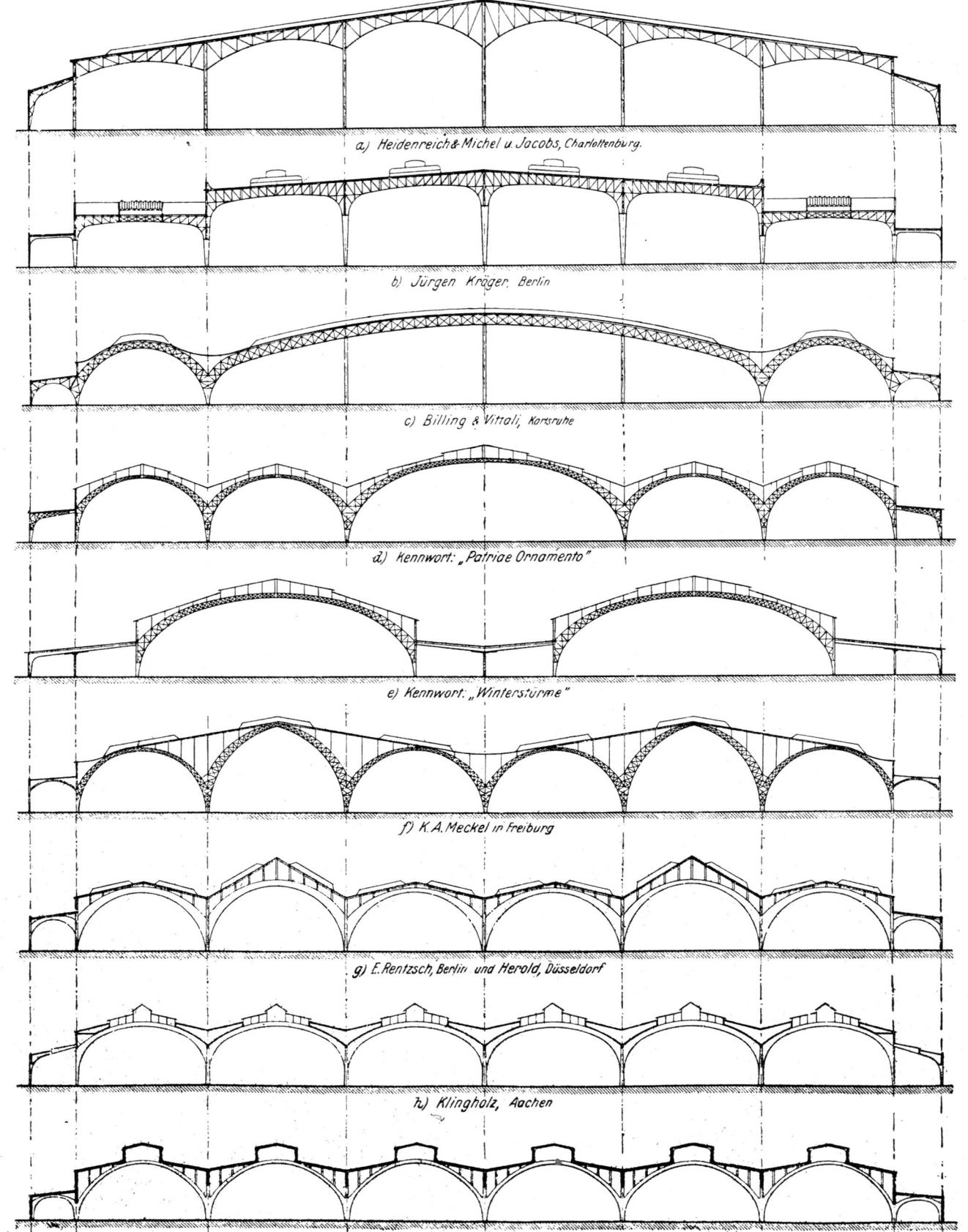

82 Vorschläge für den Querschnitt der Längsbahnsteighallen im Wettbewerb 1906 bis 1907

83 Vorschläge für den Hallenlängsschnitt (einschließlich Querbahnsteighalle) am Empfangsgebäude im Wettbewerb 1906 bis 1907

Quer- und Längsbahnsteighallen feststanden, so ist das Wettbewerbsergebnis trotz allem erstaunlich.

Die Bahnsteighallen als funktionell wichtiges Bauglied konnten unabhängig vom vorgegebenen Stützensystem entweder mit entsprechenden Wölbbinder-Dachkonstruktionen, mit einem gemeinsamen oder in Mittel- und Seitenschiffe gegliederten Sattel- bzw. Wölbdach überspannt werden. Während in den meisten Arbeiten, auch im später ausgeführten Entwurf von Lossow und Kühne, die erstgenannte Anordnung bevorzugt wurde *(Bild 82)*, entwickelten einige Architekten auch recht interessante Konstruktionen, die entweder beachtliche Raum- und teilweise nach außen in Erscheinung tretende Baukörperdimensionen ergaben *(Bild 82, a bis d)* oder den Dualismus der beiden Verwaltungen auch bei den Längsbahnsteighallen betonten *(Bild 82, e bis g)*.

Ebenso unterschiedlich wurden die Längsbahnsteighallen zusammen mit dem Querbahnsteig an das Empfangsgebäude geführt *(Bild 83)*, und zwar bei den meisten Entwürfen konstruktiv durchgehend unmittelbar bis an die bahnseitige Front des Empfangsgebäudes, den Querbahnsteig mit überdeckend. Dies bedeutete aber, für deren größere Spannweite auch den Binderabstand zu vergrößern, was sich optisch und statisch ungünstig auswirkte. Jürgen Kröger, Billing und Vittali zogen dennoch eine derartige Lösung vor *(Bild 83, a und b)* während Lossow und Kühne und andere Entwurfsverfasser die Querbahnsteighalle architektonisch nicht nur besonders individuell, sondern auch durch Höhe und Ausführung als Hauptverkehrszone der Reisenden gestalteten *(Bild 84)*. Entsprechend variierten die Vorschläge für Konstruktion und Material der Hallen, die entweder im gleichen Baustoff der Längshallen durchgeführt oder differenziert aus Stahl und Stahlbeton hergestellt werden sollten.

Die Preisverteilung zeigt zugleich aber deutlich die Wirkung dieser Bedingungen, die zwei grundverschiedene Richtungen in den vorgelegten Entwürfen offenbarten: solche mehr den vorgegebenen funktionellen Grundsätzen folgende oder vorzugsweise architektonisch-künstlerische Gesamtlösungen anstrebende Arbeiten, letztere zweifellos die bedeutenderen.

Allerdings ließen *alle* mehr oder weniger konservativen Zeitgeist erkennen. Ansätze zur Moderne bestanden, wenn überhaupt, nur ganz zögernd bei Details und im konstruktiven Bereich, z. B. in der Anwendung des aufkommenden Stahlbetons, gesamtkonzeptionell aber teilweise auch in prämoderner, großartiger Monumentalgestaltung. Häufiger wurden eklektizistische, antikisierende, teilweise modernem Verkehrsbetrieb antagonistische Entwürfe eingereicht, waren doch entsprechende Tendenzen der Bahnhofsarchitektur mit ihrem Dualismus Stadtseite: Bahnseite, traditionelles Empfangsgebäude: moderne Hallenkonstruktion noch bis in diese Zeit die Norm.

Neben den preisgekrönten Arbeiten finden sich unter den in der Konkurrenz ausgeschiedenen auch durchaus baukünstlerisch interessante Werke, die zumindest in Einzelfragen wertvolle Anregungen zu geben vermochten. Unter diesen nahm der mit ehrender Erwähnung ausgezeichnete Entwurf von P. Birkenholz (Kennwort: „Reiter mit Hund") eine Sonderstellung ein. Das Gutachten bezeichnet die Arbeit *(Bilder 85 bis 87)* „als einen Idealentwurf, der sich über die

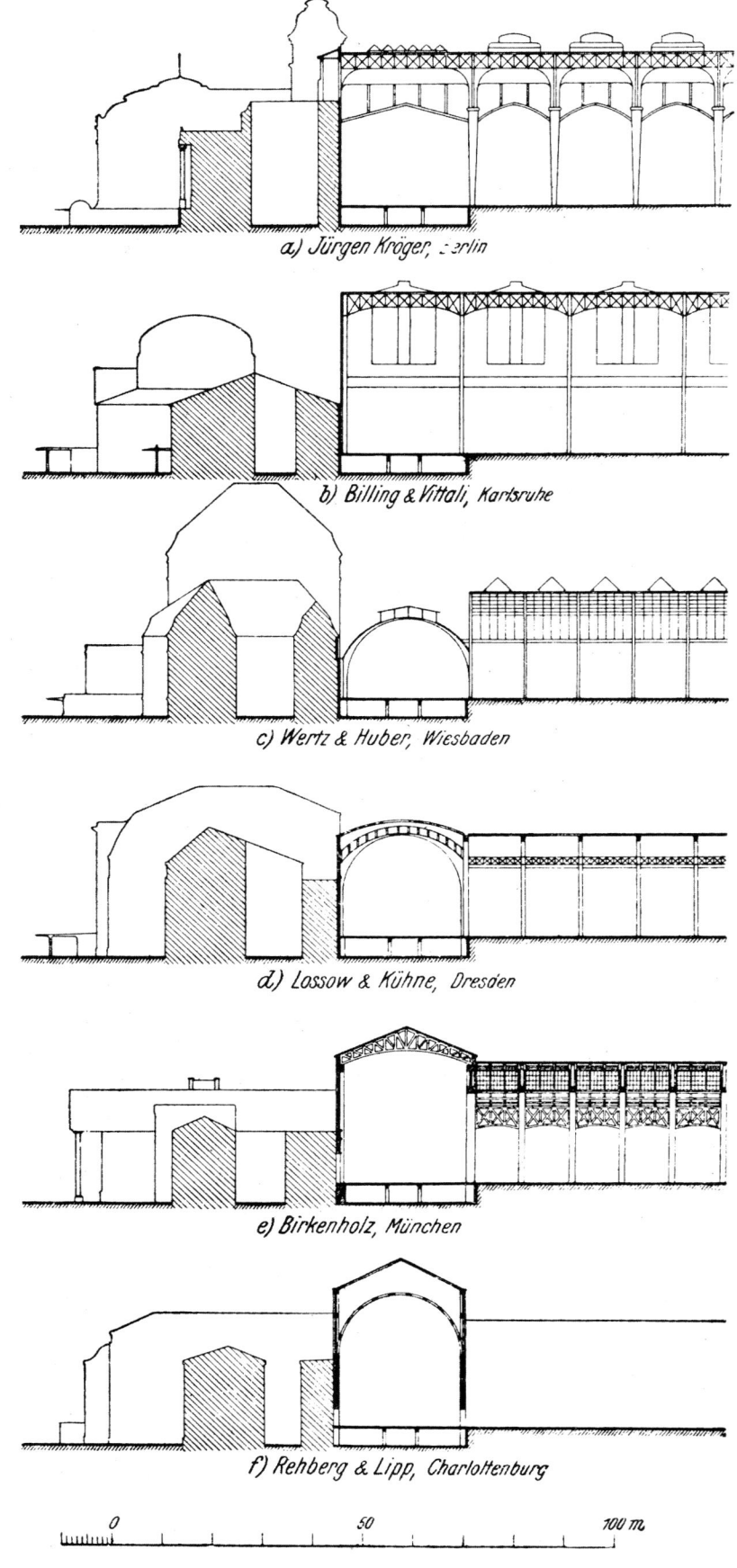

a.) Jürgen Kröger, Berlin
b.) Billing & Vittali, Karlsruhe
c.) Wertz & Huber, Wiesbaden
d.) Lossow & Kühne, Dresden
e.) Birkenholz, München
f.) Rehberg & Lipp, Charlottenburg

84 Entwurfszeichnung der Querbahnsteighalle von LOSSOW und KÜHNE
85 Wettbewerbsentwurf »Reiter mit Hund« für das Empfangsgebäude des Hauptbahnhofes Leipzig von PETER BIRKENHOLZ, München; Querbahnsteighalle, 1906/07
86 Wettbewerbsentwurf »Reiter mit Hund«, Innenansicht der Eingangs- und Schalterhalle
87 Derselbe Wettbewerbsentwurf, Gesamtansicht

wichtigsten Programmbedingungen hinwegsetze". Im Grundriß seien einige neue Gedanken bemerkenswert, so der Emporenumgang in den Schalterhallen (Bild 86), welcher den Verkehr zu den kleineren Wartesälen, zur Post und zu anderen Diensträumen vermittelt. Außerdem sei die große Terrasse vor den Wartesälen mit unmittelbarem Zugang von der Straße aus zu erwähnen. Hervorgehoben wird auch die mit hohem Seitenlicht versehene Halle der Kopfbahnsteige (Bild 85). Der in klassischen Formen gehaltene Entwurf ist, wenn auch für Eisenbahngebäude nicht charakteristisch, doch künstlerisch von hoher Bedeutung, zumal durch die Bearbeitung der Innenarchitektur". [6] Auf die Gestaltung des Bahnhofsvorplatzes in Form eines „römischen Forums", das nur den bahnbezogenen, aber nicht den hier vorbeifließenden städtischen Durchgangsverkehr gestatten würde, ging das Gutachten nicht ein. Für die Reisenden wäre es sicherlich angenehmer gewesen als die derzeitige Situation. Ähnlich wie BIRKENHOLZ hatte auch der Verfasser des Entwurfes „Leipzig . . . an" den Bahnhofsvorplatz als einen mit Arkaden umgebenen Vorhof gestaltet.

Mindestens im Äußeren trägt der Entwurf „St. Georg" der Architekten RENTSCH und HEROLD (Bilder 88 bis 92) schon gewisse prämoderne Züge, die im Gutachten der Jury bezeichnenderweise jedoch übersehen werden: „Die Gesamterscheinung der Architektur sei eigenartig und habe, abgesehen von Absonderheiten in der Ausbildung der Haupteingänge, einen ernsten, monumentalen Zug". [7] Im übrigen wird aber die Grundriß-Anordnung als „im allgemeinen klar und zweckmäßig", die „architektonische Ausbildung der Innenräume" als „in vortrefflicher Weise durchgeführt" bezeichnet. Eben hier dürfte sich die Jury versehen haben, denn besonders die monumentale Gestaltung des Wartesaales II. Klasse (Bild 91) stimmt ernst. Bemerkenswert ist aber vor allem, daß die Verfasser „auf ein stärkeres Hervor-

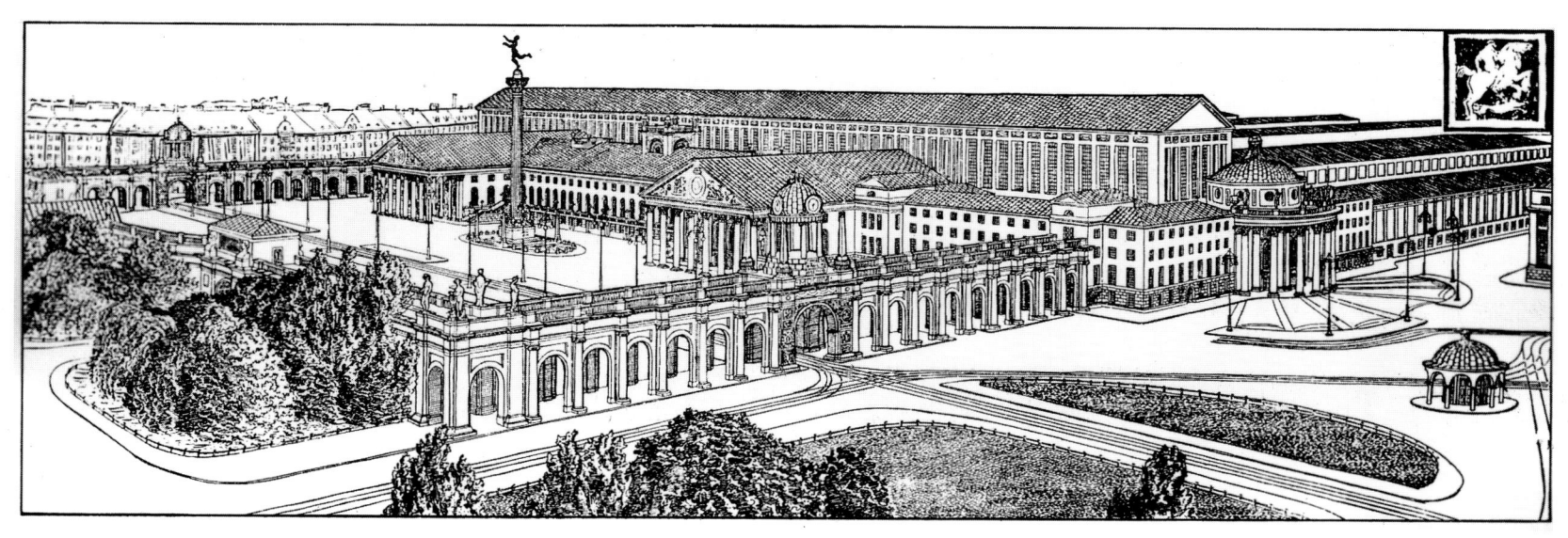

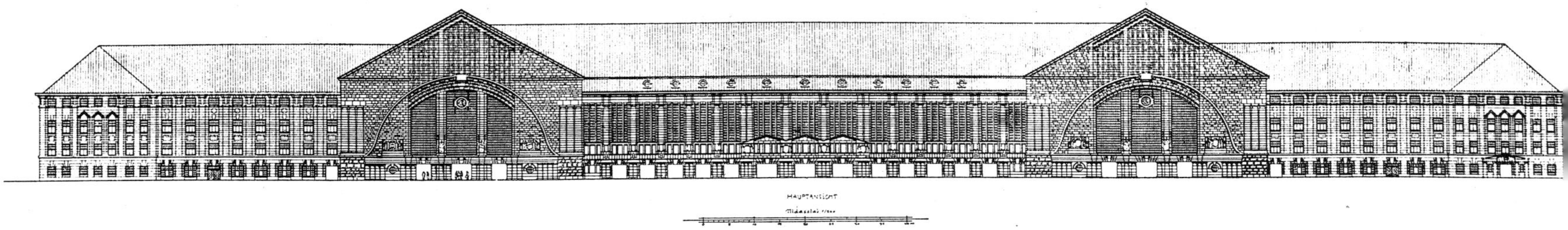

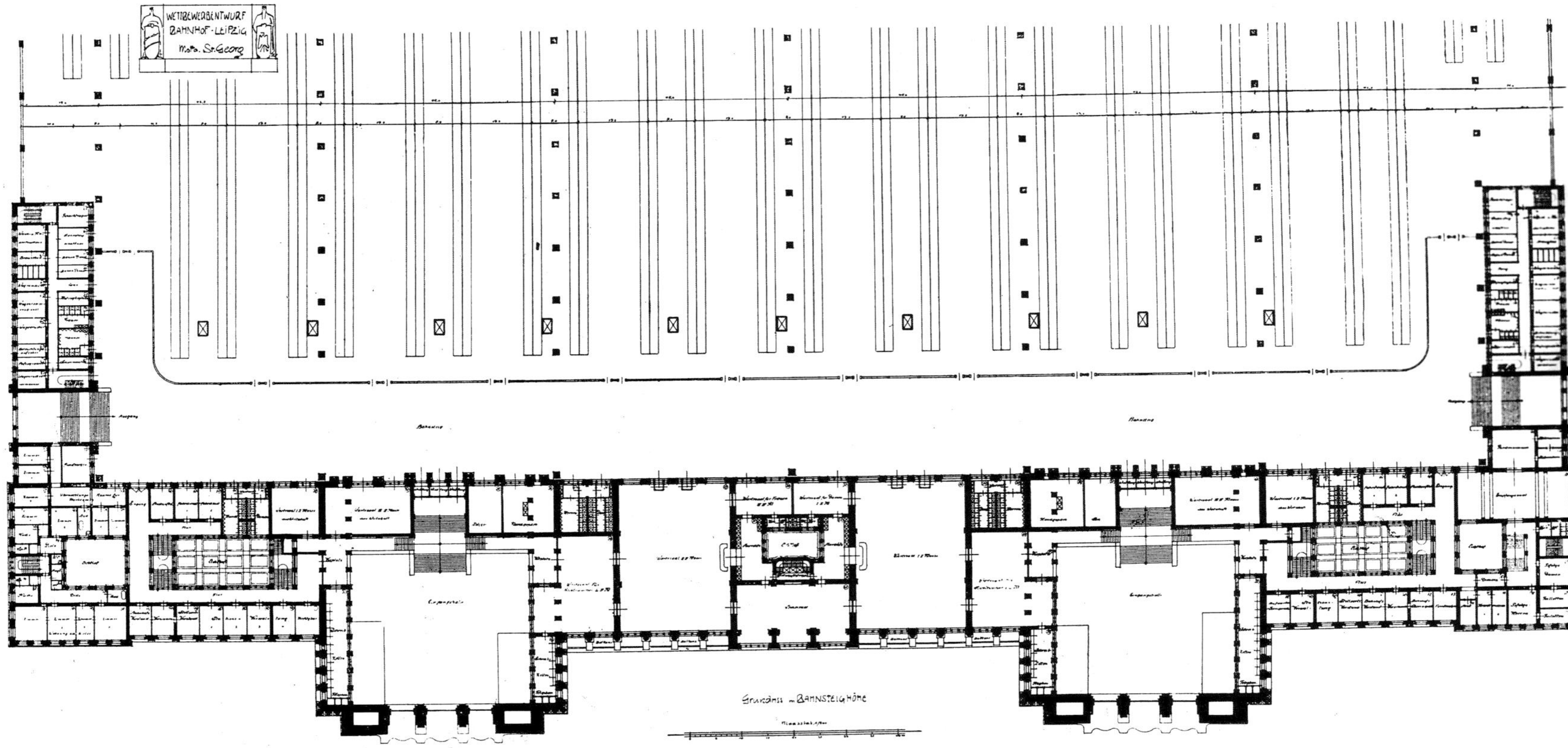

treten des Dualismus verzichten, als es das natürliche Auftreten der Eingangshallen an sich hervorbringt". [6] Sie entwickelten außerdem ein kräftig profiliertes, schlichtes Fassadensystem, das die einheitliche Wirkung noch verstärkte. Beim Entwurf der Architekten HEIDENREICH, MICHEL und JACOBS (Kennwort „Deutschland") lobt das Gutachten besonders die Außenarchitektur, „die Gesamtverhältnisse der Hauptmassen seien bei maßvoller Behandlung gut abgewogen, insbesondere gelte dies auch von den Turmbauten", die „den Dualismus außer durch Hervorhebung der beiden Eingangshallen noch ... verstärken" (Bild 94). Der sichtbare riesige Bahnsteighallengiebel fand scheinbar keinen Gefallen. Die innenarchitektonische Gestaltung ihres Entwurfes wird als „zwar sachlich, aber etwas trocken und wenig eigenartig" bezeichnet. Als einzige Wettbewerbsteilnehmer schlugen HEIDENREICH, MICHEL und JACOBS über allen sechs Hallenschiffen *ein* gewaltiges Satteldach mit querliegenden Oberlichten vor (Bild 93). [6]

Als vorzüglich gelungen fanden die Preisrichter den Entwurf „Bahnsteighalle" von BILLING und VITTALI (Bilder 95 und 96) sowohl „in der Behandlung der äußeren und inneren Architektur, die in trefflicher Charakterisierung durchgeführt ist. Jede sachlich nicht begründete Dekoration ist vermieden, ohne daß die Einfachheit so weit ginge, daß man von Nüchternheit sprechen könnte." [6] Bemerkenswert ist vor allem die kubistisch-archaische Gestaltung der Eingangshallenkomplexe (Bild 95), die schon das Ringen der Entwurfsverfasser um neuzeitlich-moderne Formen zeigt.

Ähnlich wie HEIDENRECH und MICHEL schlugen BILLING und VITTALI eine großräumige Hallenkonstruktion vor (Bild 82). In der Erläuterung schreibt BILLING: „Ich habe vorgezogen, die Bahnsteige mit einer großen Halle, an die sich zwei kleinere Hallen anschließen, zu überdecken. Dadurch wird eine große Wirkung der Bahnhofsanlage erzielt und die Bedeutung als Charakteristikum in die äußere Erscheinung geführt". [7] Der

88 Wettbewerbsentwurf »St. Georg« von RENTSCH und HEROLD, Berlin und Düsseldorf, für das Empfangsgebäude des Hauptbahnhofes Leipzig; Ansicht vom Vorplatz und Grundriß, 1906/07
89 Wettbewerbsentwurf »St. Georg«, perspektivische Ansicht vom Vorplatz
90 Wettbewerbsentwurf »St. Georg«, Teilansicht der Schalterhalle

statisch berechnete Entwurf sah eine von einfachen Stützen getragene „grandiose Mittelhalle" von 180 m und beiderseits Hallen von je 42,5 m und 15 m Spannweite vor.

Über die schließlich mit je einem Ersten Preis ausgezeichneten Arbeiten urteilte die Jury zum Entwurf des Architekten JÜRGEN KRÖGER (Kennwort „Wahrheit, Klarheit, Licht und Luft"): „Das Äußere (Bilder 97 und 99) zeichne sich durch die Vereinigung der durch das Programm gegebenen Zweiheit zu einer Einheit aus, welche durch die innige Verbindung der Vorbauten mit der Stirnwnd der großen Mittelhalle erreicht sei. Nicht ganz auf der Höhe dieses architektonischen Grundgedankens stehe die Durchbildung im einzelnen". [8] Ähnlich wie BILLING und VITTALI konzipierte auch KRÖGER eine großräumige mittlere Bahnsteighalle. Er hielt es für bedeutsam, „der gewaltigen Kopfstation nach außen dadurch einen Ausdruck bestimmten Charakters zu geben, daß ein steinerner Giebelabschluß für die Hallen gewählt würde, nicht eine Schürze in

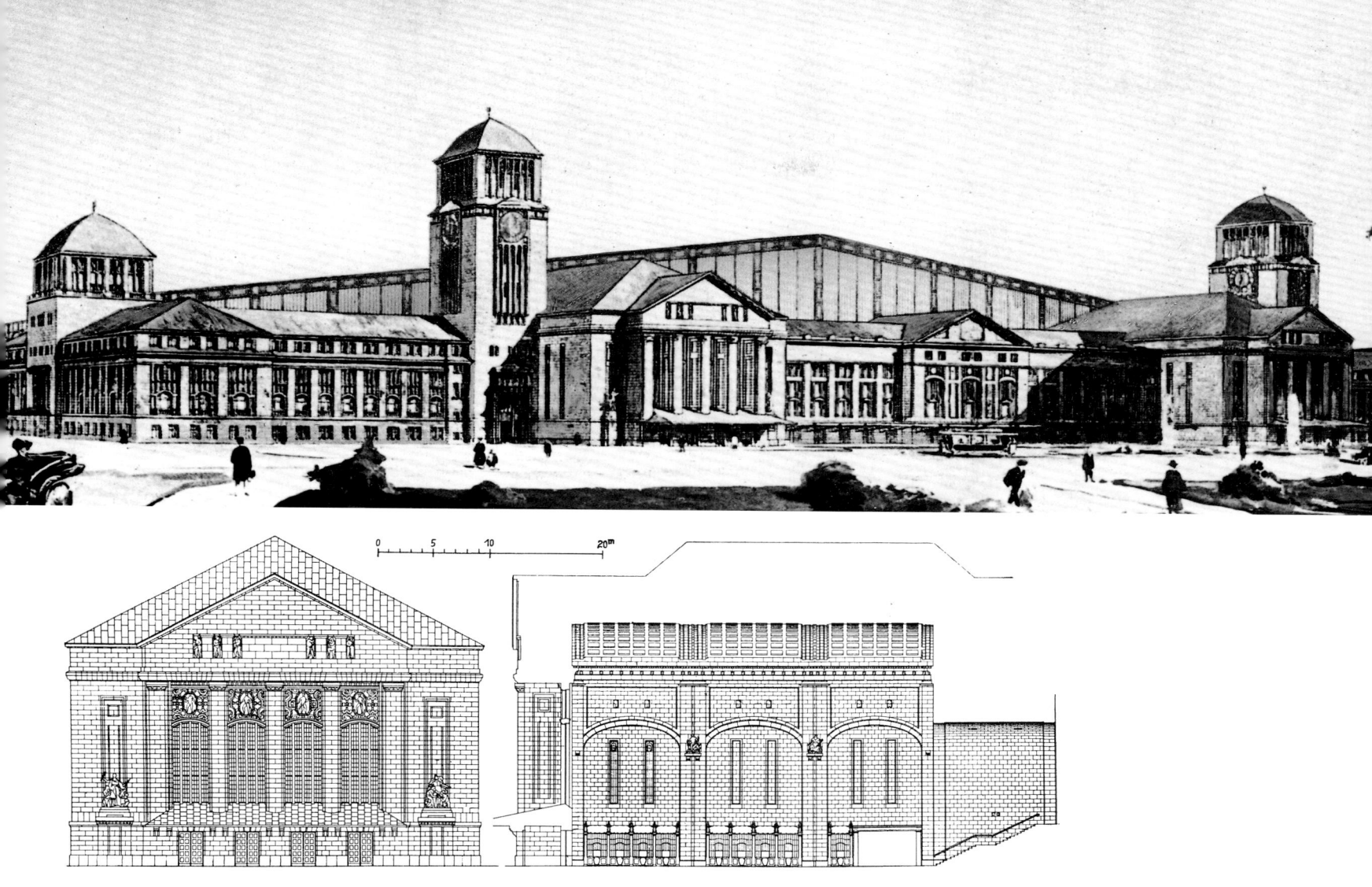

Eisenblech und Glas". [7] Der bei Berücksichtigung aller Gesichtspunkte – sowohl der technisch-funktionellen als auch der architektonisch-künstlerischen – beste Entwurf war jedoch, selbst im nachhinein betrachtet, die unter dem Kennwort „Licht und Luft" eingereichte Arbeit der Dresdener Architekten Prof. WILLIAM LOSSOW (Bild 103) und Prof. MAX HANS KÜHNE (Bild 104). Maßgeblicher Urheber des Entwurfs war KÜHNE, der noch bei WALLOT studierte und anfangs bei LUDWIG HOFFMANN, einem der namhaftesten Architekten seiner Zeit, gearbeitet hatte. Ihr Einfluß ist beim Leipziger Hauptbahnhof unverkennbar. Auch das taktvoll dem Zwinger gegenübergestellte Dresdener Schauspielhaus und das Leipziger „Hotel Astoria" stammen aus dieser Schaffensperiode. Später gehörte KÜHNE besonders mit zahlreichen hervorragenden Industriebauten zu den bekanntesten Vertretern ästhetisch moderner Architektur. Tendenzen dahin zeigt der nur ein Jahrzehnt nach dem Leipziger von ihm entworfene Hauptbahnhof Sofias (Bild 105).

Die Jury charakterisiert den Entwurf von LOSSOW und KÜHNE als eine „sehr sorgfältig und bis in kleine Einzelheiten durchgearbeitete Planung. In den meisten Fällen sei es vorzüglich gelungen, den einzelnen Räumen dem Kennwort entsprechend Licht und Luft in reichlicher Weise zuzuführen. Das Äußere des Hauptentwurfs weist wohlabgewogene Verhältnisse auf, erscheint wie aus einem Guß und ist charakteristisch für die Bestimmung des Gebäudes (Bilder 99 bis 102). Gleiche Anerkennung verdiene die Innenarchitektur, besonders diejenige der monumentalen Eingangshallen" (Bilder 106 bis 108). [6]

LOSSOW und KÜHNE kombinierten aber auch das Empfangsgebäude mit den Bahnsteighallen in hervorragender Weise zu einer architektonischen Einheit, indem sie „in der geforderten Querbahnsteighalle ein vortreffliches künstlerisches Mittel, die Längshallen durch eine Querhalle abzuschließen und die letztere in den künstlerischen Gesamteindruck einzubeziehen", sahen. Doch das nicht allein, sie entwarfen in

91 Wettbewerbsentwurf »St. Georg«, Wartesaal II. Klasse
92 Wettbewerbsentwurf »St. Georg«, Ansicht einer Eingangshalle
93 Wettbewerbsentwurf »Deutschland« von HEIDENREICH und MICHEL sowie R. JACOBS, Charlottenburg, für das Empfangsgebäude des Hauptbahnhofes Leipzig; perspektivische Ansicht vom Vorplatz, 1906/07
94 Wettbewerbsentwurf »Deutschland«, Ansicht und Schnitt der Eingangshalle

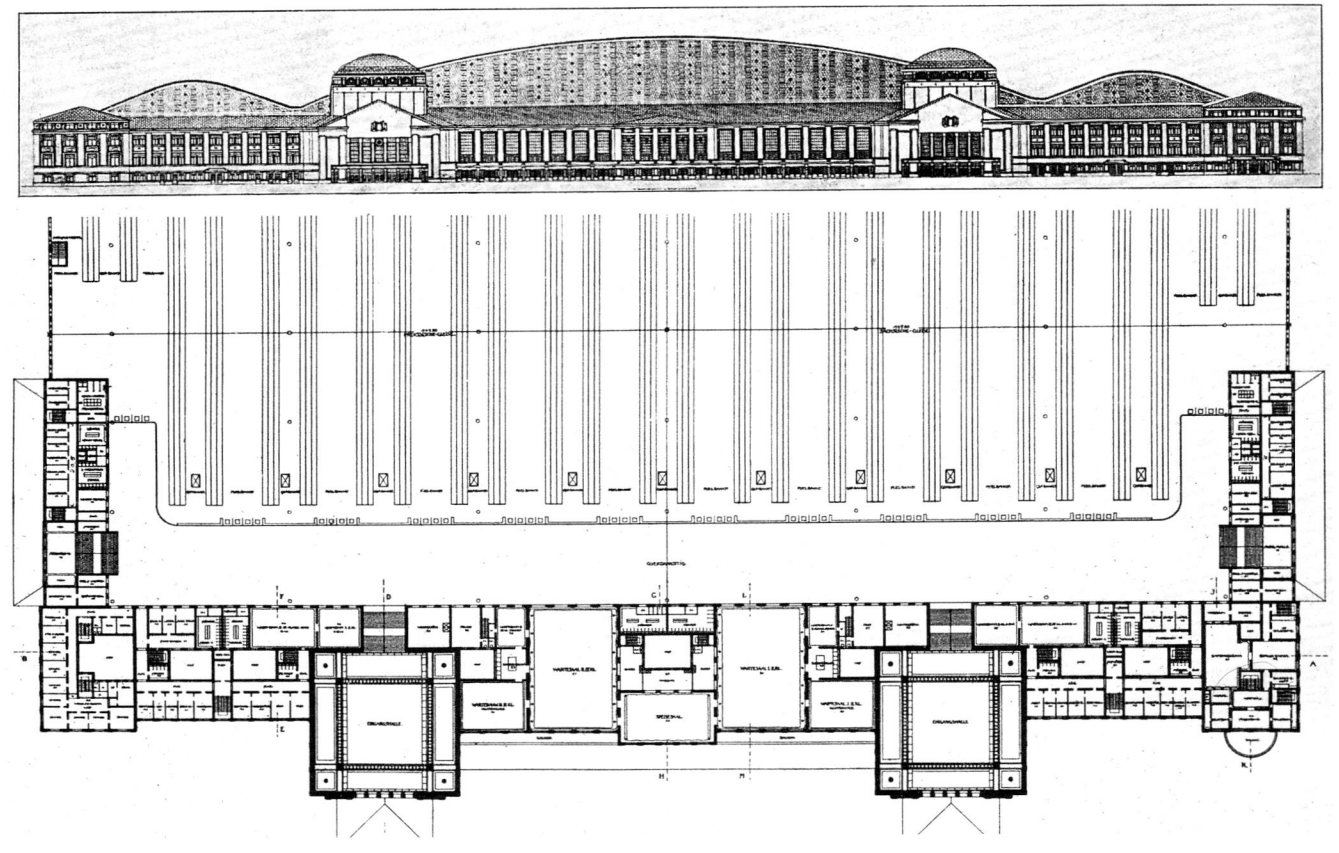

95 Wettbewerbsentwurf »Bahnsteighalle« von BILLING und VITTALI, Karlsruhe, für das Empfangsgebäude des Hauptbahnhofes Leipzig, Perspektivische Ansicht vom Vorplatz, 1906/07

96 Wettbewerbsentwurf »Bahnsteighalle«, Ansicht vom Vorplatz und Grundriß in Bahnsteighöhe

Fortführung dieser Absichten eine Querbahnsteighalle aus Stahlbeton *(Bild 109)* „um durch ihn einen Übergang zu schaffen von der Steinarchitektur des Äußeren (des Empfangsgebäudes) zur Eisenkonstruktion der Bahnsteighallen". In jener Phase des aufkommenden Stahlbetons und der beginnenden, zögernd akzeptierten Moderne warf „hier das Material Kunstfragen auf, die für die Erscheinung des Bauwerkes von einschneidender Bedeutung" wurden. [7]

Leider war es LOSSOW und KÜHNE später nicht vergönnt, auch die Umgebung des Hauptbahnhofes ganz in ihrem Sinne mitzugestalten. WILLIAM LOSSOW erlebte die Vollendung des Empfangsgebäudes gar nicht. Er starb am 24. Mai 1914. Nur mit dem „Hotel Astoria" *(Bild 110)* konnte KÜHNE dann vor Augen führen, wie er sich den Rahmen des Bahnhofsplatzes vorstellte.

Mit den Ergebnissen, die nicht nur in den beiden Ersten Preisen hervorragende Grundlagen für die Gestaltung dieses grandiosen Bahnhofes boten, konnten die Veranstalter des großen Wettbewerbes wohl zufrieden sein. Das öffentliche Interesse erfaßte die kulturelle Bedeutung der noch zu vollendenden Bauaufgabe, die Professor ALBERT HOFMANN, einer der Preisrichter, als „ein Werk im Mittelpunkte Deutschlands . . ., an welchem man einst die deutsche Kultur des zwanzigsten Jahrhunderts messen wird, . . . als ein Kultur-Denkmal größter und erhabenster Art, wie es in Deutschland sobald nicht wiederkehren dürfte . . .", charakterisierte. [6]

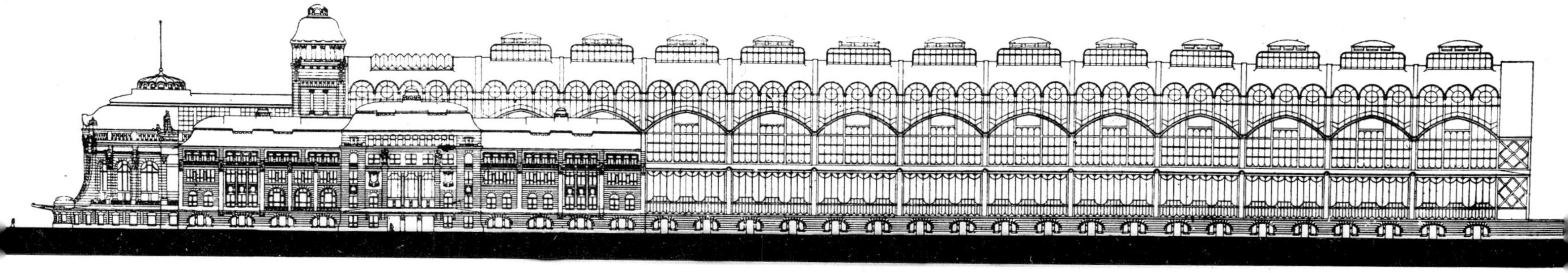

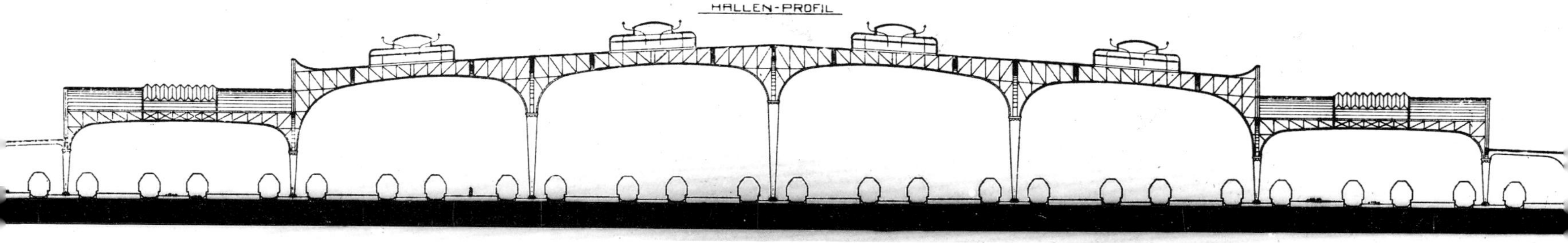

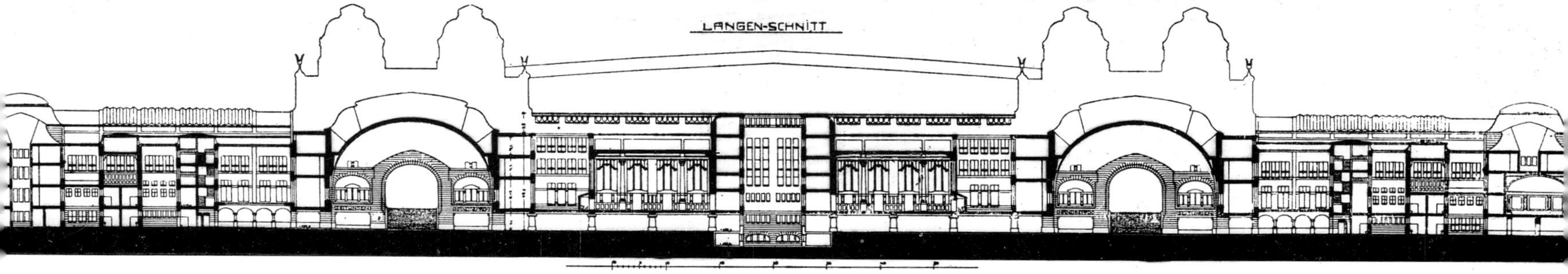

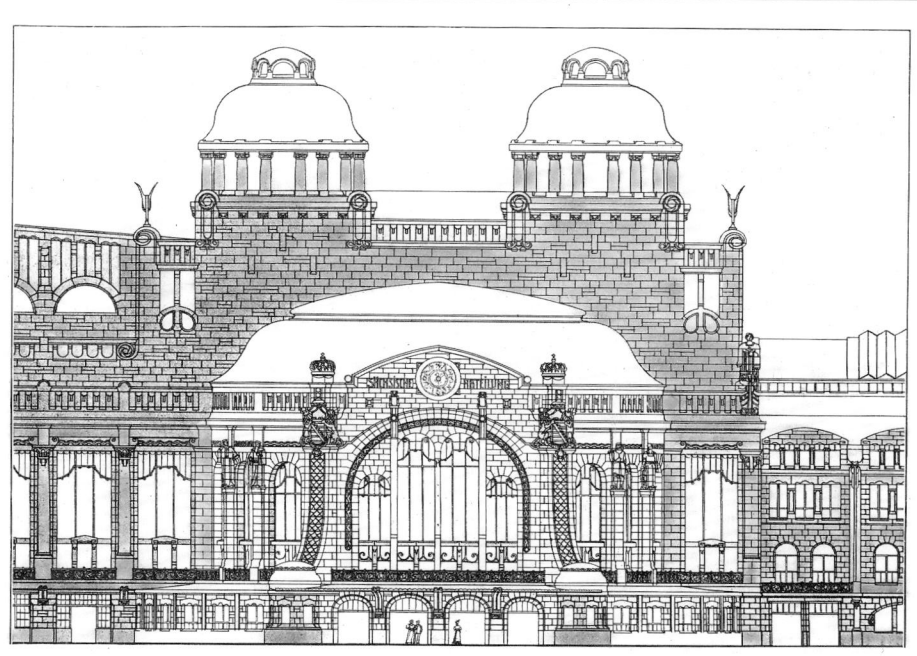

97 Wettbewerbsentwurf »Wahrheit, Klarheit, Licht und Luft« von JÜRGEN KRÖGER, Berlin, für das Empfangsgebäude des Hauptbahnhofes Leipzig. Ostansicht des Empfangsgebäudes und der Bahnsteighalle
98 Schnitt durch die Bahnsteighalle und Schnitt durch das Empfangsgebäude (unten)
99 Wettbewerbsentwurf »Wahrheit, Klarheit, Licht und Luft«, Teilansicht der Hauptfassade mit Eingangshalle der sächsischen Seite

Nächste Doppelseite.
100 Wettbewerbsentwurf »Licht und Luft« von Prof. WILLIAM LOSSOW und Prof. MAX HANS KÜHNE, Dresden; perspektivische Darstellung
101 Wettbewerbsentwurf »Wahrheit, Klarheit, Licht und Luft« von JÜRGEN KRÖGER, perspektivische Darstellung

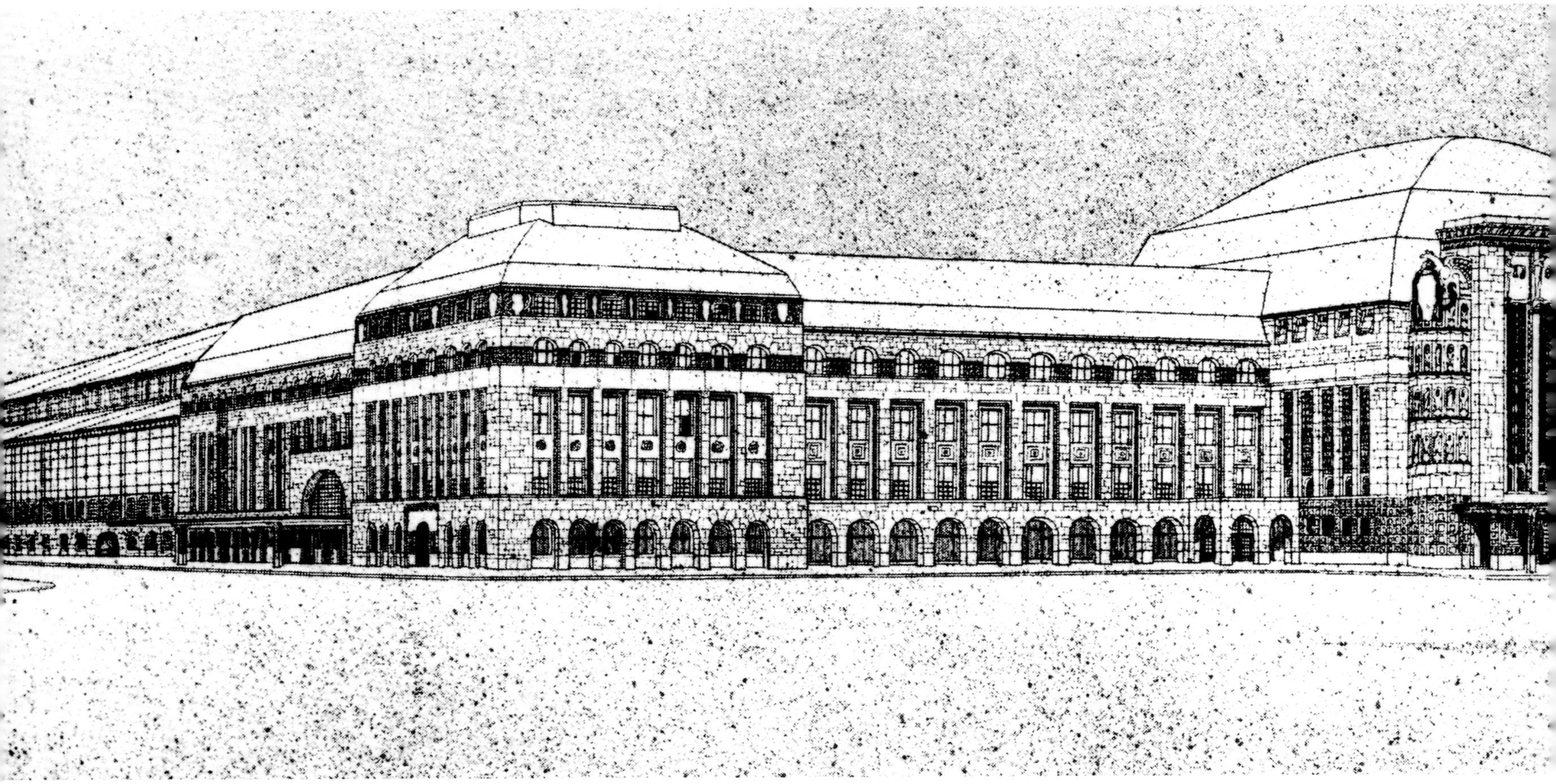

102 Wettbewerbsentwurf »Licht und Luft«, Mittelbauvariante
103 Prof. WILLIAM LOSSOW. Er entwarf mit Prof. MAX HANS KÜHNE das Empfangsgebäude des Hauptbahnhofes Leipzig
104 Prof. MAX HANS KÜHNE
105 Prof. MAX HANS KÜHNE entwarf auch das Empfangsgebäude für den Hauptbahnhof Sofia
106 Wettbewerbsentwurf »Licht und Luft«, eine der beiden Eingangshallen
107 Wettbewerbsentwurf »Licht und Luft«, Teilansicht der Eingangshalle
108 Wettbewerbsentwurf »Licht und Luft«, Längsschnitt der Eingangshalle

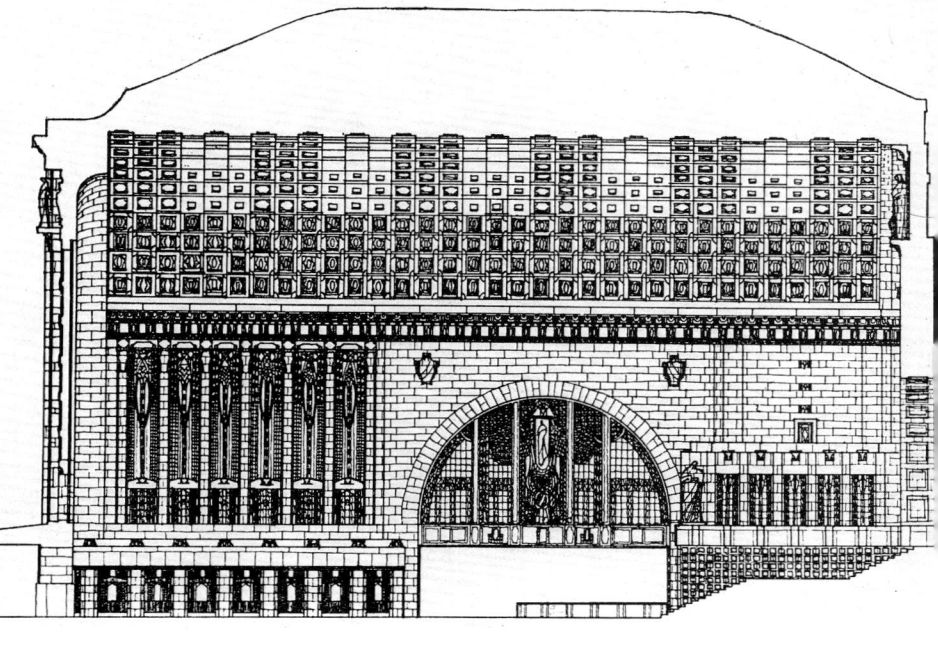

109 Wettbewerbsentwurf »Licht und Luft«, Teilansicht des Querbahnsteiges
110 Hotel Astoria. Südostansicht vom Hauptbahnhofsvorplatz, um 1930. Entwurf von LOSSOW und KÜHNE
111 Ansicht des Empfangsgebäudes von Südosten Anfang der dreißiger Jahre
112 Westlicher Ausgangshallen-Risalit am Empfangsgebäude, 1988

Entwurf und Gestaltung des Empfangsgebäudes und der Bahnsteighallen

Nach Auswertung des Wettbewerbes für das Empfangsgebäude hatten die Sächsische Staatseisenbahnverwaltung und deren Neubauamt für die Bahnhofsbauten Leipzig die Aufgabe, gemäß dem preisgekrönten Entwurf der Architekten Lossow und Kühne und unter Berücksichtigung der Anregungen anderer Wettbewerbsarbeiten sowie nachträglich gestellter Forderungen der beiden Eisenbahnverwaltungen die endgültige Projektierung durchzuführen. Entsprechend den Wettbewerbsbedingungen wurden Lossow und Kühne mit dem Ausführungs-Entwurf aller Fassaden und der innenarchitektonischen Gestaltung aller für die Öffentlichkeit bestimmten Räume einschließlich der Empfangs- und Aufenthaltsräume für hohe Staatsgäste sowie der Querbahnsteighalle beauftragt. Beide Architekten nahmen außerdem durch Mitarbeit und -beratung oder künstlerische Begutachtung in allen Gestaltungsfragen des gesamten Gebäudekomplexes einschließlich der Bahnsteighallen ihren Einfluß wahr, so daß wortwörtlich ein Bauwerk »wie aus einem Guß« entstand.

Die Ausführungs-Bau- und -Konstruktionszeichnungen einschließlich der Pläne für die technische Gebäudeausrüstung, die Leistungsverzeichnisse und Kostenanschläge, die Verdingung (Vergabe), Bauführung und Bauleitung, Abnahme und Abrechnung aller Bauarbeiten wurden jedoch durch das »Neubauamt für die Bahnhofsbauten Leipzig« mit seinen Bauabteilungen durchgeführt.

Die Gestaltung des Empfangsgebäudes
(Tafeln IV bis VII)

Nach den Entwurfsrichtlinien war »die äußere Gestaltung dieses monumentalen Gebäudes streng aus dem Wesen und Zweck des Inneren abzuleiten und jeder Teil entsprechend seiner Bedeutung für das Ganze zum Ausdruck zu bringen«. Aus der 298 m langen Hauptfront des symmetrisch gestalteten Empfangsgebäudes treten die beiden »ihre Zweckbestimmung ohne weiteres deutlich erkennen lassenden Eingangshallen« weit vor *(Bild 111)*. An den beiden je 90 m langen Seitenflügeln sind die Ausgangshallen entsprechend ihrer Funktion weniger betont *(Bild 112)*. Zusammengefaßt wird der große, »rhythmisch gegliederte« Gebäudekomplex durch das hochragende »langgestreckte Dach des den Kern der ganzen Kopfstation bildenden gewaltigen Querbahnsteiges«, hieß es in einer zeitgenössischen Baubeschreibung. [9]

Vom Vorplatz führt der Weg durch Windfänge in die auf gleichem Niveau liegenden, in jeder Beziehung identisch gestalteten und ausgestatteten Eingangshallen der (früheren) preußischen und sächsischen Seite *(Bild 115)* mit den seinerzeit nach entsprechenden Richtungen getrennten Fahrkarten- und Gepäckabfertigungsschaltern *(Bild 114)*. Beide Hal-

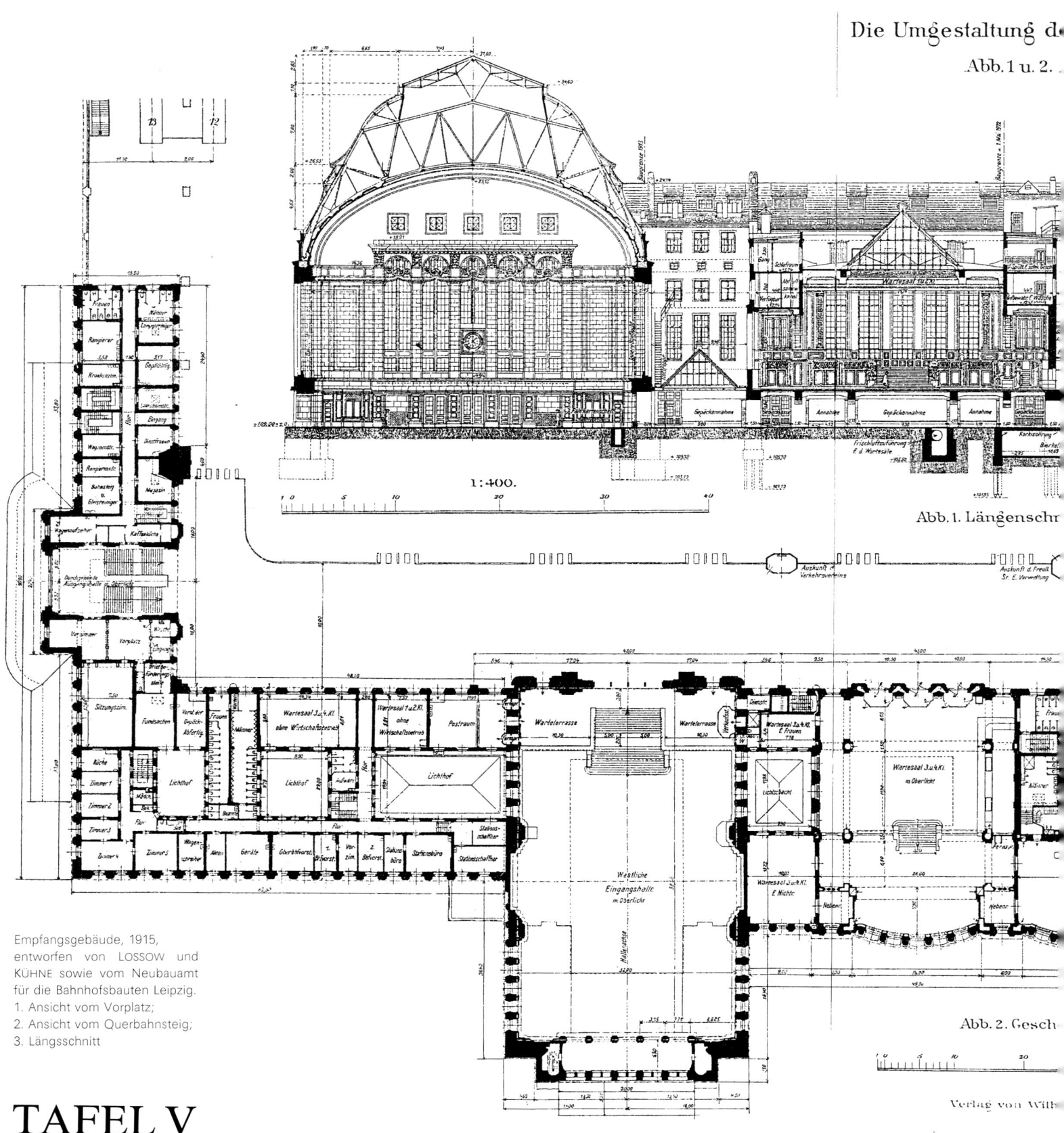

Empfangsgebäude, 1915, entworfen von LOSSOW und KÜHNE sowie vom Neubauamt für die Bahnhofsbauten Leipzig.
1. Ansicht vom Vorplatz;
2. Ansicht vom Querbahnsteig;
3. Längsschnitt

TAFEL V

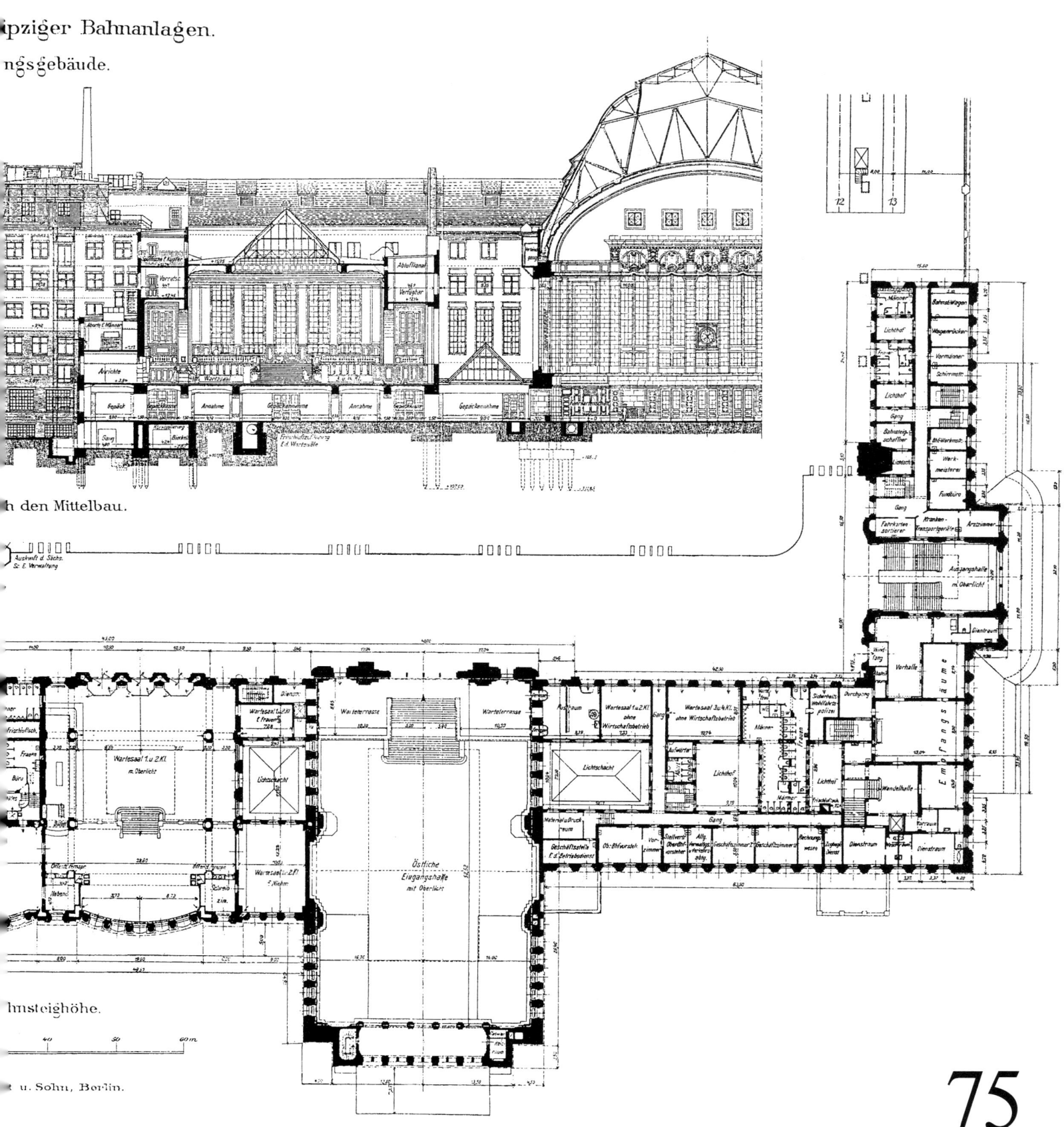

len wurden durch einen 100 m langen, 12,5 m breiten Gang mit 15 Türen zum Vorplatz und bahnseitig mit 74,5 m langen Gepäckannahmen sowie sieben Gepäckkassen der beiden Eisenbahnverwaltungen verbunden *(Bild 116)*. Von hier gelangte das Gepäck zu den Lagerräumen unter dem Querbahnsteig, dann weiter durch Tunnel und Aufzüge zu den Gepäckbahnsteigen; bis 30 Minuten vor Abgang eines jeden Zuges abgegebenes Gepäck *(Bild 117)* begleitete die Reisenden auch bei mehrmaligem Umsteigen auf ihrer Fahrt bis zum Zielbahnhof im Packwagen *(Bilder 119 und 120)*!

Unmittelbar hinter den Windfangtüren wurden in den Eingangshallen beiderseits je acht ursprünglich nach Wagenklassen unterschiedene Fahrkartenschalter-Einbauten angeordnet. Preußischerseits waren acht Schalter mit Walzendruckern »Regina«, Ausgabeleistung 250, auf der sächsischen Seite vier Schalter mit Maschinen der Bauart »Elektra«, Leistung 150 bis 200 Fahrkarten pro Stunde, ausgestattet.

Vom 0-Niveau der Eingangshallen führen 10 m breite, in der Mitte durch Handläufe geteilte Treppen zum 3,84 m höheren Querbahnsteig, der als Zugang zu allen 26 Längsbahnsteigen dient, die zusätzlich noch durch einen 184 m vom Querbahnsteig entfernten Personentunnel miteinander verbunden wurden. Die Podeste neben den Treppenanlagen waren Ruhezonen mit Bänken und Schreibgelegenheit, gleichzeitig Vorräume zu den Postschaltern. Beide Eingangshallen sind im Erdgeschoß direkt mit den in den Seitenflügeln befindlichen Toiletten, Wasch- und Serviceräumen, Auskunfteien, Dienst- und Sozialräumen verbunden *(Tafel VII)*. Zugang haben diese Räume im Inneren durch glasbedeckte Lichthöfe, wo unter anderem Fahrplan- und Informationstafeln aufgestellt wurden *(Bild 118)*.

Ost- und westwärts führen in der Mittelachse des Querbahnsteiges 10 m breite, ebenfalls geteilte Treppen in die Ausgangshallen mit drei Geschosse hohen Tonnengewöl-

113 Gesamtansicht von Südwesten um 1930, Junkers-Luftbild
114 Die westliche (preußische) Eingangshalle kurz vor Inbetriebnahme der preußischen Seite am 1. Mai 1912
115 Die »sächsische Empfangshalle« des Hauptbahnhofes Leipzig als Motiv für eine Ansichtskarte, Sepiazeichnung, 1918

116 Blick aus der Osthalle in den Verbindungsgang des Empfangsgebäudes mit Gepäckabfertigung der Sächsischen Staatseisenbahn
117 Unterer Quergang, Teilansicht von der »preußischen« Seite, um 1925
118 Das Empfangsgebäude im Jahre 1915 – Lichthof mit Zugängen zu Toiletten, Dienst- u. Sozialräumen
119 Gepäckträgermarke der Preußischen Staatseisenbahn, »Gepäckträger 9 – Marke No. 4«
120 Gepäckträgermarke der Sächsischen Staatseisenbahn, »Gepäckträger 173 – Marke Nr. 1«

ben und teilweise farbig verglasten Oberlichten. Unter den Treppen befinden sich Gepäckausgaben mit etwa 50 m Tischlänge, Handgepäckannahme, Schalter und Lager für Pakettransport. Im Erdgeschoß beider den Querbahnsteig und außerdem die Längsbahnsteighallen kopfseitig etwa 36 m weit einfassenden Seitenflügel sind abschließend Bahnhofsschänken mit Wirtschafts- und Sozialräumen, im Bahnsteiggeschoß neben vielen Dienst- und Geschäftsräumen, kleinen Wartesälen usw. auf der sächsischen Seite eine repräsentativ gestaltete Raumfolge für den Empfang und zeitweiligen Aufenthalt hoher Staatsgäste *(Bilder 121 bis 124)* untergebracht.

Zu diesen führte der Weg von einer mit vier schmiedeeisernen Laternen bekrönten Unterfahrt *(Bild 121)* in eine marmorverkleidete Halle und dann entweder mit dem Aufzug oder über eine 3 m breite Marmortreppe zur Wandelhalle *(Bild 122)* des Empfangstraktes. Der 13 m lange, 9 m breite

und zwei Geschosse hohe Hauptempfangssaal *(Bild 123)* wird durch Glasgemäldefenster beleuchtet und erhielt wie die Aufenthaltsräume farbige seidenbespannte Wände und passenden Teppichbodenbelag, Kronleuchter aus Meißener Porzellan sowie Mobiliar im Stil Louis XV. und Louis XVI. *(Bild 124)*.

Bedrückend liest sich der Bericht zu der unter dem westlichen Randbahnsteig gelegenen Auswanderer-Registrierstation: ». . . die Auswanderer, die zumeist auf den sächs. Linien eintreffen und in der Richtung Hamburg, Bremen oder Antwerpen weiterreisen, kommen bei ihrer Beförderung nach und von genannter Registrierstation mit anderen Reisenden auf den Bahnsteigen in keine Berührung«. [9]

Der gesamte Mittelbau des Empfangsgebäudes nimmt die den beiden Eisenbahnverwaltungen zur Verfügung stehenden Wartesäle *(Bilder 125 und 126)* mit Bahnhofswirtschaft, großen Küchen- und Lagerräumen auf *(Bilder 131 bis 143)*. Die Wartesäle wurden durch Podeste an der Vorplatzseite, zu denen 5,40 m breite Treppenaufgänge führen, reizvoll gegliedert. So konnte der untere Verbindungsgang 2 m höher als die benachbarten Gepäckabfertigungen ausgeführt und diese besser mit Tageslicht beleuchtet werden. Hohe hölzerne Wandverkleidungen, sparsam eingesetzte Ornamentik und kräftige, reine Farbgestaltung der Umfassungen trugen zur festlich-behaglichen Wirkung der großartigen Räume bei *(Bilder 125 bis 130)*.

Nicht nur die Säle beeindrucken jeden Reisenden durch ihre großartige Dimension und Raumgestaltung, auch die Wirtschaftsräume des »ins Riesenhafte gesteigerten Wirtschaftsbetriebes« *(Bild 135)* wurden seinerzeit überaus großzügig angelegt und größten Anforderungen entsprechend ausgestattet. Sie besaßen unter anderem einen großen hydraulischen Lastenaufzug zur Beförderung schwerer Lasten zwischen Vorplatz und Wirtschaftskeller *(Bild 132)* sowie 14

121 Unterfahrt der ehemaligen Empfangsräume im Ostflügel des Empfangsgebäudes
122 Aufgang mit Wandelhalle vor den Empfangsräumen für hohe Staatsgäste, 1915
123 Empfangssaal für hohe Staatsgäste, 1915
124 Empfangsräume für hohe Staatsgäste, Damenzimmer, 1915

80

125 Einer der beiden von Prof. LOSSOW und Prof. KÜHNE entworfenen Wartesäle, 1915
126 Einer der beiden Wartesäle, um 1920
127 Speiserestaurant, um 1920
128 Speiserestaurant, 1915

Speisen-, Personen-, Lasten- und Zettelaufzüge, eine mit »Saug- und Druckluft betriebene Rohrpostanlage, deren Sende- bzw. Empfangsvorrichtungen mit selbsttätigem Patronenauswurf an den drei Hauptspeise-Ausgabetischen in den beiden großen Wartesälen und dem Speisesaale bzw. in der Anrichte neben dem Hauptküchenraume eingebaut«, schnellste Beförderung der von den Kellnern aufgegebenen Speisenbestellungen zur Küche ermöglichte (Bild 134). Ferner standen zur Verfügung eine Kompressor-Kühlanlage, Kühlräume (Bild 131), Kunsteisbereiter, zwei 6 m lange »Panzerherde für Koks- und Braunkohlefeuerung« (Bild 133), eine Feinbäckerei mit Speiseeisbereitung, eine Fleischerei mit elektrisch betriebenen Maschinen und eine Dampfwäscherei zur mechanischen Reinigung und Trocknung mit Ausbesserungs- und Lagerräumen für die enormen Wäschebestände, Arbeitskleidung usw. Außerdem gehörten zur Bahnhofswirtschaft zahlreiche Sozialräume, z. B. 20 Schlafzimmer

129 Weinrestaurant, 1915, Entwurf LOSSOW und KÜHNE
130 Die Terrassengalerie des Weinrestaurants, 1915
131 Der Weinkeller mit Kühlanlage, 1915
132 Teilansicht des Spirituosenkellers, 1915
133 Teilansicht der großen Küche mit »Panzerherden«, 1915
134 Vorraum der großen Küche mit Rohrpostanlage und Speisenaufzügen, 1915
135 Ein Teil des Personals der Bahnhofswirtschaft im Wartesaal, nach 1920
136 bis 139 Bier-Marken der Bahnhofswirtschaft, um 1920
140 Teilsicht der Buchdruckerei, um 1920

für 75 bis 80 männliche und weibliche Angestellte. Täglich wurden je nach Reisezeit allein etwa 3500 bis 7500 warme Mahlzeiten verabreicht *(Bilder 136 bis 143)*.

Die Bauausführung des Empfangsgebäudes

Besonders schwierig war für alle Hochbauten wie auch für die Gleisanlagen der sumpfige Baugrund der Parthe-Niederung und der Festungsgräben, wovon letztere bereits bei der Stadterweiterung vor der Jahrhundertwende um 3 m mit Abfallschutt aufgefüllt wurden. Nach eingehenden Bodenanalysen der Grundflächen des Empfangsgebäudes (Bild 144) fand sich unter diesen Schuttmassen erst in 6 m bis 7 m Tiefe unter tonigem Sand, Ton, Moorboden, Letten und Feinsand Kies als belastbarer Baugrund; der Grundwasserspiegel lag 3,2 m unter Geländeoberfläche. Daher war es erforderlich, alle Mauern und Pfeiler der Westseite mit Betonpfählen 50 cm tief in tragfähigen Boden zu gründen. Dies erfolgte je nach Belastung und Bodentragfähigkeit durch insgesamt 3125 Pfähle, wovon die Firma DYCKERHOFF & WIDMANN A.-G., Dresden, 1401 = 6843 lfd m Pfähle System Strauß mit 791 lfd m Armierung und die A.-G. für Beton- und Monierbau, Leipzig, 1724 = 6374 lfd m 3 m bis 7 m lange Stahlbetonpfähle in Abständen von 0,9 bis 1,4 m eingebracht bzw. eingerammt hat. Die Pfähle besaßen beim System Strauß 25 cm Durchmesser, die aus Stahlbeton 30 × 30 cm Querschnitt. Sie ragen 25 cm in die daraufliegenden Betonstreifen oder -flächengründungen.

Am zweiteiligen Gebäudesockel wurde die untere Schicht außen und an den inneren mit Sandstein verkleideten Wänden aus rötlich-grauem, in den Eingangshallen aus poliertem Beuchaer Diorit ausgeführt. Für die Außenfassaden fand der

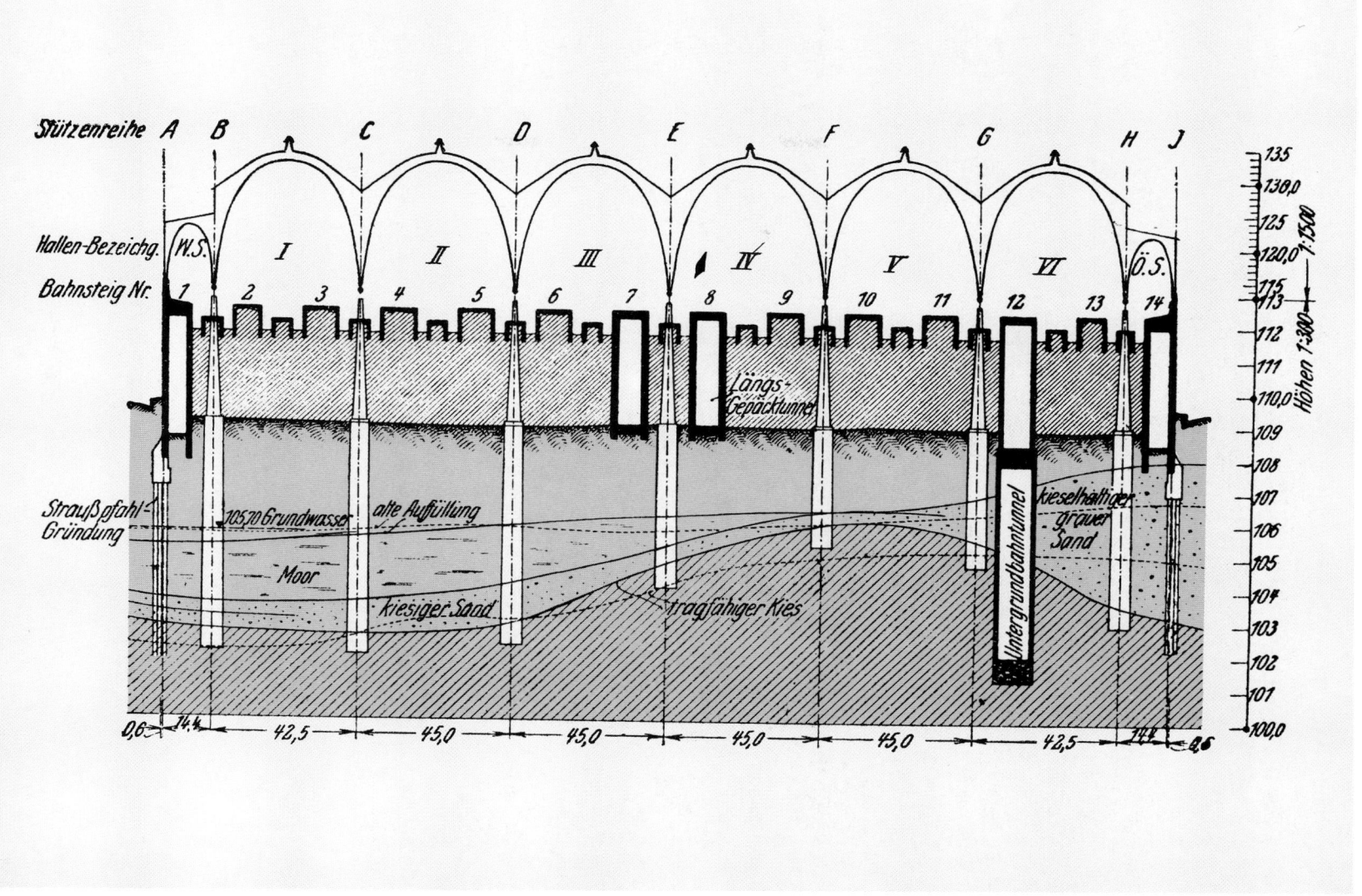

rötliche, wetterbeständige Schönaer, für die Innenflächen der Ein- und Ausgangshallen gelblicher, geschliffener Cottaer Sandstein Verwendung. Innen wie außen sind die relativ schlicht gestalteten Fassaden nur dezent mit plastischen Details versehen worden.

Die Figuren an der westlichen Eingangshalle symbolisieren Eisenarbeiter, Steinmetz, Ingenieur, Architekt, Zimmermann und Erdarbeiter (Bild 146), an der östlichen spezifische Leipziger Berufe: Musiker, Universitätsprofessor, Student, Pelzarbeiter, Handelsherr und Buchdrucker (Bild 147 bis 151), an den Ausgangshallen Volkstrachten Sachsens und benachbarter Gegenden (Bilder 152 bis 155). An der Ostecke der sächsischen Eingangshalle wurden die aus dem Giebelfeld des Empfangsgebäudes des Leipzig-Dresdner Bahnhofs geborgenen Wappen Leipzigs und Dresdens befestigt (Bild 2), im sächsischen Sitzungszimmer das ebenfalls aus diesem abgebrochenen Gebäude stammende Porträtrelief Gustav Harkorts (Bild 421) angebracht. Atlanten betonen die Eckpfeiler der seitlichen Nebeneingänge (Bilder 156 und 157). Die Flächen beiderseits der Bogenöffnungen zu den Ausgangstreppen (Bilder 163 und 164) waren auf der Westseite des Querbahnsteiges mit den Wappen von Berlin und Halle, auf der Ostseite mit den (nicht mehr vorhandenen) Wappen von Leipzig und Dresden geschmückt. Die Figuren und Wappen wurden von Prof. Georg Wrba, Prof. Karl Gross, Rudolf Born, Paul Berger, Arthur Lange, alle Dresden, und Bruno Wollstädter, Leipzig, geschaffen. Die Farbentwürfe für die Ausmalung der Innenräume stammen vom Kunstmaler Alexander Baranowsky, Dresden; einzelne Gemälde vor allem zur Ausstattung der Restaurants schuf der Kunstmaler Otto Lange, Dresden.

In verschiedenster Art wurden die Fußböden je nach Beanspruchung sowie hygienischen und gestalterischen Ansprüchen hergestellt. Die Eingangshallen mit dem Verbindungsgang, Dienstflure und Sanitätsräume erhielten Beläge

141 Bahnsteigwagen mit Verkäufern der Bahnhofswirtschaft, um 1920
142 Zigarrenkiosk der Bahnhofswirtschaft am Querbahnsteig, um 1920
143 Verkaufskiosk der Bahnhofswirtschaft am Querbahnsteig, um 1920
144 Geologischer Querschnitt des Baugeländes für den Hauptbahnhof, 1906

145 Empfangsgebäude – die Westhalle mit Figuren und Wappengruppen
146 Preußisches Wappen an der Westhalle
147 Sächsisches Wappen an der Osthalle des Empfangsgebäudes
148 Empfangsgebäude – Osthalle mit Figuren und sächsischem Wappen
149 bis 151 Figuren an der Osthalle

152 Ornamentaler Schmuck an der westlichen Ausgangshalle
153 Westliches Seitenportal der Ausgangshalle, kurz nach der Fertigstellung 1912
154 Figuren an der westlichen Ausgangshalle, 1988
155 Figuren an der westlichen Ausgangshalle
156 Einige Fassadendetails des Ostflügels
157 Atlanten auf den Eckpfeilern des Nebeneingangs zur Osthalle
158 Mittelbau des Empfangsgebäudes, Teilansicht
159 Mittelbau des Empfangsgebäudes, Fassadenteil

89

aus gesinterten Keramikplatten, die Wartesäle und Restaurants Eichenholzriemen-, Dienst- und Wohnräume Kieferndielen- oder Linoleum- und die Nebenräume farbigen Steinholzestrich-Fußboden. Die Böden der Gepäckabfertigungen bekamen gehärteten Asphaltbelag.

Nicht nur die architektonisch-künstlerische Gestaltung des Empfangsgebäudes *(Bilder 158 bis 161)*, vor allem auch seine bautechnisch-konstruktive Ausführung stellen großartige Leistungen der Zusammenarbeit von Architekten und Bauingenieuren dar. Dies trifft besonders auf die weitgespannten Stahlbetonüberdeckungen der Säle *(Bild 125)*, Eingangshallen *(Bild 114)* und, nicht zuletzt, der gewaltigen Querbahnsteighalle zu.

Allein die Decke des 12 m breiten unteren Verbindungsganges mit 1,12 m hohen Hauptunterzügen und nur 0,36 m hohen Zwischenträgern der Kassettendecke *(Bild 116)* mit 9,35 m Spannweite in der Längsrichtung warf statische Probleme auf, denen nur durch ungewöhnlich hohe Druck- und Zugbewehrung begegnet werden konnte. Besondere Konstruktionslösungen waren auch für die zum Teil stark belasteten Überdeckungen der darüberliegenden Wartesäle zu entwickeln. So mußten über den Nichtraucherwartesälen insbesondere wegen der geringen Bauhöhe einzelne Hauptträger mit Hängestangen an Unterzügen der nächsthöheren Geschoßdecken aufgehängt werden. Um hierbei die rechnerische Annahme gleicher Auflagerhöhe zu sichern und Stützensenkungen auszuschließen, erhielten die Hängestangen Spannschlösser, um nach dem Ausrüsten bzw. Ausschalen die durch Messung fixierte ursprüngliche Höhenlage einstellen zu können.

Für die Decken über den beiden großen Wartesälen *(Bild 126)* mußten die 20,5 m weit gespannten Hauptunterzüge als zweistegige Stahlbetonträger mit 1,8 m breitem Druckgurt und 2,4 m Balkenhöhe ausgebildet sowie jeder Steg mit

160 Front des Empfangsgebäudes von Westen bei Nacht, Dezember 1988
161 Vordach an der Osthalle, Teilansicht mit Konsolen
162 Östliche Ausgangshalle, Innenansicht
163 Innere Portalöffnung am Ende des Querbahnsteiges zur östlichen Ausgangshalle, 1915

12 m bis 23,4 m langen Rundstahleinlagen, Durchmesser 43 mm, deren Einzelmasse 267 kg betrug, bewehrt werden, so daß diese Unterzüge 261 t der Deckenlast und der über den Wartesälen befindlichen Geschosse aufnehmen konnten. Besonders schwierig war auch die statische Situation bei der Decke des Speisesaales, über dem die Küche mit schweren Herden, Kesseln, Arbeitsmaschinen, Vorrats- und Fischbehältern liegt.

Statisch-konstruktiv weniger problematisch, jedoch äußerst arbeitsaufwendig sind die imposanten Überwölbungen der Eingangshallen *(Bild 14)* hergestellt worden. Ihre Dimensionen mit 32,0 m x 52,5 m = 1630 m² Grundfläche und 26,5 m lichter Höhe, deren Wirkung, durch ihre kräftig gegliederten, nach Art der Rabitzbauweise an Stahltragwerken angehängten Stahlbetonkassetten-Gewölbeschale noch gesteigert, an die Monumentalität antiker römischer Thermen erinnert, beeindrucken jeden, der diese großartigen Hallen vom Vorplatz oder vom Querbahnsteig her betritt. 400 m² Oberlichtfläche und hohe Fenster an der Eingangsfront erzielen in den weiträumigen Hallen eine hervorragende Tageslichtbeleuchtung. Nicht zu Unrecht trug der Wettbewerbsentwurf für den überall bestens beleuchteten und belüftbaren Bahnhofsbau das Kennwort »Licht und Luft«!

Die Bauausführung der Querbahnsteighalle

Auch die Querbahnsteighalle als »architektonisch befriedigendes Bindeglied zwischen dem massigen Empfangsgebäude und den zur Abwicklung des Zugverkehrs dienenden leichten Längshallen«, Hauptverteiler der Personenströme von und zu den Bahnsteigen, den Wartesälen, Restaurants und hier befindlichen Toiletten, wurde in Stahlbeton ausgeführt. Die 267 m lange, 32,5 m breite und 17,7 m hohe Halle *(Bild 164)* bedeckte die riesige Grundfläche von 8678 m²! Wie alle Verkehrsräume des Hauptbahnhofsgebäudes entsprach sie bisher allen Anforderungen, auch des stärksten Messe- und Urlauber-Reiseverkehrs, ohne jemals überfüllt zu sein. Unübertroffen ist hier die sich bietende Übersichtlichkeit, die vor allem ortsunkundigen Reisenden beim Finden des gesuchten Bahnsteiges zugute kommt *(Bilder 165 bis 168)*.

Ähnlich wie bei den Eingangshallen, jedoch hauptsächlich aus monolithischem Stahlbeton und mit teilweise von Beton umhüllten ⊥-Stahlträgern als Auflager für die Kassetten war die Hallendecke doppelschalig hergestellt. Das System der Hallenkonstruktion *(Bild 169)* bestand aus den sogenannten »Abschlußbindern« auf der Bahnseite, der entsprechend tragfähig ausgebildeten Längswand des Empfangsgebäudes mit dem »Windstockwerk« und den Zwischenbindern als Auflager des Tonnengewölbes, von welchen die in Stützpfeilerachse der Abschlußbinder weiter nach unten reichenden Binder mit höherem Profil als sogenannte »Soffittenbinder« bezeichnet wurden *(Bilder 170)*. Die 4,1 m dicken Betonbögen der Abschlußbinder, die dem System der Längsbahnsteighallen entsprechend in den Mittelfeldern 45 m und in den beiden Seitenfeldern 42,5 m Stützweite erhielten, wirkten »einerseits in ihrer Mächtigkeit und architektonischen Gestaltung als Glied der Querhalle, anderseits in ihrer Formgebung zu den Eisenhallen hinüberleitend« und nahmen deren Längspfetten als Endauflager auf.

Auf der gegenüberliegenden Seite wurde der zur besseren Tageslichtbeleuchtung als Fensterwand gestaltete 10 m bzw. 7 m hohe obere Wandteil der Umfassung des Empfangsgebäudes als Auflager der Wölbtonne ausgeführt. Die auf dem dritten bzw. vierten Geschoß der Gebäudewand aufsitzende Fensterwandkonstruktion aus Stahlbetonsäulen mit 7 m Abstand und darüberliegendem, biegungsfest mit diesem verbundenen schweren Hauptgesims mußte Auflagerlasten der Zwischenbinder von 151 t bzw. 171 t aufnehmen. Dafür war das Gesims besonders zu bewehren, denn wegen der Gliederung der Hallendecke durch jeweils vier Zwischenbinder *(Bild 169)* in fünf Felder, der Fensterwand aber in sechs Felder, lagen die Zwischenbinder nicht in der Fenstersäulenachse, sondern dazwischen auf *(Tafel V, Abb. 2)*. Die beweglichen (Rollen-) Lager der Zwischenbinder wurden einheitlich in 25,5 m Höhe über 0,0-Niveau angeordnet und die tragenden Fenstersäulen als feste Stützen ausgeführt. Wegen der bei den Fenstersäulen in 10 m Höhe ermittelten Horizontalbelastung von 2,6 t Reibungswiderstand des Rollenlagers je Zwischenbinder und der zusätzlich auftretenden Windlast konnten die Säulen am Fuß nicht im Mauerwerk des Empfangsgebäudes eingespannt werden. Um diese Kräfte dennoch sicher aufzunehmen, wurde der gesamte anliegende Obergeschoßteil mit zwei Decken und zwei Umfassungswänden als vierseitiger monolithischer Stahlbeton-Kastenrahmen ausgebildet. In dieses sogenannte »Windstockwerk« *(Bild 156)* waren hallenseitig mit dem darunterliegenden Geschoß fest verbunden die tragenden Fenstersäulen integriert. Wo möglich, wurden deren Kopfpunkte noch – wie im gotischen Kathedralbau – durch Streben gegen die Rahmenkonstruktion abgestützt *(Bild 173)*; durch die Dächer des Mittelbaues verdeckt, sind sie nur aus der Vogelperspektive *(Bild 113)*, vom Vorplatz aber nicht zu sehen.

Wie beim Empfangsgebäude war bei der Querbahnsteighalle mit nicht weniger schwierigen Baugrundverhältnissen zu rechnen, weshalb die Abschlußbogenbinder im Hinblick auf ihre enorme Belastung durch je vier Zwischenbinder, Wölbdecke und Dachschale mit 1267 t (je Binder) als statisch bestimmte Dreigelenkbogen *(Bild 169)* ausgeführt wurden. Während der ersten beiden Bauabschnitte mußten die Pfeiler der Abschlußbogen zwischenzeitlich gegen den großen Horizontalschub abgestützt werden *(Bild 172)*. Diese Widerlager bestanden bei den Pfeilern III und IV aus Profilstahl-Stützen und schrägliegenden Fundamenten aus Betonklötzen, die auf Rammpfähle aufbetoniert waren. Ihre aus Fertigblöcken hergestellten oberen Schichten ließen sich beim Ausbau der Bahnsteige wieder problemlos entfernen. Zwischen der Fußplatte der Stahlstützen und dem Betonklotzfundament eingefügte Hartholzkeile ermöglichten jederzeit ein statisch exaktes Absteifen. Bei den Pfeilern I und II, die nur kurzfristig abgestützt werden mußten, dienten Absteifungen aus je 12 Eichenholzstützen mit 35 cm x 38,5 cm Querschnitt dem gleichen Prinzip. Der direkt neben dem geplanten Untergrundbahntunnel auszuführende Pfeiler V mußte wegen der beim Betonieren und während des Ausrüstens der Hallenbinder angreifenden einseitigen Bogenschübe gegen Durchbiegung bewehrt werden.

164 Teilansicht der Querbahnsteighalle mit Westausgang, kurz vor Inbetriebnahme der preußischen Seite am 1. Mai 1912

165 Gesamtansicht der Querbahnsteighalle, im Jahre 1918

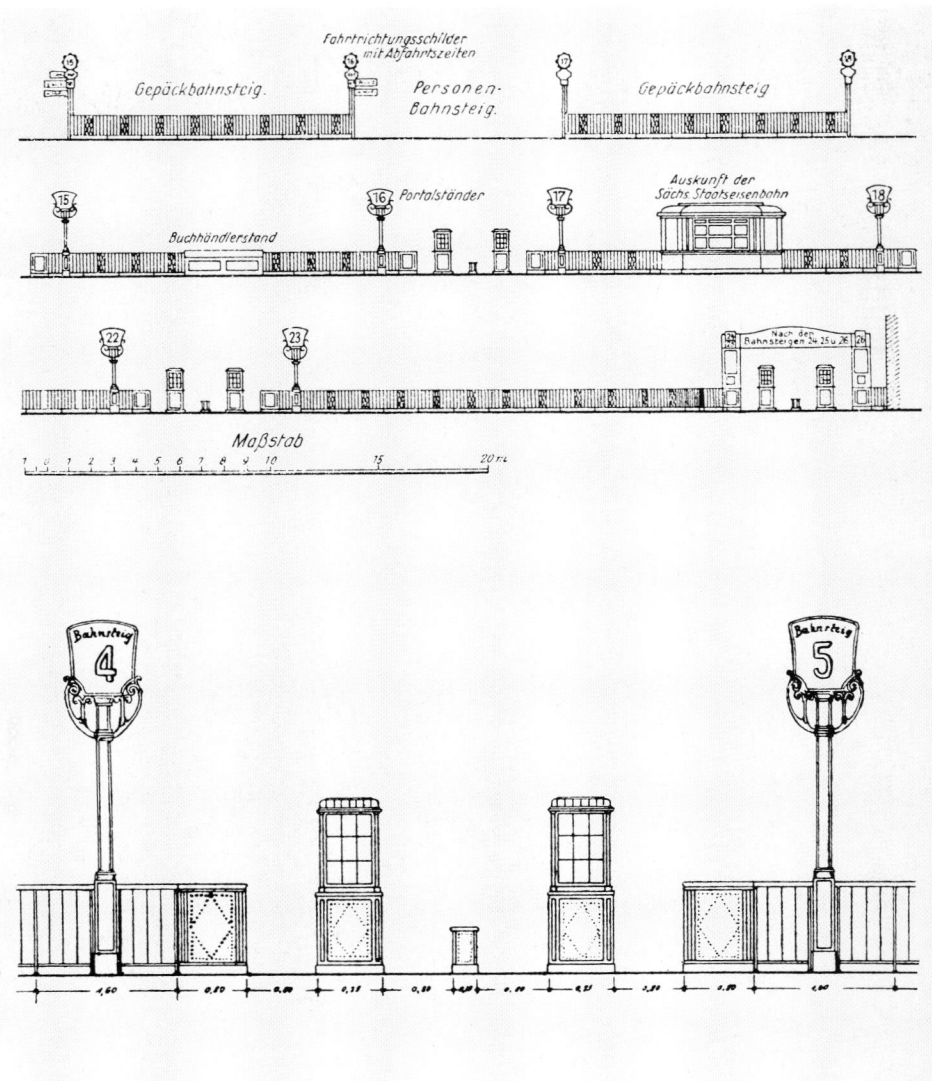

166 Fahrtrichtungsanzeiger an den Eingängen zu den Längsbahnsteigen, 1915
167 Ansichten des Geländers an den Gleisenden innerhalb der Bahnsteigsperren (oben) und an der Bahnsteigabsperrung am Querbahnsteig (unten), 1915
168 Gestaltung der Bahnsteigsperren und -schilder (»Portalständer«), 1915

Die eigentlich das kassettierte Tonnengewölbe mit Oberlichten tragenden Zwischen- und Soffittenbinder erhielten entsprechend der Teilung des Hallensystems 9 m bzw. 8,5 m (in den seitlichen Hallenfeldern) Binderabstand. Während die über den Pfeilern der Abschlußbogenbinder kulissenförmig weit nach unten reichenden »Soffittenbinder« (Bild 175) die Gewölbefläche der Querhalle rhythmisch gliederte, blieben die übrigen Zwischenbinder in der Plastik des Kassettenrasters untergeordnet. Statisch wurden die Zwischenbinder (Bild 169) als Träger auf zwei Stützen mit dem beweglichen Auflager (Bild 177) auf dem Hauptgesims der Fensterwand und dem festen auf dem Abschlußbogen ausgeführt, da die verhältnismäßig hohe, freistehende Fensterwand die berechneten großen Horizontalkräfte nicht aufnehmen konnte. Mit 3,83 m Höhe besaßen die Zwischenbinder gewaltige Abmessungen. Um trotzdem ihre Masse so gering als möglich zu halten, sind sie den statischen Anforderungen entsprechend so profiliert worden, daß der Steg in Bindermitte bis auf 20 cm Dicke reduziert, in Abständen von ca. 2,5 m vertikale, 55 cm dicke Rippen angeordnet, der Zuggurt ebenso breit bemessen und der Druckgurt zur Erreichung der erforderlichen Seitensteifigkeit 1,75 m breit hergestellt wurde. Ihre Ausführung forderte von den Betonbauern beim Schalen, Stahlbiegen und Betonieren größten Einsatz (Bild 181, 176).

Da die über den Portalen der Eingangshallen ganz freistehenden Bogenwände nicht die geringsten Horizontalkräfte aufnehmen konnten, erhielten die Zwischenbinder hier bewegliche Gelenke in Form 2,1 m hoher, im Querschnitt 1,0 m x 1,0 m dicker Stahlbetonblöcke mit dazwischenliegenden Stahlwälzgelenkplatten (Bild 177). Um die großen Lasten der beweglichen Lager von 163 t bzw. 183 t gleichmäßig zu verteilen, wurde die Bogenmauer unter diesen noch durch einen 1,2 m hohen Stahlbetonbalken verstärkt. Für die beweg-

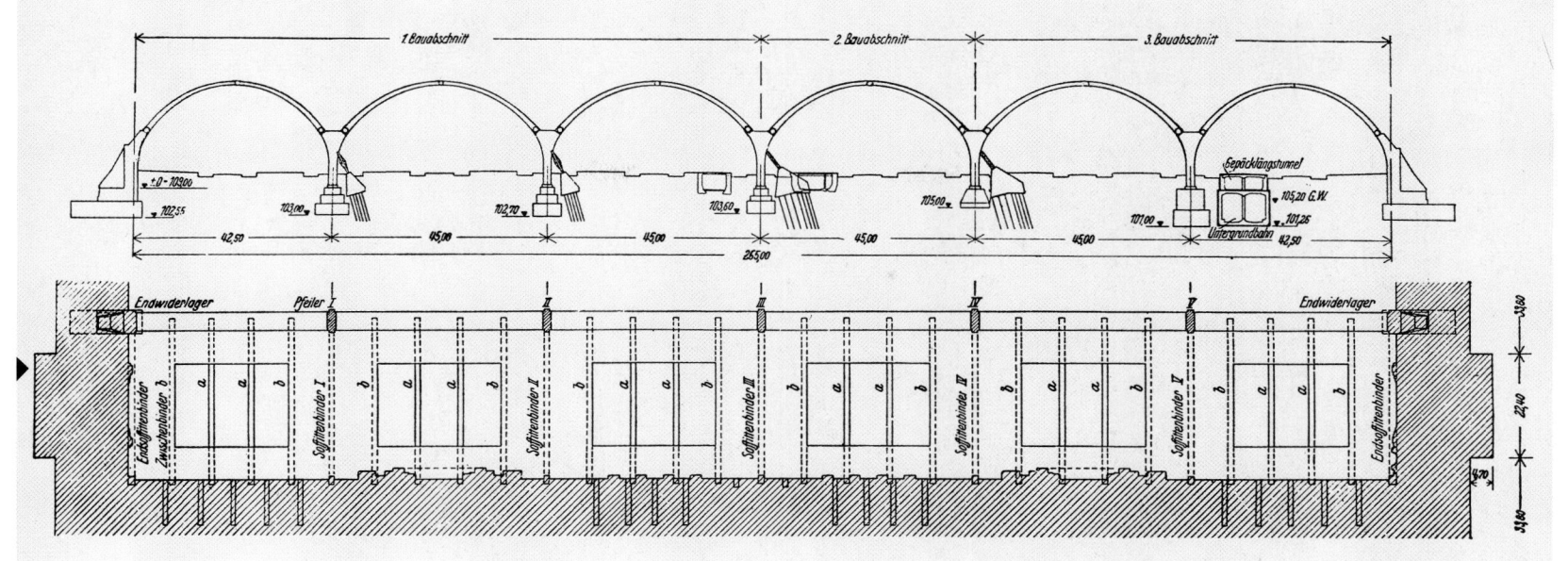
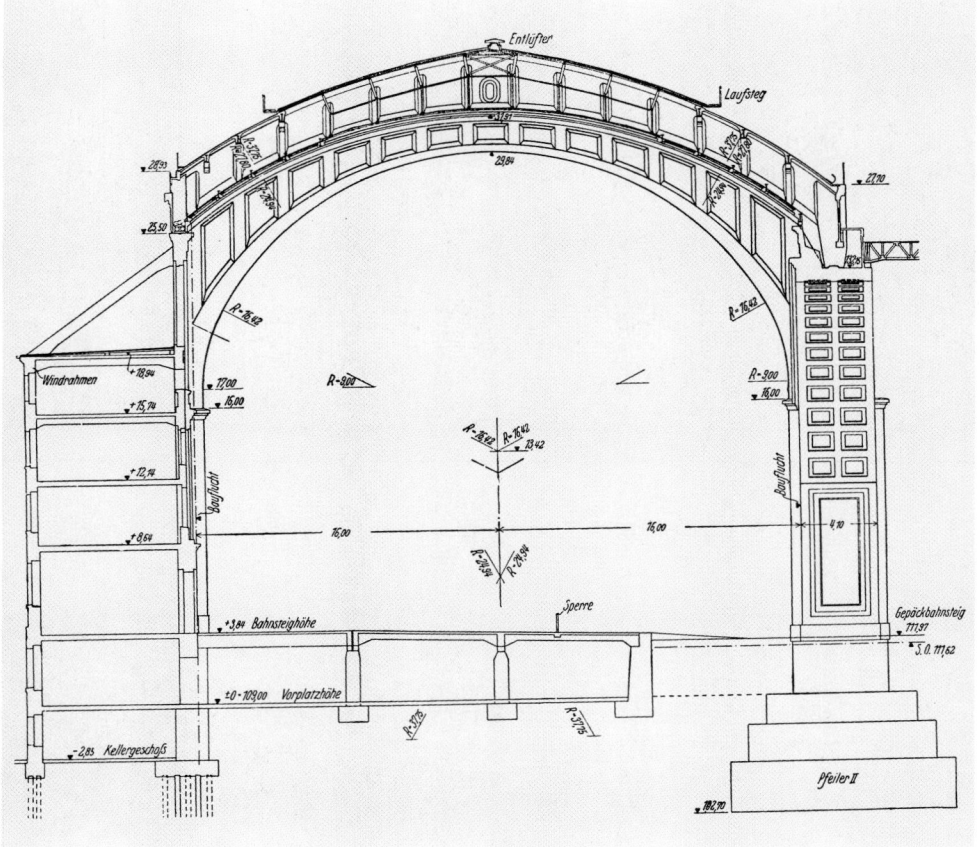
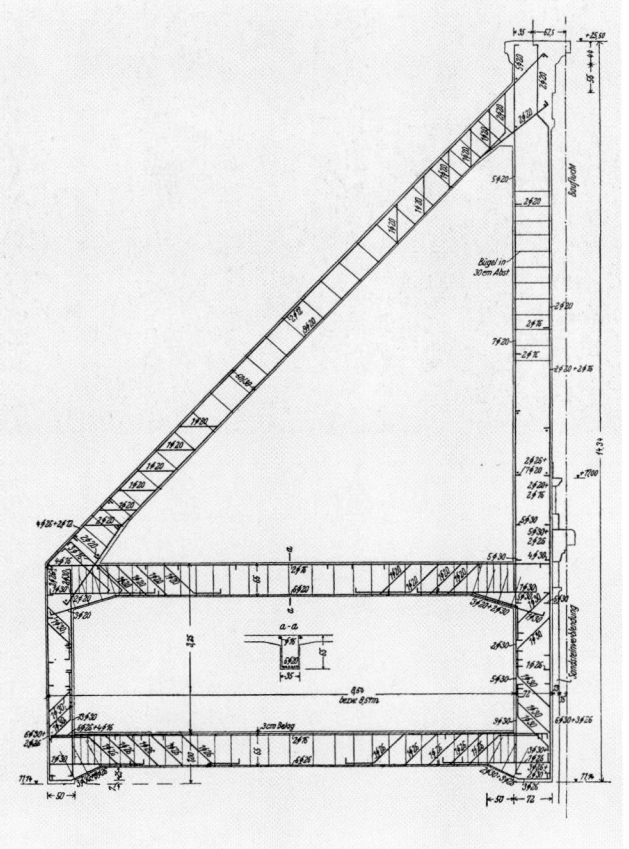

169 Statisches System und Bauabschnitte der Querbahnsteighalle, 1910/15
170 Querbahnsteighalle, Querschnitt mit Oberlicht, Bauzeit von 1910 bis 1915
171 Windrahmen des „Windstockwerkes" im Obergeschoß des Empfangsgebäudes, 1915

lichen Lager der Soffittenbinder *(Bild 179)*, die sogar 288 t Einzelstützlast hatten, kamen gleichartige Wälzgelenkblöcke geringerer Höhe zum Einsatz. Bemerkenswert ist die Ausrüstung aller zugänglichen Wälzlager mit Meßeinrichtungen, um stets horizontale Bewegungen während der Bauausführung registrieren zu können *(Bild 180)*.

Aus architektonischen und konstruktiven Gründen empfahl es sich, die Hallendecke des Querbahnsteiges doppelschalig auszuführen: ästhetisch, um eine starke Gliederung des Gewölbes durch die hohen Zwischenbinder zu vermeiden; konstruktiv vor allem zur optimalen, wasserdichten Ausführung der großen Oberlichtflächen; schließlich bot die zweischalige, nach späterem Einbau von Entlüftungseinrichtungen als »Kaltdach« fungierende Konstruktion den Vorteil des Temperaturausgleichs zwischen Außen- und Innenluft besonders bei extremer sommerlicher Wärmeeinstrahlung.

Technisch bemerkenswert ist die Ausführung der inneren

Deckenschale. Sie bestand aus vorgefertigten quadratischen Kassettenplatten »von 1,75 m im Geviert, 2,5 cm (!) Stärke im Spiegel und 8,5 cm Stärke an den Rändern«, die aufgrund ihrer geringen Masse leicht durch Flaschenzüge auf die zwischen den Dachbindern angeordneten I-Trägerpfetten und Querrippen aus Stahlbeton aufgelegt werden konnten. Durch die unten 40 cm breiten betonummantelten I-Träger und die ebenfalls 40 cm breiten Querrippen ergab sich für die Hallentonne ein quadratisches Raster von 2,05 m (Bild 164). Bewehrt wurden die Kassettenplatten mit Stahldrahtgeweben, Durchmesser 2,5 mm mit 2,5 cm Maschenweite, außen mit 10 mm Rundstahl, so daß diese Decke begehbar war.

Auch die obere äußere Decken- bzw. Dachschale ist seinerzeit eine recht moderne »Leichtbauweise« gewesen. Völlig betonummantelte I-Stahlpfetten trugen eine monolithisch mit diesen verbundene, nur 4,5 cm dicke, mit zwei Lagen »Ruberoid« bedeckte Stahlbetonschale.

Beachtlich waren ferner die großen, mit 2640 m² 30 % der Hallengrundfläche ausmachenden Oberlichter, außen mit kittloser Verglasung aus 6 mm bis 8 mm dickem Drahtglas, innen als Zierdecke mit gewürfeltem Drahtglas hergestellt, deren Montage 30 m über Bahnsteighallenniveau ohne Unter-Gerüst erfolgte, indem zunächst die vorgefertigten Tragbinder der äußeren Oberlichter mit Flaschenzügen in ihre Position, dann die Rippen der inneren Oberlichter samt Hängeeisen hinaufgezogen und an jene Binder angehängt wurden; auf die Rippen konnten dann Laufbohlen aufgelegt und das restliche Sprossenwerk mit Verglasung montiert werden.

Alle Stahlbeton- und Beton-Ansichtsflächen der Querbahnsteighalle, ausgenommen die leichten Kassettenplatten der Wölbtonne, erhielten eine 5 cm bis 10 cm dicke Vorsatzbetonschicht, die aus zwei Teilen Sand und drei Teilen Dolomitgrus aus Rupprechtsstegen bei Nürnberg bestand und nach dem Erhärten maschinell gestockt wurde, um ein ein-

172 Erster Bauabschnitt der Querbahnsteighalle, 1910/12. Ansicht des Gerüstes der Westseite. Am linken Abschlußbogenpfeiler ist die provisorische Abstützung zu erkennen
173 Streben auf dem »Windstockwerk« des Empfangsgebäudes, 1915
174 Gesamtansicht von Süden, um 1930, Junkers-Luftbild

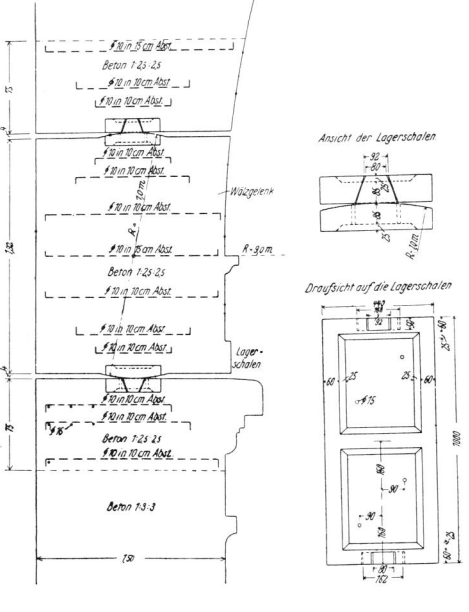

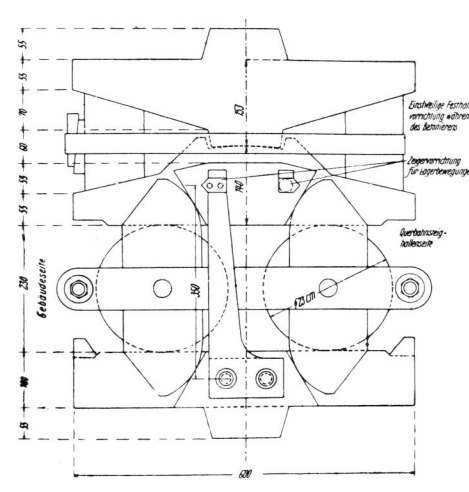

175 Gerüst der Abschlußbögen und Soffittenbinder

176 Bau der Querbahnsteighalle, 1910/15, Wälzgelenk eines Zwischenbinders

177 Bau der Querbahnsteighalle, 1910/15, Schalung eines Zwischenbinders

178 Bau der Querbahnsteighalle, 1910/15, Wälzgelenk und Lagerschalen für die »Soffittenbinder«

179 Bau der Querbahnsteighalle, 1910/15, Meßvorrichtung für die Bewegung der Zwischenbinder im Hallenfeld VI am beweglichen Auflager

180 Erster Bauabschnitt der Querbahnsteighalle, 1910/12. Ansicht des von der DYCKERHOFF & WIDMANN A.-G. Dresden fertiggestellten »Soffittenbinders« III

181 Bau der Querbahnsteighalle, am 25. März 1913. Gerüst und Schalung für einen »Soffittenbinder«, Ansicht von Osten

182 Querbahnsteighalle im Bau, 1912
183 Querbahnsteighalle, Teilansicht der Abschlußbögen und der Längsbahnsteighallen nach Fertigstellung des ersten Bauabschnittes am 1. Mai 1912
184 Gliederung der Wand über den Abschlußbögen der Querbahnsteighalle, Einzelheiten, 1910/15

heitlich-schönes Aussehen zu gewährleisten. Die Kassettenplatten sind im ganzen aus diesem Material vorgefertigt worden. Bei der Gestaltung der Abschlußbögen gelang es, einerseits durch kräftige Kassettierung der Bogenunterseiten *(Bild 164)* monumentale Wirkung, andererseits durch Auflösung der Abschlußbogenwand mit fast filigranem Stützenraster architektonisch einen ästhetisch hervorragend gelungenen Übergang zu den leichten Stahlkonstruktionen der Längsbahnsteighallen zu erzielen *(Bilder 164, 183 und 184)*.

Die Querbahnsteighalle wurde im Bauabschnitt I (vor den Längsbahnsteighallen 1 bis 3) von der Firma DYCKERHOFF & WIDMANN A.-G, Dresden, im Bauabschnitt II (vor der Längsbahnsteighalle 4) von der Firma MAX POMMER, Leipzig, und im Bauabschnitt III (vor den Länsbahnsteighallen 5 und 6) von der Firma RUDOLF WOLLE, Leipzig, ausgeführt *(Bild 182)*. Alle drei waren bewährte und verdienstvolle, national bzw. international bekannte Pionier-Unternehmen des Stahlbetonbaues.

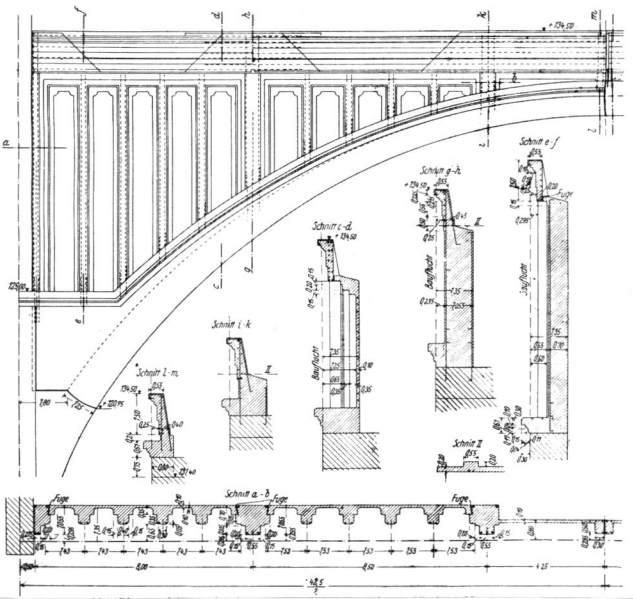

Der Entwurf der Längsbahnsteighallen

In den bereits 1901 bis 1903 erarbeiteten, 1907 aktualisierten Planungsgrundlagen für den Betrieb und die Abmessungen des Personen-Hauptbahnhofes waren auch die prinzipiellen Einzelheiten, Stützenraster, Bahnsteige, Tunnel-Lagen, überdachte Fläche etc. mit Maßen festgelegt *(Bild 69)*. Demnach umfaßte die überdachte Fläche der Bahnsteiganlagen bei 295 m Breite und insgesamt, vom Empfangsgebäude aus gemessen, 240 m Länge abzüglich der anliegenden Grundrißflächen der Seitenflügel des Empfangsgebäudes die riesige Fläche von 69 090 m², der Längsbahnsteighallen allein von 59 453 m²! Bei insgesamt 5420 m Bahnsteiglänge betrug die Hallenfläche je m Bahnsteig 12,5 m², der umbaute Raum zwischen mittlerer Bahnsteighöhe und Decken- bzw. Dachunterkante 245 000 m³ für die Querbahnsteig- und 1 065 000 m³ für die Längsbahnsteighallen, zusammen 1 310 000 m³! Mit diesen Dimensionen übertraf der Leipziger Hauptbahnhof alle europäischen Bahnhöfe *(Bild 185)*.

Unter Beachtung der vorgegebenen Grundrißstruktur als Bestandteil der Ausschreibung für den Wettbewerb zur Gestaltung des Empfangsgebäudes 1906/07 sollten die Architekten auch die Bahnsteighallen insofern in ihre Entwürfe einbeziehen, als deren Dachkonstruktion die Gesamtarchitektur beeinflußte. Während sie in bezug auf das Empfangsgebäude relativ freizügig gestalten konnten, legten die Wettbewerbsbedingungen für die Bahnsteighallen folgendes fest:

- Überdachung der Querbahnsteighalle durch eine eigene Dachkonstruktion oder durch Weiterführung der Längsbahnsteighallendächer bis an das Empfangsgebäude

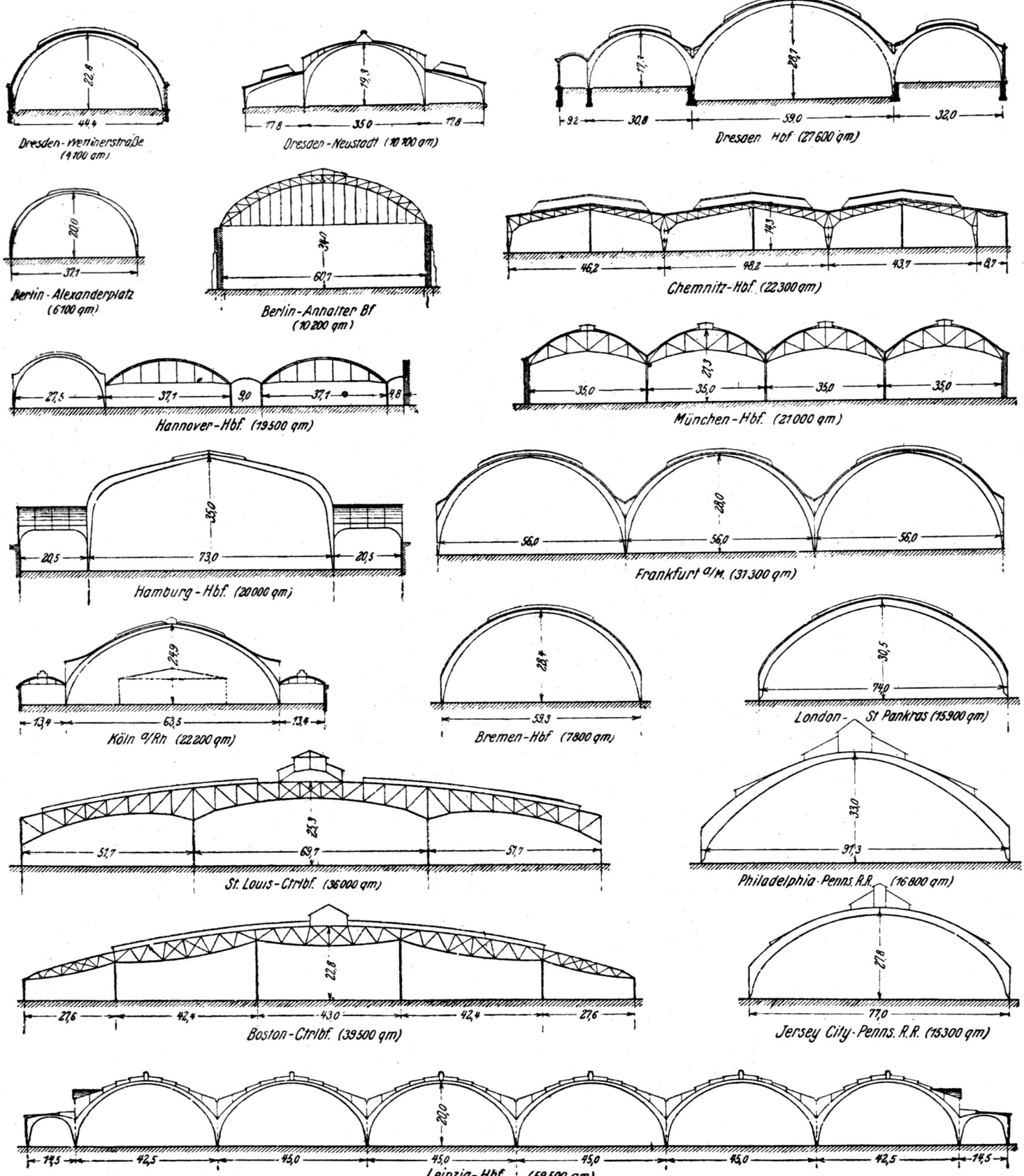

- Stützenfreiheit der Querbahnsteighalle und der Personen-Bahnsteige
- Dachneigung der Längsbahnsteighallen mit einzelnen Satteldächern 1:5, bei Dächern, die alle Bahnsteige als Einheit überdecken, mindestens 1:30.

Den Wettbewerbsbedingungen war eine Systemskizze des Längsbahnsteighallenquerschnittes *(Bild 70)* entsprechend den Vorstellungen der Auftraggeber beigefügt, deren Anordnung die meisten der 76 Bewerber akzeptierten. In mehreren Entwürfen wurde auch versucht, entweder alle Bahnsteige durch ein gemeinsames Dach oder verschieden weit spannende Hallenschiffe zu überdecken. Einige Vorschläge, besonders der Entwurf mit dem Kennwort »Winterstürme«, betonten den damaligen Dualismus einer sächsischen und preußischen Seite des Hauptbahnhofes *(Bild 82)*. Von den Vorschlägen mit einer großen Mittelhalle hätte der Entwurf mit dem bezeichnenden Kennwort »Bahnsteighalle« der Architekten BILLING und VITTALI *(Bild 82)* unstreitig den großartigsten Innenraum entstehen lassen.

Schließlich wurde schon im Wettbewerb von 1906/07 die Frage der Bauweise diskutiert: des Einsatzes von Stahl oder Stahlbeton. Die meisten Entwürfe sahen für die Längsbahnsteighallen Stahltragwerke vor. Einige, wie KRÖGER, BILLING und VITTALI *(Bild 83 a und b)*, diese durchgehend auch für die Querbahnsteighalle, andere, z. B. BIRKENHOLZ und KLINGHOLZ, monolithische Stahlbetonüberdachung für alle Bahnsteige, um statt des Netzwerkes der Stahlfachwerkbinder einen ruhiger wirkenden, monumentalen Hallenraum zu erzielen *(Bild 82 h und i)*.

Der Wettbewerb für die Konstruktion der Längsbahnhallen

Nachdem sich die Architekten LOSSOW und KÜHNE in ihrem preisgekrönten Wettbewerbsentwurf zur Gestaltung des Empfangsgebäudes und der Querbahnsteighalle des Hauptbahnhofes dafür entschieden, den sechs Längsbahnsteighallen auf der Grundlage des vorgegebenen Stützensystems gleichen Querschnitt zu geben, erarbeitete Ingenieur KARIG vom Brückenbaubüro der Königl. Sächs. Staatseisenbahnen einen Vorentwurf für die Binderform *(Bilder 70 und 188)*, die im wesentlichen der späteren Ausführung entsprach. Daraufhin wurde 1909 ein öffentlicher Wettbewerb für die konstruktive Gestaltung der Stahlbinder ausgeschrieben, an dem 25 deutsche Stahlbaufirmen und -ingenieure teilnahmen. Es war freigestellt, auch von den Vorgaben abweichende Variantenentwürfe oder Änderungsvorschläge einzureichen. Vorzugsweise Entwürfe dieser Gruppen kamen in die engere Wahl:

So schlug die Firma LOUIS EILERS, Hannover, zwar einen Binder mit den gleichen Gurtungen des Vorentwurfs, aber einfachere, bedeutend leichtere, kostengünstigere Verstrebungen der Binder, abweichende steilere Glasdachflächenform und zusätzlich Satteldachoberlichter vor *(Bild 188)*. Die Maschinenbau-Aktiengesellschaft Augsburg-Nürnberg (M.A.N.), Werk Gustavsburg, reichte drei Variantenentwürfe

185 Vergleich großer europäischer und außereuropäischer Bahnsteighallen mit den Hallen des Hauptbahnhofes Leipzig
186 Erste (westliche) Längsbahnsteighalle und Westteil der Querbahnsteighalle im Bau, 1910, Ansicht von Norden
187 Firmenschild von LOUIS EILERS, Fabrik für Eisenhoch- und Brückenbau, Hannover-Herrenhausen, die alle Längsbahnsteighallen 1910 bis 1915 ausführte

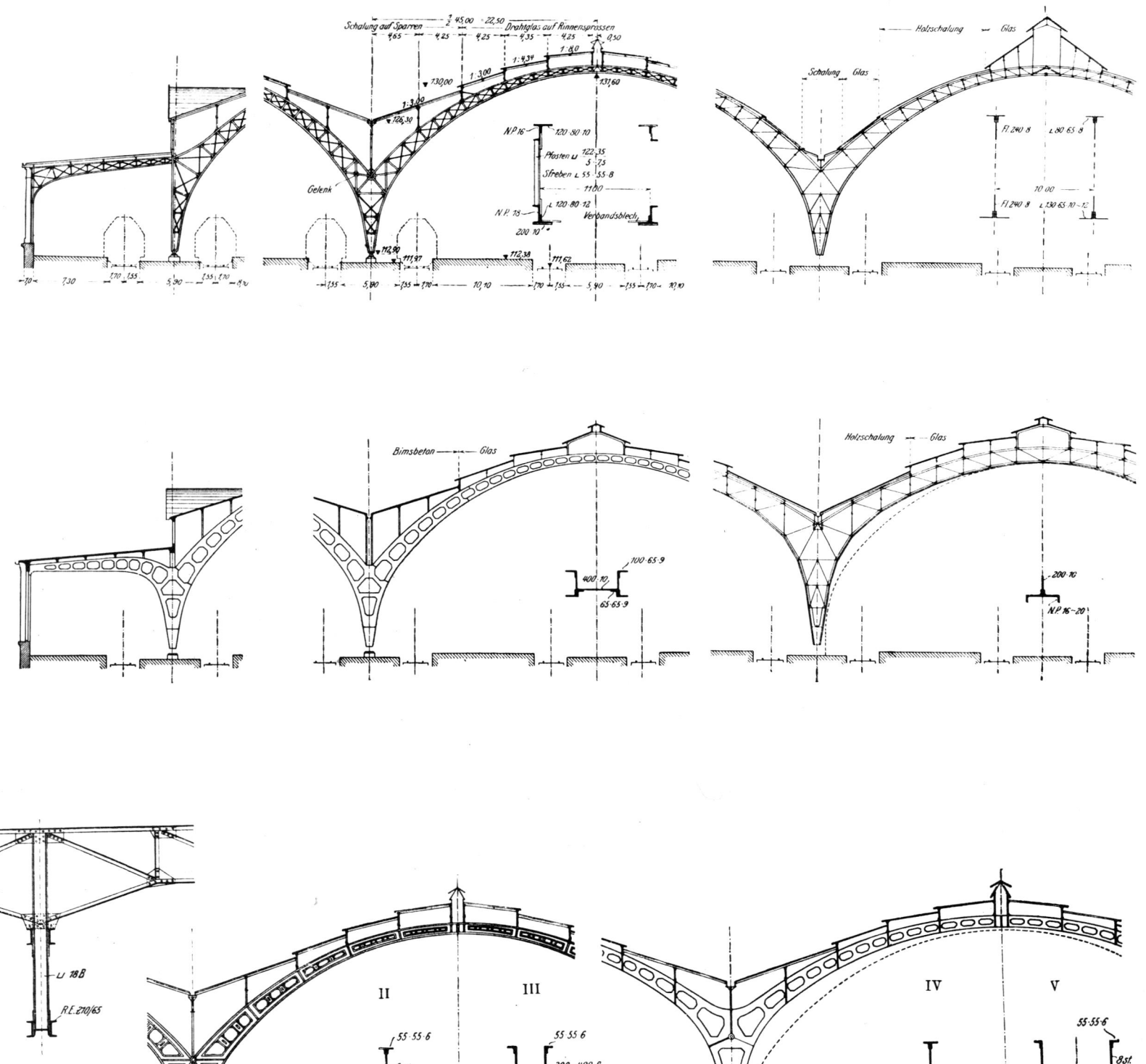

ein, bei welchen der erste durch Anwendung von Viergelenkbogen mit den der Firma patentierten »Wechselgelenken« und geringfügig modifiziertem Gurtquerschnitt ebenfalls eine beträchtliche Massereduzierung bewirkte *(Bild 188)*. In ihrem zweiten Entwurf wurden einwandige Binder mit einfachem Strebenzug ähnlich dem Vorschlag der Firma EILERS und im dritten sehr modern wirkende »strebenlose Fachwerkbinder« vorgeschlagen. Außerdem schlug die M.A.N. in einer Variante auch vor, die seitlichen Außenwände in Stahlbeton auszuführen, was jedoch in Anbetracht ihrer großen Höhe unökonomisch war.

Die Königin-Marien-Hütte A.-G., Cainsdorf i. Sa. und die Firma Brückenbau FLENDER A.-G., Benrath, reichten gemeinsam fünf Variantenvorschläge für Binder ein, von welchen der erste als einwandiger Fachwerkbinder mit einfachem Strebenzug ebenfalls fast dem Vorschlag der Firma EILERS und im Umriß dem Vorentwurf entsprach *(Bild 189)*, ebenso die strebenlosen Fachwerkbinder der Vorschläge II und III, während die Varianten IV und V, gleichfalls strebenlose Binder mit ein- und doppelwandigem Querschnitt *(Bild 189)*, mehr der Dachform folgten, aber trotz beträchtlicher Stahleinsparung im Verhältnis zu den erstgenannten Vorschlägen keine Kostenreduzierung ermöglichten.

Da die Entwürfe der drei bzw. vier Firmen gegenüber dem Vorentwurf weniger Stahl erforderten und dennoch deren Kostenanschlag nicht überschritten, erhielten diese den Auftrag, je einen ihrer Entwürfe unter Beachtung besonderer Direktiven der Regierungskommissare nochmals zu überarbeiten, von welchen schließlich als kostengünstigster der von der Firma LOUIS EILERS, Fabrik für Eisenhoch- und Brückenbau, Hannover-Herrenhausen *(Bild 187)* vorgeschlagene zur Ausführung gewählt wurde.

188 Entwürfe für die Binderkonstruktion der Längsbahnsteighallen, 1909. Oben links: Vorentwurf von Ingenieur KARIG vom Brückenbaubüro; oben rechts: Vorschlag der Firma LOUIS EILERS; unten: Vorschläge der Maschinenbau-A.-G. Augsburg-Nürnberg, Werk Gustavsburg (M.A.N.)
189 Entwürfe für die Binderkonstruktion der Längsbahnsteighallen, 1909. Links: Vorschlag der Königin-Marien-Hütte A.-G., Cainsdorf i. Sa., rechts Vorschlag der Firma Brückenbau FLENDER A.-G., Benrath
190 Erste (westliche) Längsbahnsteighalle im Bau, 1910, Ansicht von Süden

106

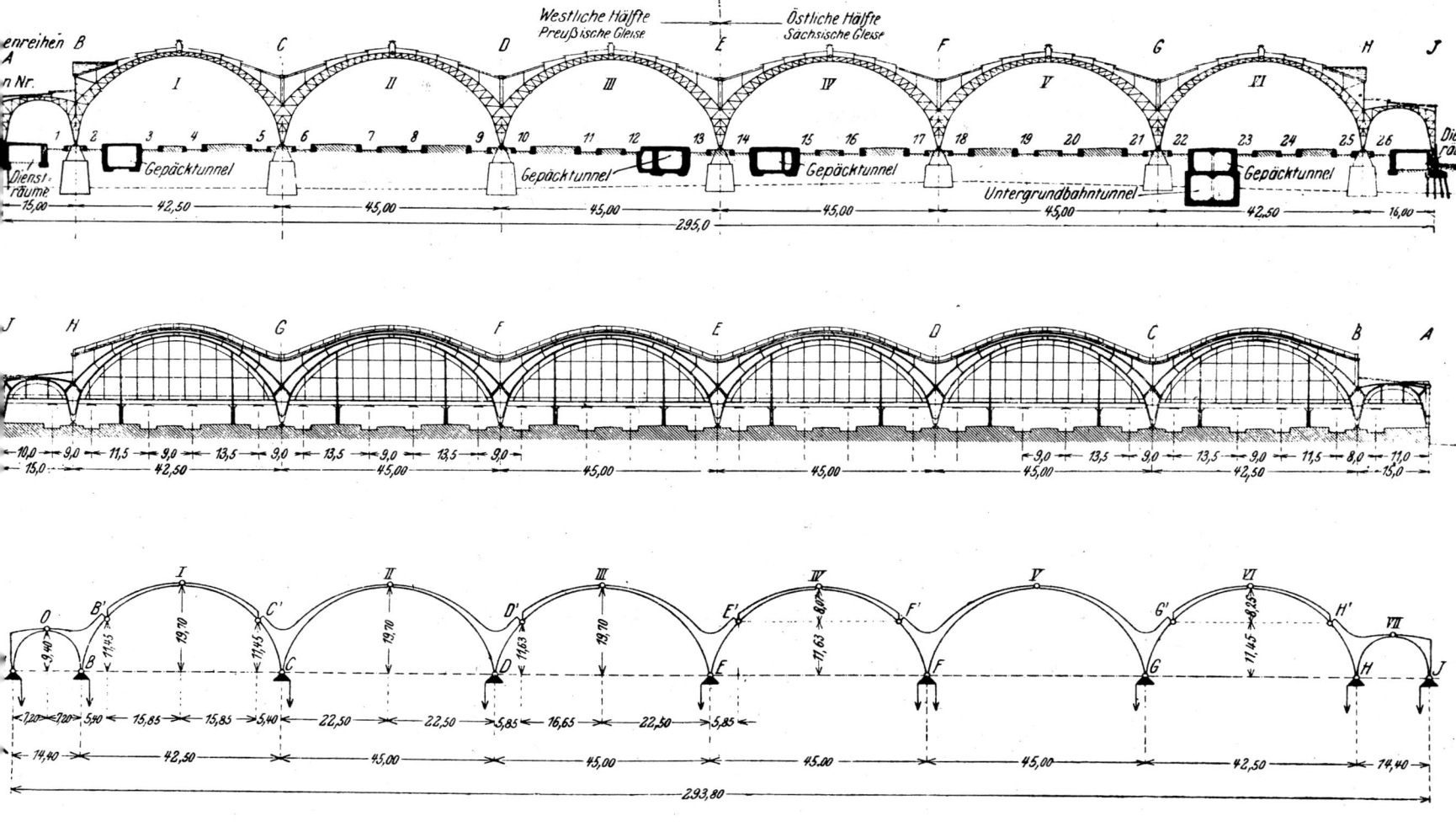

Die Bauausführung der Längsbahnsteighallen

Die ausgeführte Längsbahnsteighalle besitzt im Querschnitt entsprechend den Abschlußbögen der Querbahnsteighalle sechs Hallenschiffe mit je 45 m bzw. 42,5 m Stützweite und 20 m Höhe sowie zwei 15 m breite niedrigere, an die Seitenflügel des Empfangsgebäudes anschließende Seitenhallen, deren 9 m hohe Wände J (Bild 191) und senkrechte Anschlußflächen B (zu den höheren Hallen) verglast sind (Tafel VIII, Abb. 2 und 12 sowie Tafel IX, Abb. 8 und 15). Diese Flächen tragen ebenso zur Tageslichtbeleuchtung bei wie die bis auf Durchfahrthöhe herabreichende Schürze des bahnseitigen Hallenabschlusses (Tafel X).

Von den Abschlußbögen der Querhalle bis zur Schürze waren 15 Binderreihen mit Abständen von 12,8 m + 12,60 m + 13 m × 13,65 m = 202,85 m Gesamtlänge zu errichten. Als Dachbinder wurden doppelwandige Fachwerkträger mit stetig gekrümmten Gurtungen und einfachem Strebenzug verwendet, deren untere Begrenzungslinie dem Profil der Stahlbetonabschlußbinder der Querhalle folgt, während die Krümmung der Obergurte zum Scheitel hin abnehmende Trägerhöhe zeigt (Bild 192). Die scheinbar durchgehenden Bogen der Binderreihen sind als Dreigelenkbogen mit Scheitelgelenken und hochliegenden Zwischengelenken statisch bestimmte Konstruktionen. Zugunsten einer problemlosen Baudurchführung wurden die Stützkräfte der Hallenbinder II und V sowie der Seitenhallen bis zu den Auflagern geführt, so daß sie die Festpunkte der Anlage bildeten (Bild 192) und nacheinander im ersten Bauabschnitt die Binder II – linke Seitenhalle – I – III aufgestellt werden konnten. Im zweiten Bauabschnitt ermöglichte dann ein Kunstgriff, die provisorische Koppelung des rechten Schenkels der Halle IV mit dem

191 Fassadendetail der westlichen Längsbahnsteighallenwand
192 Konstruktionssysteme der Längsbahnsteighallen, 1915. Oben: Querschnitt durch ein Regelfeld; Mitte: Außenansicht der Schürze; unten: Anordnung der Gelenke und Verankerungen

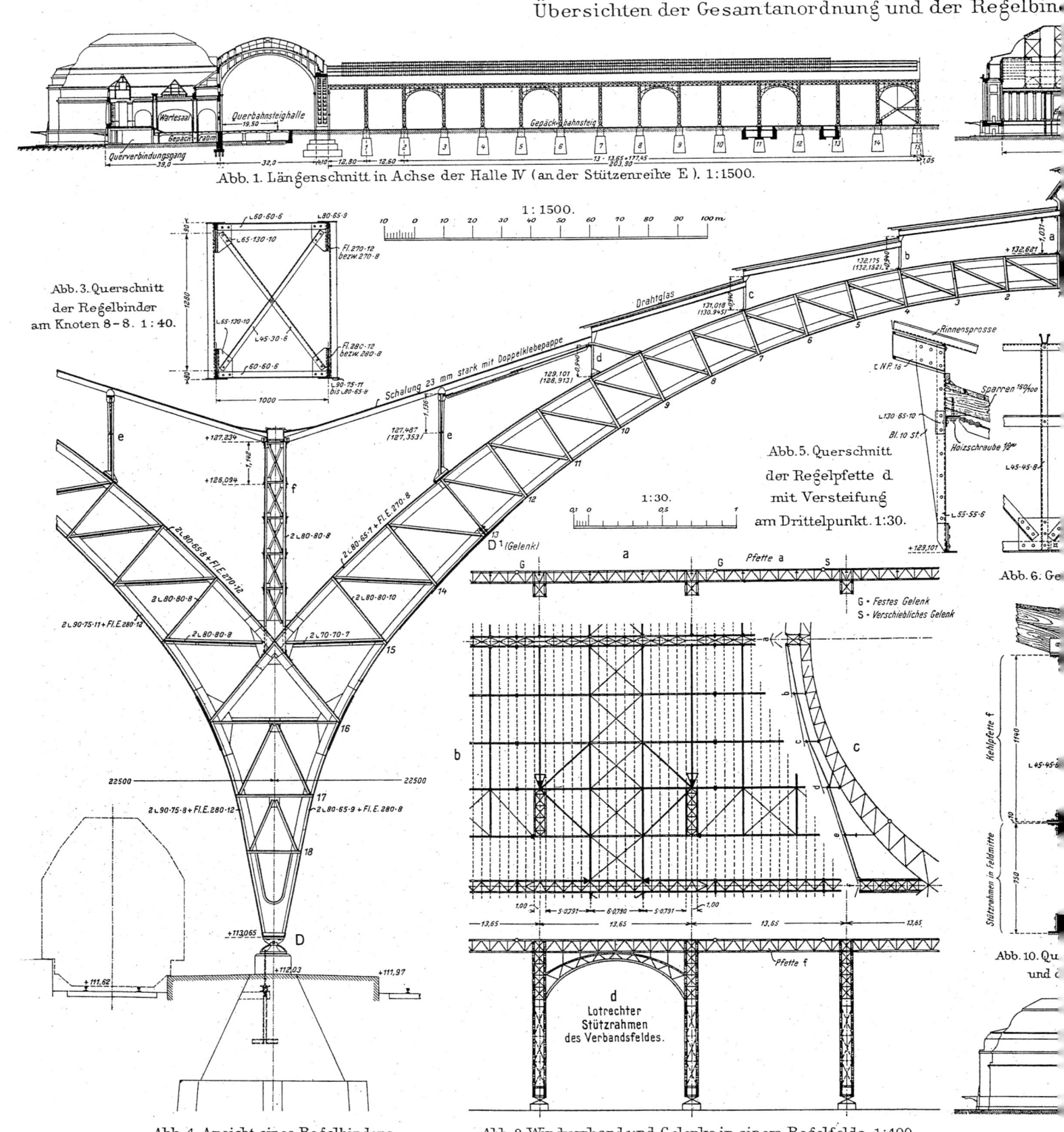

Die Umgestaltung der Leipziger
Übersichten der Gesamtanordnung und der Regelbin

Abb. 1. Längenschnitt in Achse der Halle IV (an der Stützenreihe E). 1:1500.

Abb. 3. Querschnitt der Regelbinder am Knoten 8–8. 1:40.

Abb. 5. Querschnitt der Regelpfette d mit Versteifung am Drittelpunkt. 1:30.

Abb. 6. Ge

Abb. 10. Qu und

Abb. 4. Ansicht eines Regelbinders der Halle III (D–D–III) 1:125.

Abb. 9. Windverband und Gelenke in einem Regelfelde. 1:400.

TAFEL VIII

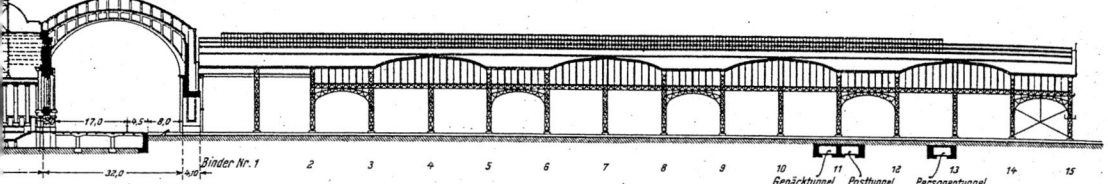

Abb. 2. Längenschnitt durch die Eingangshalle und entlang der Wand B. 1:1500.

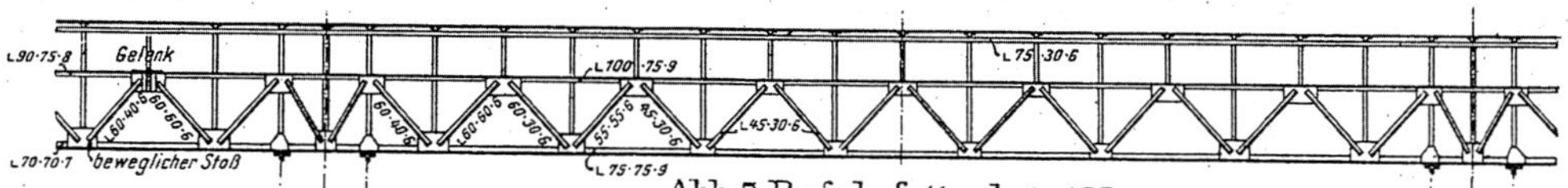

Abb. 7. Regelpfette d. 1:125.

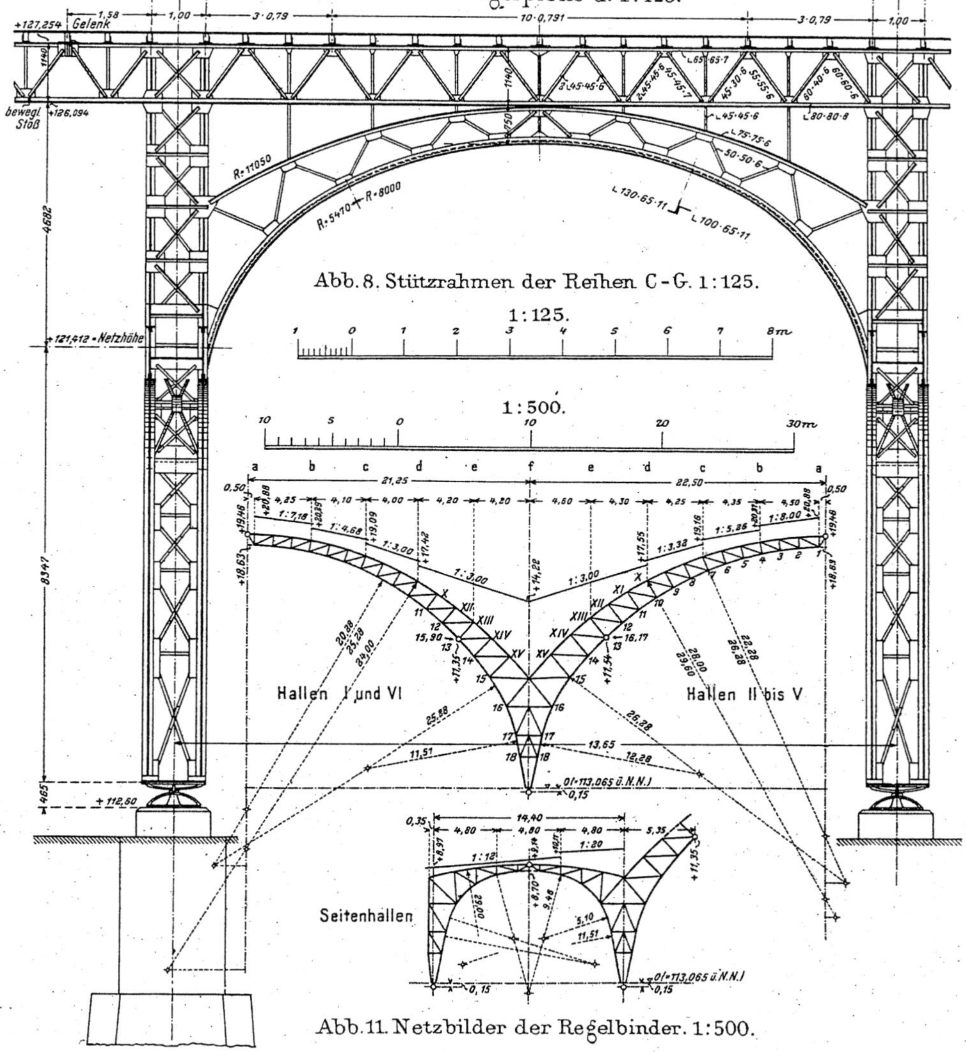

Abb. 8. Stützrahmen der Reihen C–G. 1:125.

Hallen I und VI   Hallen II bis V

Seitenhallen

Abb. 11. Netzbilder der Regelbinder. 1:500.

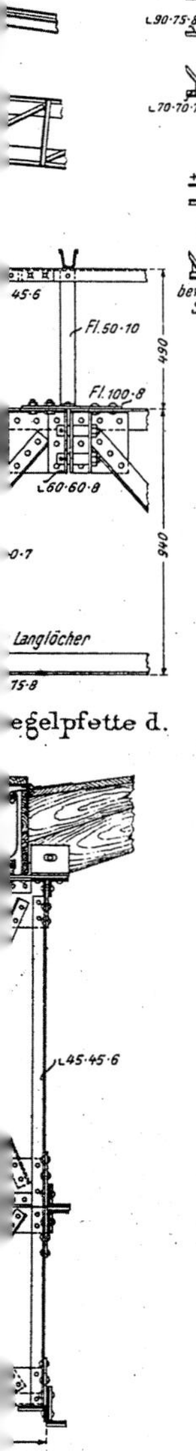

Ansicht des Empfangsgebäudes und der Hallen von Osten (Glaswand J). 1:1500.

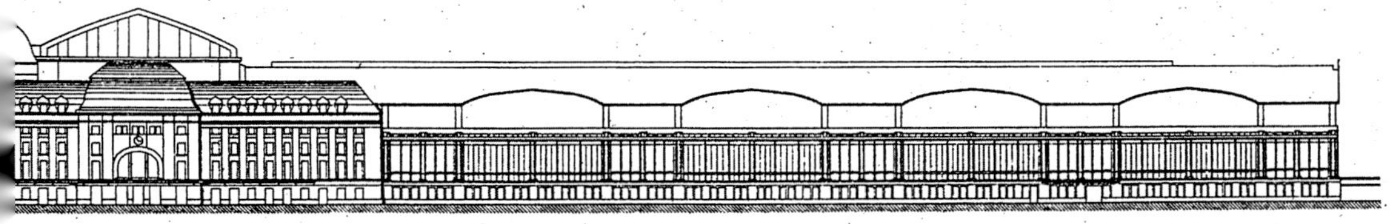

Übersichten der Gesamtanordnung und der Regelbinder der Längsbahnsteighallen mit Details

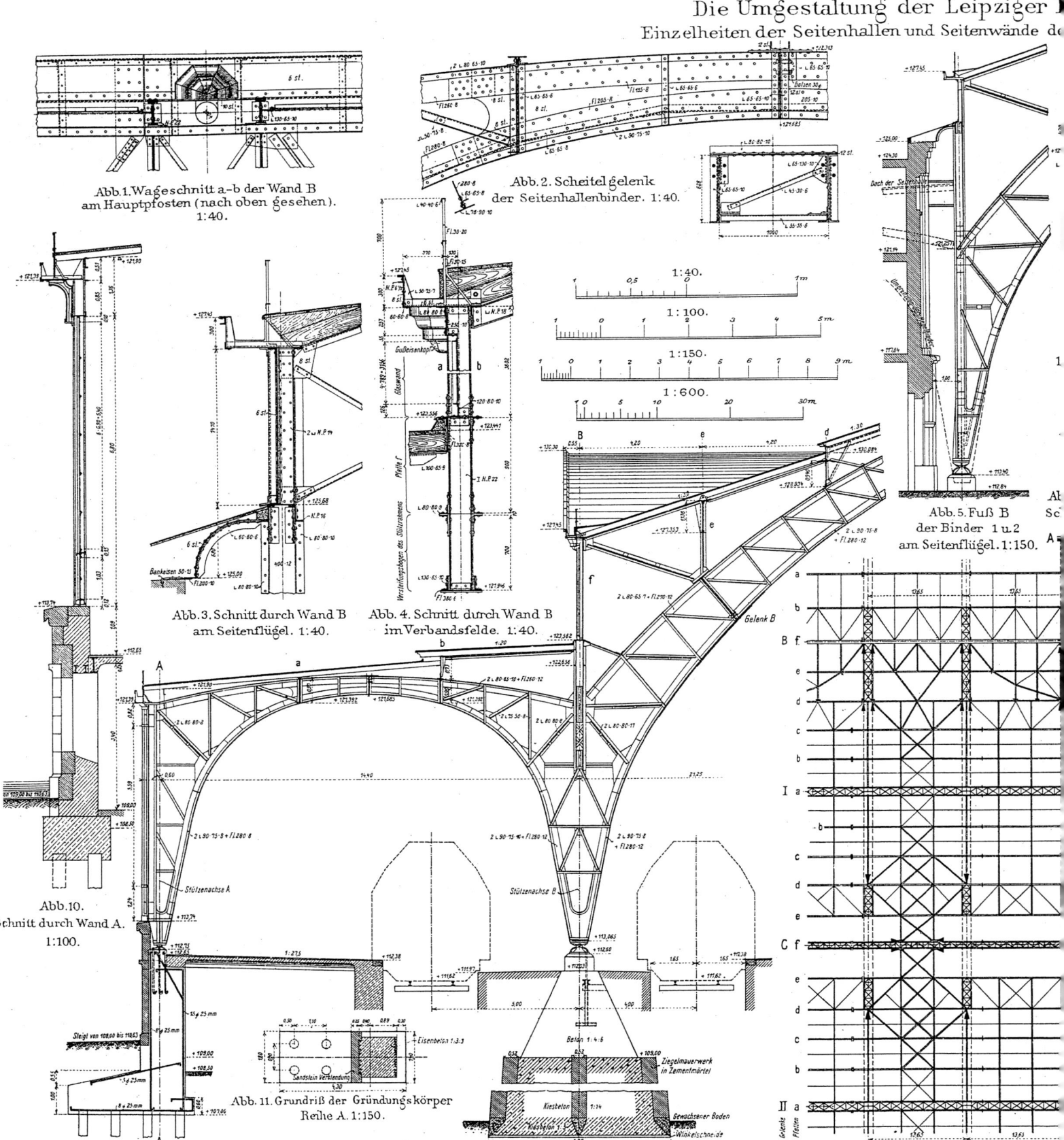

Die Umgestaltung der Leipziger
Einzelheiten der Seitenhallen und Seitenwände

TAFEL IX

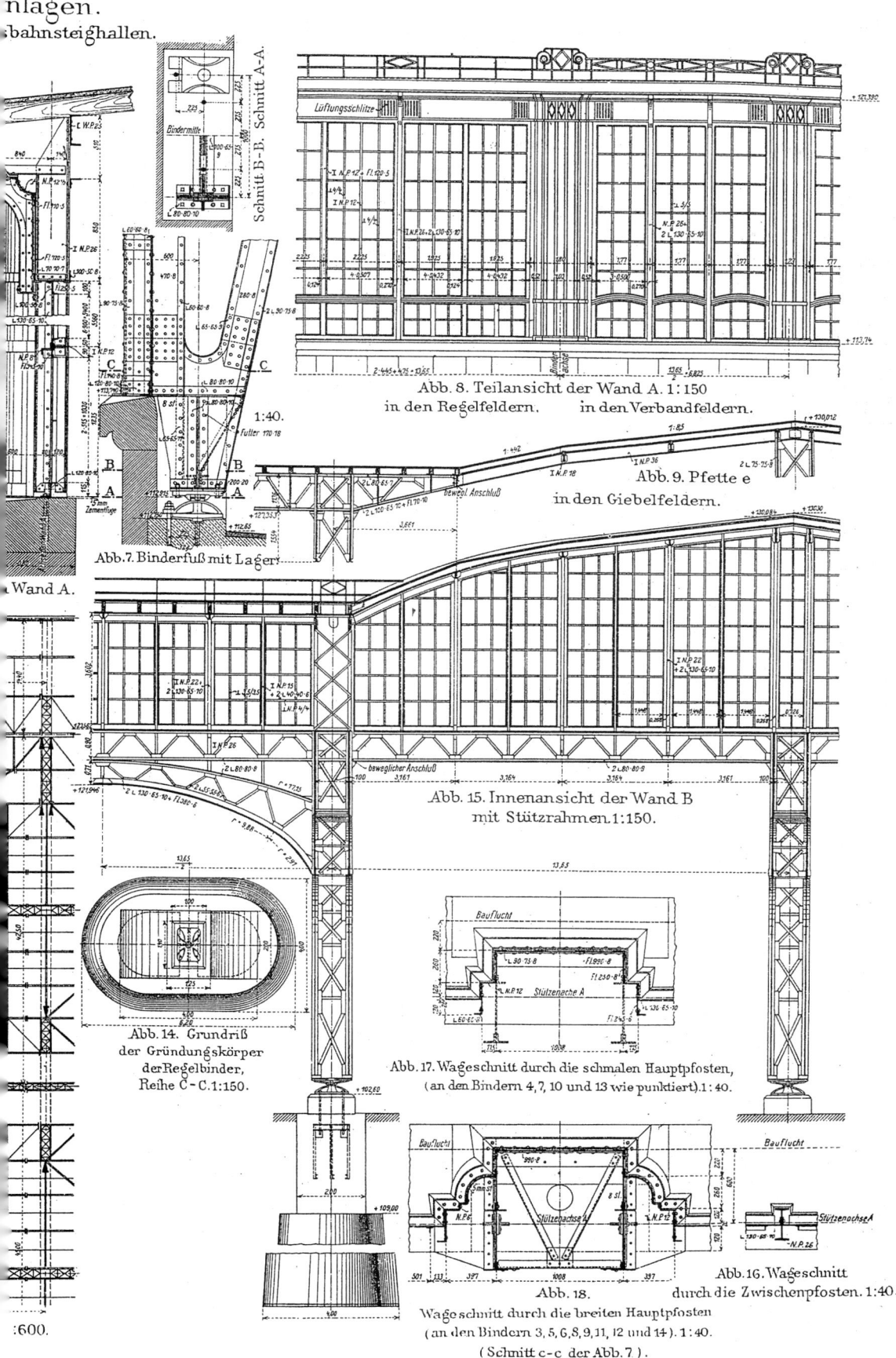

Details der Seitenhallen und Seitenwände der Längsbahnsteighallen

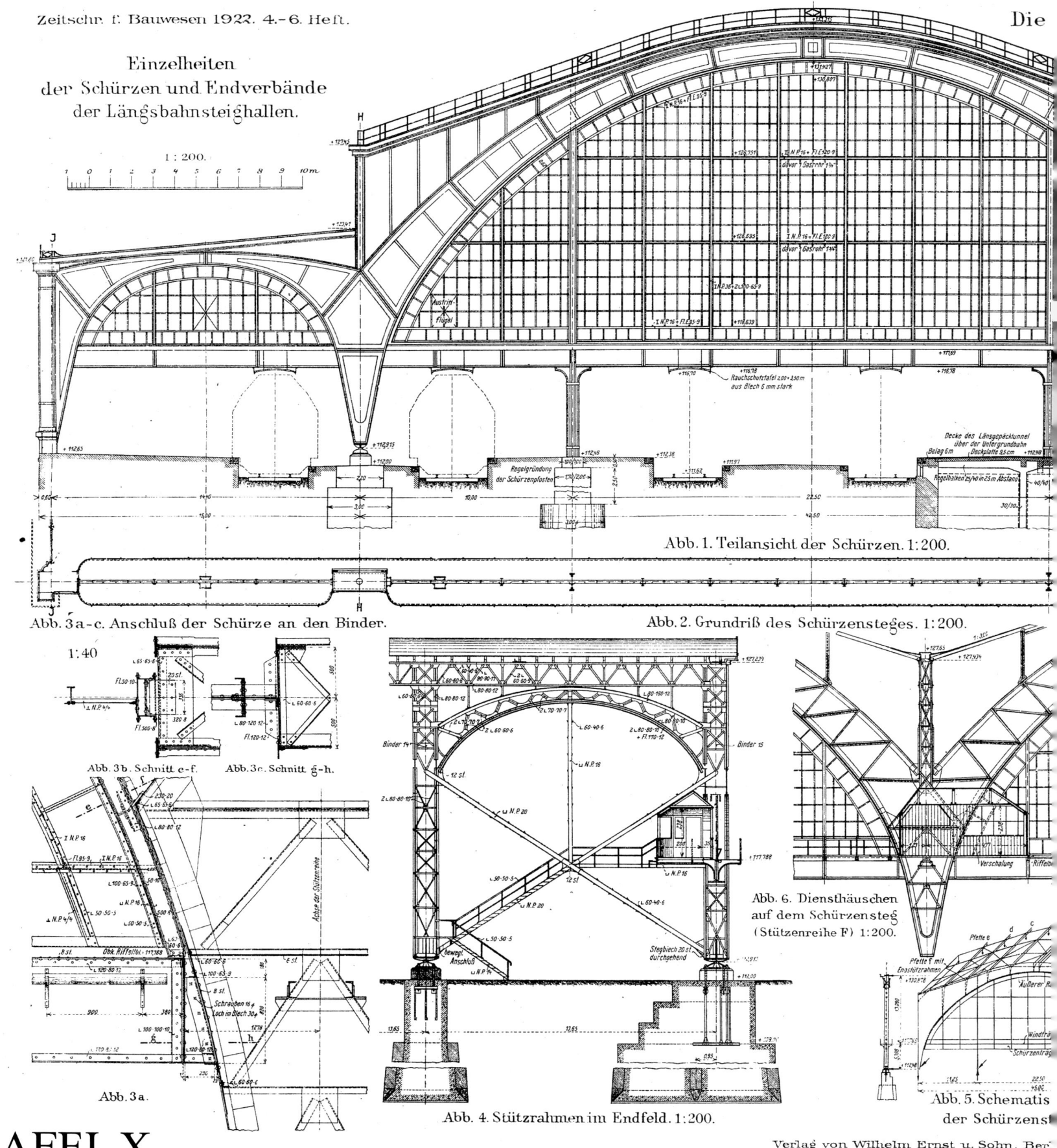

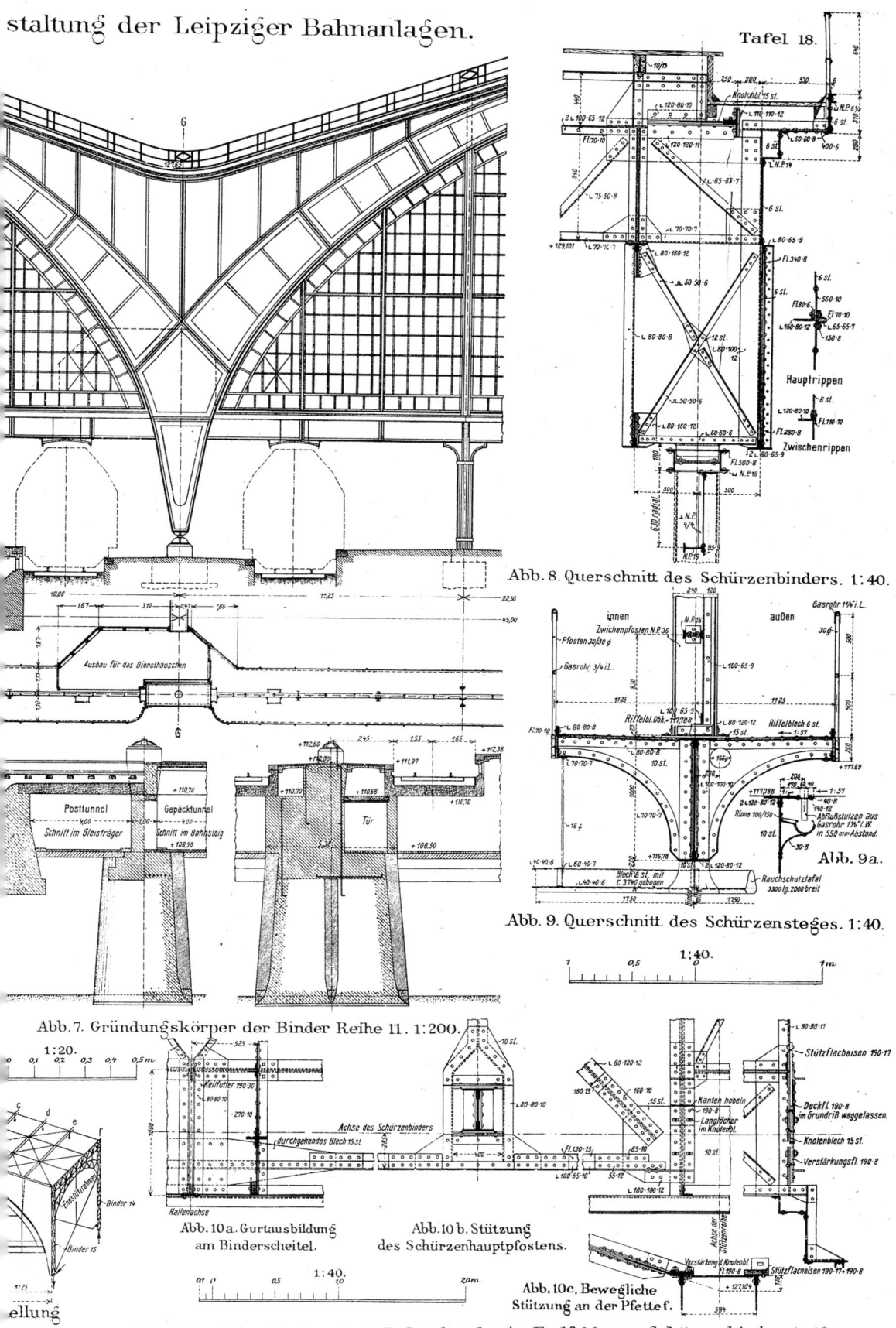

Details der Schürzen und Endverbände der Längsbahnsteighallen

114

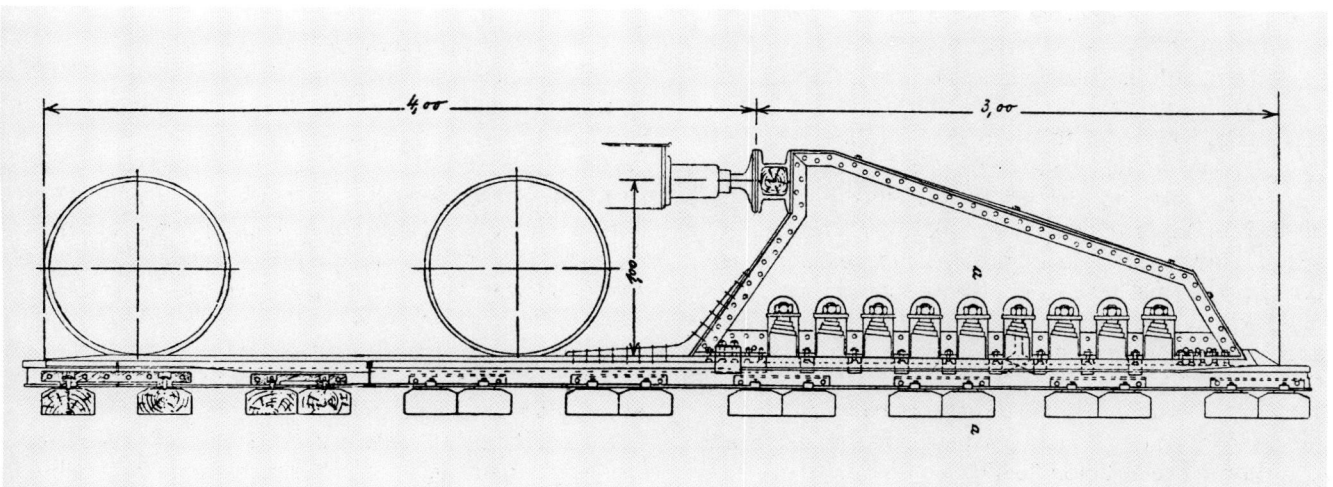

193 Blick auf die Schürzen der Bahnsteighallen, 1924
194 Teilansicht der Längsbahnsteighallen, 1925
195 Blick vom Querbahnsteig in die Längsbahnsteighallen, kurz vor der Fertigstellung des Hauptbahnhofes, 1914
196 Bremsprellbock, Einzelheiten des durch Federn auf Parallelschienen gepreßten Bremsschlittens sächsischer Bauart, 1915

Binderfuß der Halle V bei gleichzeitiger, vorübergehender Aufhebung des hochliegenden Gelenks des Binders IV den Weiterbau; im dritten Abschnitt folgten schließlich die Binder V, die rechte Seitenhalle und Binder VI.

Wie beim Empfangsgebäude und bei der Querbahnsteighalle bedingte der schlechte Baugrund der Parthe-Niederung besondere Gründungsmaßnahmen auch für die Längsbahnsteighallen. Wo es möglich war, wurden die Hallenbinderfüße auf eingebaute Fundamente im Mauerwerk der Quertunnel, der Seitenflügel des Empfangsgebäudes und der Randbahnsteige *(Bild 199)* gestellt. Für die meisten mußten jedoch eigene, auf tragfähigem Boden ruhende, brunnenförmige Gründungskörper *(Tafel IX, Abb. 12 und 14)* geschaffen werden, die bis 8 m unter Straßen-Niveau hinabreichten. Diese Senkbrunnen-Gründungen bestanden aus einem etwa 70 cm hohen ovalen Beton-Fußring, Achsmaß 6,20 m x 4,08 m, auf dem der Brunnenmantel aus 51 cm dickem Ziegelmauerwerk ausgeführt und der Hohlraum nach dem Absenken mit Beton gefüllt wurde. Sie trugen schließlich die 3 m hohen pyramidenstumpfförmigen Betonfundamente mit den Auflagerkörpern der Binderfüße *(Bilder 186 und 190)*. Naturgemäß erforderte auch die Konstruktion der großen, enormen Windkräften ausgesetzten Hallenschürzen *(Bilder 193, 197 und Tafel X)* besonderen statisch-konstruktiven Aufwand. Während die Vertikalkräfte außer durch die Schürzenbinder von je zwei 18,5 m hohen, auf den Personenbahnsteigen stehenden, aussteifenden »Hauptpfosten« aufgenommen wurden, sind die horizontalen Windkräfte der als selbständige Fensterwände gestalteten Schürzen (rund 70 t je Binderhälfte) über die Windverbände der Dachkonstruktion *(Tafel X, Abb. 4 und 5)* auf die Stützrahmen der Endfelder abgeleitet worden. Zu horizontal wirksamer Aussteifung des Schürzen und Windträgers trug der durch fünf Treppen zugängliche innere und äußere Schürzensteg bei; kleine Kabinen an den

197 Ein Blick auf die Hallenschürzen im Jahre 1915

Treppenaustritten waren als Befehlsstellen für den Betriebsdienst vorgesehen *(Tafel X, Abb. 4 und 6)*.

Die Entlüftung der Hallen erfolgte durch 18 cm hohe Lüftungsschlitze zwischen den abgestuften, jeweils 4,5 cm breiten kittlos mit Drahtglas eingedeckten Oberlichtflächen der Bauart Degenhard-Antipluvius sowie durch 1 m breite und 1 m hohe durchgehende Lüftungsaufsätze im First, die übrige Dachdeckung durch doppellagige Ruberoidpappe auf Holzschalung *(Bilder 194 und 196)*.

Die Stahlkonstruktion der Längsbahnsteighallen lieferte die Firma Louis Eilers, Hannover-Herrenhausen *(Bild 187)*, die nach dem bereits erwähnten Wettbewerb von 1909 den Zuschlag zur Ausführung erhalten hatte. Sie bearbeitete die endgültigen Ausführungsunterlagen ihrer auf dem Vorentwurf des Ingenieurs Karig vom Brückenbaubüro der Sächsischen Staatseisenbahnen basierenden Konstruktionsvorschläge in ständiger Verbindung mit diesem.

Die Herstellung der Stahlkonstruktionsteile erfolgte nach einem ganz modernen Prinzip, indem diese im Werk dem Bedarf entsprechend vorgefertigt und ohne Zwischenlagerung zur Baustelle nach Leipzig transportiert wurden. Zur Montage diente ein mobiles, aus zwei Teilen bestehendes Gerüst *(Bild 198)*, das der inneren Bindergurtung entsprach und je zwei größere und kleinere Arbeitsbühnen besaß. Die Pendelstützen konnten je nach Lage der Gleise versetzt, die Wagengestelle gedreht und die Gerüst so auch quer bewegt werden. Während des Hubs schwerer Lasten waren die Wagenrahmen zur Entlastung der Laufräder unterstützt, zugleich die Gerüste gegen Weiterrollen arretiert. Vier durch Handwinden betriebene Schwenkkrane mit 4,6 t Tragfähigkeit ermöglichten das Aufstellen der Binder und Heben der Stahlkonstruktionsteile. Darüber hinaus wurden für besondere Hubvorgänge auch Dreiböcke und Standbäume verwendet *(Bild 200)*.

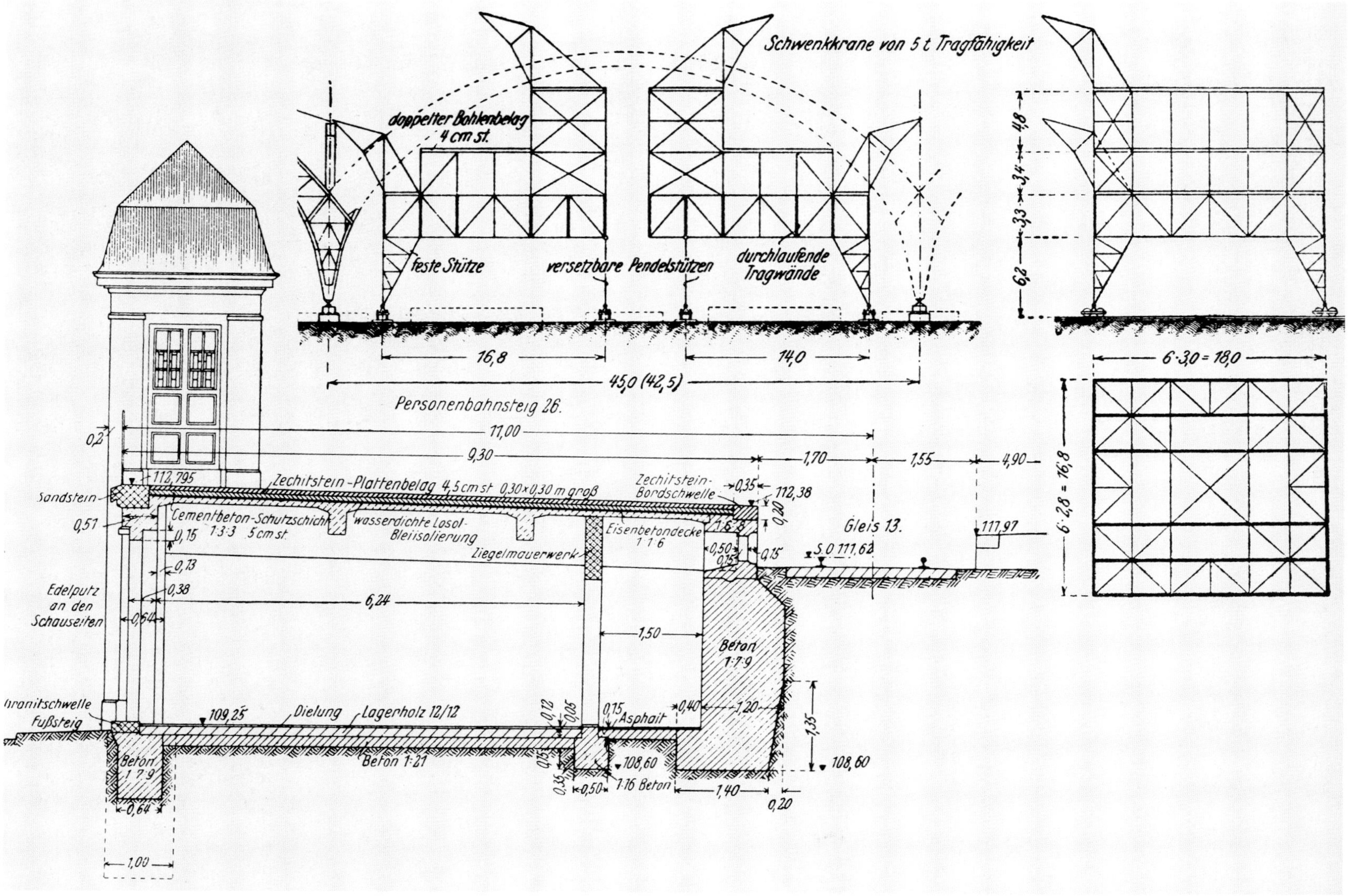

198 Bau der Längsbahnsteighallen, 1910/15. Gerüst zur Montage der Hallenkonstruktion

199 Schnitt durch den östlichen Randbahnsteig (sächsische Seite) mit Ansicht der Giebelseite des Treppengebäudes außerhalb der Halle, fertiggestellt 1915

200 Gußeiserne Kabel-Lagemarkierung an einem Außenbahnsteig, 1915

Der Stahlbedarf für die Längsbahnsteighallen betrug im einzelnen:

für die Hallenkonstruktion einschließlich Lager:	3561 t
= 60 kg/m² überdachte Fläche	
für die Hallenschürze:	365 t
= 2,16 t/m Schürzenlänge	
für die verglasten Umfassungen	509 t
= 1,42 t/m Länge	
insgesamt	4705 t

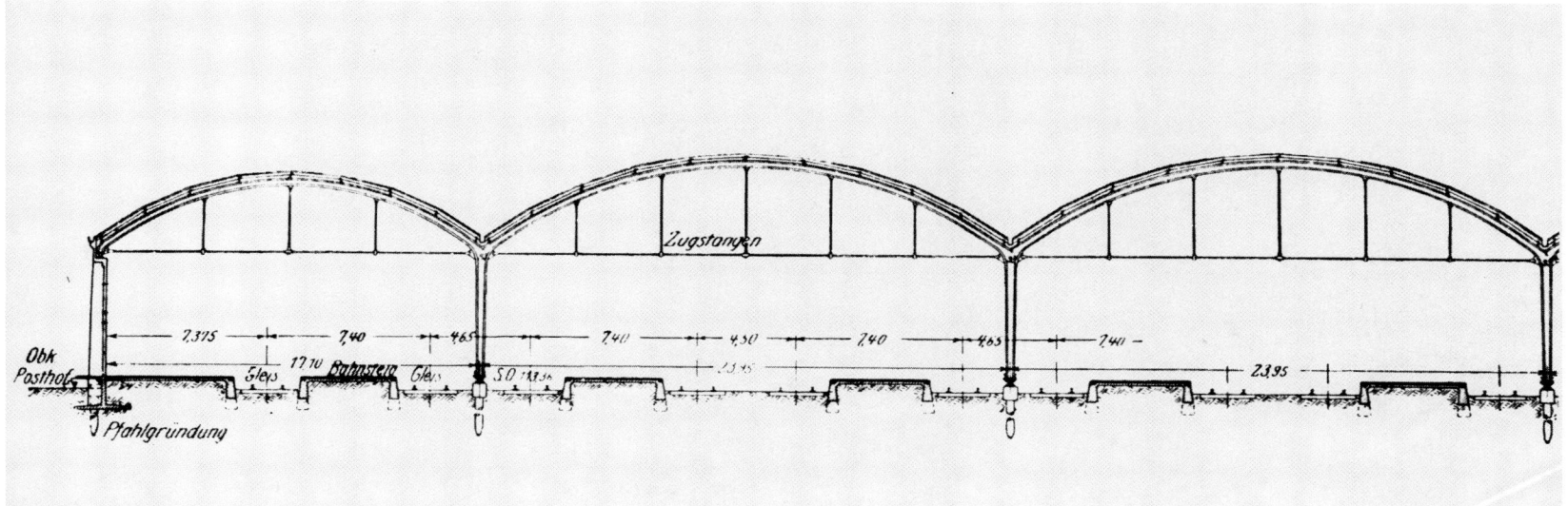

201 Postbahnhof nach Fertigstellung, 1915, Ansicht von Süden
202 Postbahnhof, erbaut 1909 bis 1915, Querschnitt durch das Bahnsteighallendach

Der Postbahnhof

Für den starken Postpaketverkehr Leipzigs, der, statistisch in Deutschland nach Berlin an zweiter Stelle liegend, fast das Doppelte Hamburgs erreichte und z. B. 1902 rund 28 Millionen oder 77 000 Paketsendungen täglich (!) betrug, konnten entsprechende Postpaket-Abfertigungsanlagen in den Kopfbauten des Personen-Hauptbahnhofes aus betriebs- und verkehrstechnischen Gründen nicht untergebracht werden. Andererseits war die Reichspost selbst an einer Konzentration des Verkehrs ihrer seinerzeit in der Stadt und in vielen Bahnhöfen verstreuten Ablagen durch einen eigenen Postbahnhof sehr interessiert, wenn auch bis dahin nur ein Teil des genannten enormen Paket-Versandes mit der Bahn erfolgte.

Die Reichspost entschied sich daher im Einvernehmen mit den beiden Eisenbahnverwaltungen für den Bau eines »Postgüterbahnhofes«, den sie in Gleisverbindung mit dem Hauptbahnhof *(Tafel Faltblatt)* 1,2 km nordöstlich desselben zwischen Brandenburger Straße und Rohrteichstraße auf den früheren Parthewiesen errichtete, die dazu auf einer Fläche von 7,4 ha aufgeschüttet wurden. Als Kopfbahnhof mit 29 Gleisen, 16 Längsbahnsteigen von 50 m bis 100 m Länge und einem 180 m langen, 8 m breiten Querbahnsteig *(Bild 204)* sollte er dem Betriebsablauf des Hauptbahnhofes entsprechen. Das Rangieren und die Behandlung der Postwagen, die damals in der Regel von den meisten Zügen mitgeführt wurden, erfolgte nach einem Fahrplan analog der Abfahrt und Ankunft der Züge auf dem Hauptbahnhof.

Von 2250 m Bahnsteiggleisen des Postbahnhofs sind 1450 m überdacht worden. In besonderen Fällen konnten auf den zwei mittleren, je 100 m langen Bahnsteiggleisen auch Postwagenzüge, insgesamt auf allen Gleisen gleichzeitig 100 Wagen, die von den Lokomotiven der betreffenden

203 Ansicht der Bahnsteighallen des Bahnpostamtes 32 »Mit den unteren Beamten«, um 1916
204 Postbahnhof nach teilweiser Inbetriebnahme, 1912, Querbahnsteig
205 Querschnitt durch den Eilguttunnel auf der sächsischen Seite, 1915
206 Schnitt durch den Versandgüterschuppen der Sächsischen Staatseisenbahnverwaltung, 1915
207 Die Eilgutabfertigungsgebäude der Sächsischen Staatseisenbahnverwaltung, 1915
208 Teilansicht des sächsischen Versandgüterschuppens von der Eilgüterstraße, 1915

Eisenbahnverwaltungen selbst hierher gebracht und wieder abgeholt wurden, behandelt werden. Dies geschah preußischerseits durch die Verkehrstunnel mit Rangierlokomotiven, auf der sächsischen Seite durch die Lokomotiven der Personenzüge selbst, wenn sie mit den Leerzügen zu den Abstellgleisen bzw. allein zum Heizhaus Nord weiterfuhren, sonst auch durch Rangierlokomotiven.

Die Längsbahnsteige erhielten auf 50 m Länge eine aus acht Hallenschiffen bestehende Überdachung (Bild 202) in leichter Stahlbauweise. Bei maximal 23,95 m Spannweite wurden die mit abgehängten Zugstangen versehenen, segmentförmigen Stahl-Bogenbinder paarweise in 5,73 m Abstand angeordnet. Quer dazwischenliegende Satteldach-Oberlichter gewährleisten gute Tageslichtbeleuchtung im Bahnsteigbereich. Am südwestlichen Hallenabschluß bieten verglaste Schürzen Wetterschutz. Der Querbahnsteig bekam ein leichtes, zum Hauptgebäude geneigtes Pultdach mit längs durchlaufendem Sattel-Oberlicht, das hier ebenfalls für beste Beleuchtung sorgte (Bild 204).

Stadtseitig war der Betriebsablauf folgender: An der parallel zum Querbahnsteig am Hauptgebäude zur Rohrteichstraße liegenden überdachten Laderampe fuhren die pferdebespannten Postwagen und hier von der Reichspostverwaltung zum ersten Mal eingesetzte neuentwickelte Elektrokraftwagen zur Be- und Entladung vor, wo das Postgut durch Ladeluken in die anschließende Packkammer und schließlich zum Querbahnsteig gelangte. Das Packkammergebäude enthielt außerdem Personalunterkunfts- und Dienstäume. Südlich vor diesem Gebäude (Tafel Faltblatt) wurde das sogenannte »Beutelwerk« errichtet, wo täglich bis zu 15000 Postbeutel mit modernen Entstaubungs- und Waschmaschinen gereinigt werden konnten. Ferner ergänzte den Postbahnhofskomplex (Bild 201) an der Nordwestecke noch ein Annahmegebäude für hier aufzugebende Sendungen; daran schlossen sich Garagen und Kraftfahrzeugwerkstätten, an der Brandenburger Straße ein besonderes Kraftwerk zur Erzeugung von Strom für die Maschinen, Beleuchtung und Weichenanlagen des Postbahnhofsbereiches an.

Alle Gebäude des Postbahnhofes wurden als verputzte Ziegelbauten errichtet. Gegenüber den schlichten Bahnsteighallen (Bild 203) befriedigt ihre Architektur weniger, wie übrigens auch die »ländlich« gestalteten sächsischen Stellwerke (Bild 215), die zu den stählernen Hallen des Hauptbahnhofes nicht passen.

Der entsprechend dem Baufortschritt des Hauptbahnhofes abschnittsweise in Benutzung genommene »Postgüterbahnhof« wurde am 1. Oktober 1915 vollständig dem Betrieb übergeben. Seitdem sind in den ersten Jahrzehnten durch ihn täglich im Durchschnitt 300 Bahnpostwagen abgefertigt worden. 1911 gingen hier 10,4 Millionen Pakete ab und 4,7 Millionen kamen an, während gleichzeitig im Durchgangsverkehr 36 Millionen = 100 000 Pakete täglich umgeschlagen werden mußten! Auch die Abmessungen dieses seinerzeit größten Postbahnhofes der Welt sind beachtlich. Das Bahnhofsgelände umfaßt 58 000 m², Bahnhofsgebäude und Hallen haben 16 000 m² Grundfläche, so daß alle Räume für größtmöglichen Umschlag bemessen waren. Die Baukosten betrugen insgesamt (1915) rund 4,2 Millionen Mark.

Die Güterabfertigungen

Entsprechend den vertraglich vereinbarten Plänen errichteten beide Eisenbahnverwaltungen jeweils auf ihrer Seite des Personen-Hauptbahnhofes auch eigene Güterabfertigungskomplexe (Tafel Faltblatt). Mit den Bauarbeitern am preußischen Güterbahnhof konnte in vollem Umfang nach Abbruch des Thüringer Bahnhofs Ende 1907 begonnen werden. Vorher war an der Eutritzscher Straße 1901 bis 1903 bereits der südliche Teil des Freiladebahnhofes, 1907 dessen Gesamtanlage fertiggestellt. An der Ladestraße im Winkel zwischen Blücherstraße (der heutigen Breitscheidstraße) und der verlegten Parthe entstanden 1903 bis 1905 Lager-, Zoll- und »Meßgüterschuppen«. 1909 konnten hier schließlich auch die auf dem Gelände des Thüringer Bahnhofs erbauten

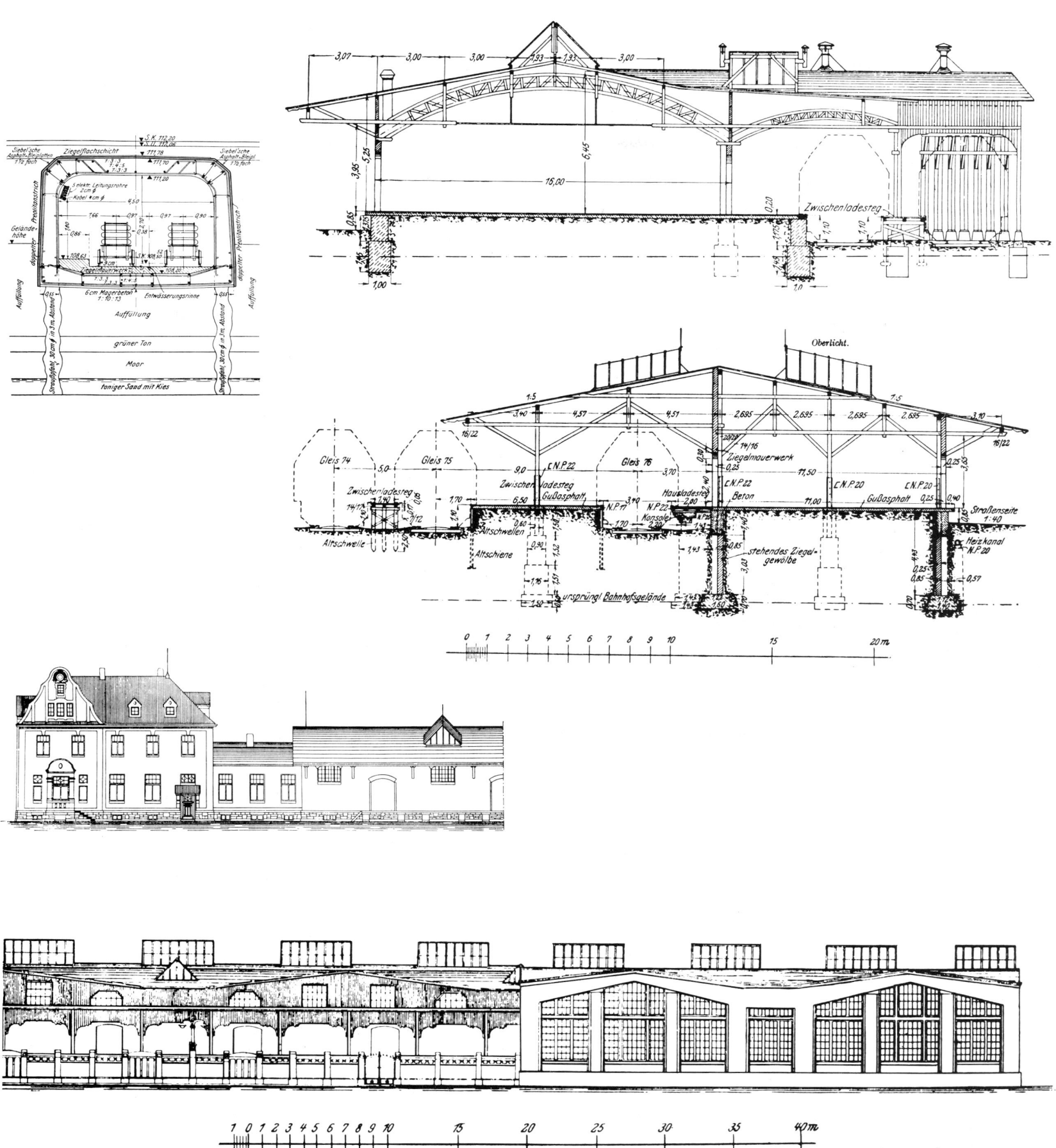

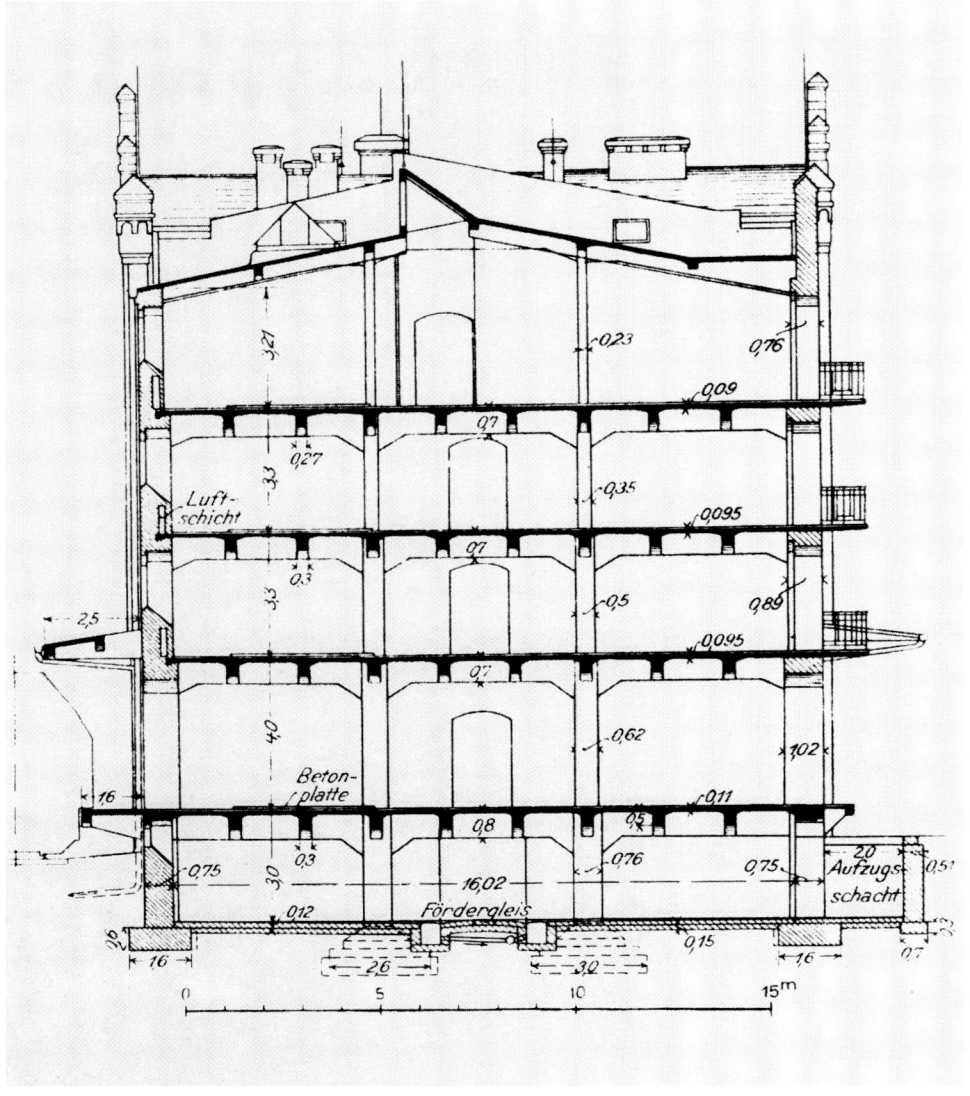

Empfangs-, Versand- und Eilgüterschuppen dem Betrieb übergeben werden. Der Eilguttunnel *(Bild 205)* zwischen dem preußischen und sächsischen Eilgüterschuppen wurde schon 1909 bis 1910 gebaut. Er gestattete den sonst nur sehr umständlich durchführbaren Eilgütertransport zwischen den Abfertigungsanlagen beider Eisenbahnverwaltungen mit schienengebundenen, 1 t fassenden Gepäckkarren, die auf zwei Gleisen durch ein endloses Seil bewegt und an den Tunnelenden automatisch durch elektrische Aufzüge nach oben befördert wurden. Die nach unten gelassenen Wagen mußten mit Handradbetätigung an das Seil gekuppelt werden. Die tägliche Förderleistung der Tunnelanlage betrug etwa 130 t mit 130 bis 140 Karren.

Die sächsischen Güterabfertigungsanlagen wurden, soweit möglich, östlich des alten Dresdner Bahnhofes schon 1906 in Angriff genommen und bereits 1907 die Empfangs und Versand-Güterschuppen *(Bilder 206 und 207)*, das La-

gerhaus und der Zollschuppen *(Tafel IV und Faltblatt)* vollendet. Nach Stillegung und Abbruch des Dresdner Bahnhofes war es dann möglich, die sächsischen Eilgutanlagen mit der östlichen Zufahrtstraße zu bauen und mit diesen am 1. Oktober 1913 die gesamte Güterabfertigungsanlagen der sächsischen Eisenbahnverwaltung in Betrieb zu nehmen.

Der 154 m lange sächsische Eilgutschuppen besaß 1600 m^2 Nutzfläche. Von seinen drei Ladegleisen für Eilgüterzüge von und nach Engelsdorf sowie für die Eilgüterwagen von Personenzügen wurde ein Kopfgleis in den Schuppen geführt *(Bild 207)*. So bot der 6,50 m breite Ladebahnsteig Wetterschutz und mit seinen Oberlichtern gute Tageslichtbeleuchtung beim Güterumschlag. Das äußere Gleis mit dem schmalen Zwischenladesteg diente als Reserve in Verkehrs-Spitzenzeiten. Die Gesamtbaukosten betrugen für Eilgutschuppen und Verwaltungsgebäude 240 000 Mark. Das sich dem Schuppen anschließende Verwaltungsgebäude *(Bild 207)* war nach zeitgenössischer Beschreibung »architektonisch etwas reicher ausgestaltet«. Sachlich-schlichte Formen hätten hier jedoch dem Bahnhof besser angestanden als diese weder bahntypische, noch ästhetisch gelungene Gestaltung, die sogar hinter der des Schuppens zurückbleibt. Beim Entwurf der meisten dieser profanen Bauten durch Projektanten der Staatseisenbahnen nahmen Lossow und Kühne vermutlich zu wenig oder gar keinen Einfluß.

Ähnliches gilt auch für die Architektur des Lagerhauses mit Zollschuppen *(Tafel IV)*; Gebäude, die im übrigen bautechnisch und technologisch einwandfrei projektiert wurden, aber durch ihre Fassadengestaltung negativ wirken.

Der Lagerhauskomplex ersetzte den abgebrochenen städtischen Lagerhof. Die neue, aus zwei Baukörpern mit drei bzw. vier Obergeschossen bestehende Anlage hatte zusammen 13 800 m^2 Lagerfläche. Für eine Deckenbelastung im Erdgeschoß von 2000 kg/m^2 und in den Obergeschossen von 1500 kg/m^2 eignete sich die damals ganz moderne monolithische Stahlbeton-Skelettbauweise *(Bild 209)* besonders. Zur Gewährleistung günstiger Lagertemperaturen wurden die Umfassungswände aus dickem, doppelschaligen Ziegelmauerwerk aufgeführt. Beide Bauwerke unterschieden sich konstruktiv erheblich. Beim ersten Haus »A – B« *(Bild 209 und Tafel IV)* lagen die Stahlbetonunterzüge auf den tragenden Umfassungswänden, das später errichtete zweite Lagergebäude »C« besaß eine totale Skelettkonstruktion mit einem Stützensystem ohne tragende Außenwände. Und während das erste mit gewöhnlichen Fundamenten auf breiten Banketten gegründet werden konnte, war für das nächstgebaute eine mit Rippen verstärkte Stahlbetonfundamentplatte erforderlich.

Moderne Bauweisen kennzeichneten auch den anschließenden Zollschuppen: Stahlbeton-Skelettkonstruktion für das Kellergeschoß und ein Holzbogendach System Stephan, kombiniert mit abgehängtem Zugband für das gesamte, beiderseits weit auskragende Pfettendach *(Bild 211)*. Gleiche Dachkonstruktion erhielt auch der sächsische Versand-Güterschuppen, der Empfangs-Güterschuppen jedoch ein traditionelles Dach. Der Lagerhauskomplex kostete mit Zollschuppen und Zollverwaltung 871 000 Mark.

Letztes Bauvorhaben war das ursprünglich nur als Lagerhaus mit drei Stockwerken geplante Kühlhaus, das noch

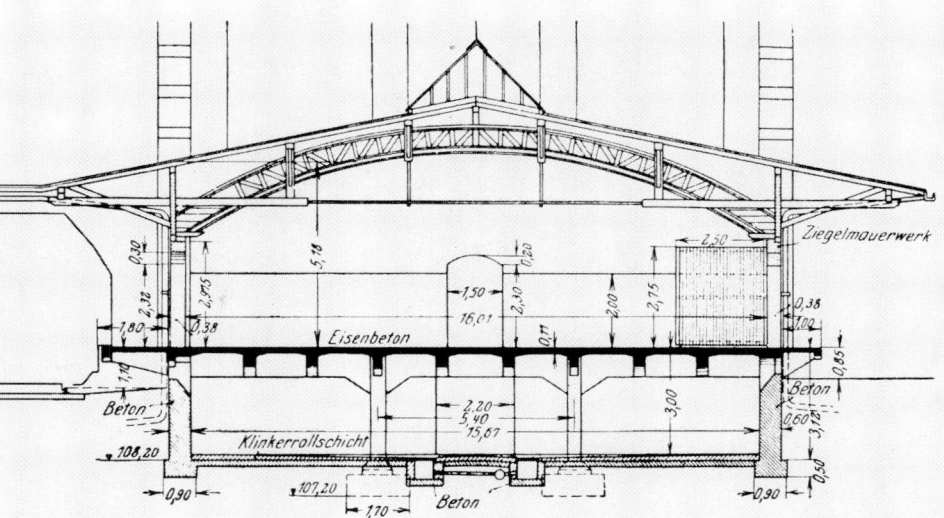

während des Baues von der Leipziger Speicherei- und Lagergesellschaft m.b.H. gemietet, für Kühlbetrieb eingerichtet und schließlich mit vier Obergeschossen ausgeführt wurde, so daß es dann insgesamt sieben Geschosse mit 5860 m² reiner Lagerfläche umfaßte. Die Staatseisenbahnen stellten dazu das Anschlußgleis her und trugen 600 000 Mark, die Gesellschaft 800 000 Mark der Baukosten sowie weitere rund 800 000 Mark für die Installation der Kühlanlagen. Das im September 1916 begonnene, hinter den alten Lagerhäusern »A – B« aufragende imposante Bauwerk (Bild 210) an der östlichen Einfahrt des Hauptbahnhofes wurde im April 1918 vollendet.

Die Stellwerke

Ohne zahlreiche Stellwerke verschiedener Bauart und Funktion wäre der dichte, oft komplizierte Verkehr auf dem Hauptbahnhof nicht möglich. Für diese betriebswichtigsten Anlagen des Bahnhofes wählten beide Eisenbahnverwaltungen eine teilweise voneinander abweichende sicherungstechnische Organisationsstruktur.

Die preußische Verwaltung errichtete das große elektrisch betriebene Befehlsstellwerk W–O (Bild 212), einen brückenartigen Stahlbetonbau – im Volksmund der »Zerberus von Leipzig« genannt –, von dem aus alle Zugein- und -ausfahrten sowie Rangierfahrten geregelt wurden. Als abhängige Endstellwerke fungierten Mt für Züge Richtung Eilenburg, Halle und Berlin, Wt für Züge Richtung Leutzsch, Rt für Züge nach und von der Abstellanlage am Berliner Bahnhof und Ob

209 Querschnitt durch das zuerst errichtete Lagerhaus »A–B«, 1907
210 Kühlhaus, erbaut 1916 bis 1918 von der Sächsischen Staatseisenbahn und der Leipziger Speicherei- und Lagergesellschaft m.b.H., später Leipziger Lagerhof G.m.b.H.
211 Querschnitt durch den Zollschuppen der Sächsischen Staatseisenbahnverwaltung, 1907
212 Ehemaliges preußisches elektrisches Brückenstellwerk West (W – O), um 1920

für Züge über das östliche Verkehrsgleis 144 sowie durch die beiden Verkehrstunnel I und II *(Tafel Faltblatt)*. Am Postbahnhof befand sich außerdem das kleine Weichenstellwerk P. Aus dem Inneren der Längsbahnsteighallen, das vom Stellwerk W–O nicht eingesehen werden konnte, ermöglichten in Dienstkabinen am inneren Schürzensteg befindliche Gleisfreimeldeanlagen die Übermittlung des Frei- oder Besetztseins durch Blockfelder an das Befehlsstellwerk.

Als weitere Stellwerke wurden neu errichtet: Nt für die Ein- und Ausfahrten am Berliner Güterbahnhof, Gwt für Ein- und Ausfahrten von Güterzügen zwischen Leipzig–Wahren und dem Magdeburg–Thüringer Güterbahnhof, Rwt als dortiges Rangierstellwerk. Das bereits auf dem Berliner Bahnhof vorhandene Stellwerk Gnt wurde Rangierstellwerk für den Berliner Güterbahnhof. Zur Betätigung der Weichen einzelner, von wichtigen Zug- und Rangierfahrten nicht regelmäßig benutzter Gleisgruppen dienten 15 Handweichenposten.

Von den genannten Stellwerken hatten das Befehlsstellwerk W–O und Nt elektrisch betriebene Weichen und Signale, die anderen waren mechanische Hebelstellwerke.

Der Betrieb auf dem Gebiet der sächsischen Eisenbahnverwaltung wurde durch 16 Stellwerke, acht Hauptstellwerke zur Sicherung der Zugläufe und acht für den Rangierbetrieb, geregelt. Von den acht Hauptstellwerken waren folgende als »Kraftstellereien« mit elektrischem Weichen- und Signalantrieb ausgerüstet: am östlichen Ende des Hauptbahnhofes die Abschlußstellerei IX, die an den Hauptfahrstraßen liegenden »Kraftstellereien« I bis IV, von welchen die 200 m bis 250 m von der Bahnsteighallenschürze entfernten Befehlsstellwerke I und II *(Bilder 213 und 214)* alle Ein- und Ausfahrten der Bahnsteiggleise regelten, ferner die Stellerei VII *(Bilder 215 und 216)* zwischen der Brandenburger und der Kirchstraßen-Brücke (der heutigen Hermann-Liebmann-Straße). Zur Information der Stellwerke I und II über die Freimeldung der Bahnsteiggleise dienten auf ähnliche Weise wie auf der preußischen Seite in diesen installierte Signalnachahmer, die von den auf dem Schürzensteg befindlichen Dienstkabinen aus elektrisch fernbestätigt wurden.

Erwähnenswert sind die seinerzeit in der östlichen sächsischen Längsbahnsteighalle installierten automatischen Gleisfreimeldeanlagen. Bei diesen relativ modernen Sicherungsanlagen waren die betreffenden Bahnsteiggleise als isolierte Schienenstrecken ausgeführt und über Achszählanlagen mit den Stellwerken elektrisch verbunden. Dort befindliche Signaleinrichtungen zeigten selbsttätig an, wenn sich nur noch eine Achse auf dem entsprechenden Gleisabschnitt befand.

Für das Personal boten die auch sonst technisch gut ausgerüsteten Stellwerke gute Arbeitsbedingungen. In Bahnhofsnähe gelegene wurden aus dem Heizdampfnetz des sächsischen Heizwerkes versorgt, von den übrigen die größeren durch Warmwasser-Zentralheizung, kleinere durch Einzelöfen beheizt. Die architektonische Gestaltung der Stellwerke sollte der Umgebung, in Nähe des Personenbahnhofes also mehr dessen Charakter entsprechen *(Bilder 213 und 215)*. Die weiter entfernt im östlichen und nördlichen Vorgelände und in den von der Bahn berührten Industriegebieten gelegenen waren als Ziegelrohbauten der dortigen Umwelt gleich.

Sonstige Betriebsgebäude und Betriebsanlagen

Für den Bahnbetrieb waren nicht zuletzt viele oft wenig beachtete bauliche Anlagen unentbehrlich, vor allem »Heizhäuser« bzw. Lokomotivschuppen und Maschinenwerkstätten, Anlagen für die Bekohlung und Wasserversorgung der Dampflokomotiven: das Bahnbetriebswerk; dazu Einrichtungen zur Reinigung, Pflege, Versorgung und Instandsetzung der Personenwagen: die Betriebswagenwerkstatt und Wagenreinigungsanlage *(Tafel Faltblatt)*. Alle für den Hauptbahnhof Leipzig seinerzeit dafür geschaffenen Anlagen entsprachen dem neuesten Stand der Bahnbetriebstechnik.

Die sächsische Eisenbahnverwaltung baute 1905 bis 1906 zuerst das Heizhaus Nord (A) nördlich der Hauptgleise zwischen den Überführungen der Brandenburger und der Kirchstraße (der heutigen Hermann-Liebmann-Straße) eine halbkreisförmige Ringhalle mit einer 20-m-Drehscheibe *(Tafel Faltblatt)*. Sie konnte auf 27 Ständen, davon vier Doppelstände, 31 Lokomotiven aufnehmen *(Bilder 218, 219 und 221)*. Das später unweit davon südlich des Bahnhofsbereiches 1913 bis 1915 errichtete Heizhaus Süd (C) ist ebenfalls eine Ringhalle mit 24 Ständen, davon vier Doppelstände, für 28 Lokomotiven *(Bilder 220 und 222)*. Es besitzt längere Arbeitsgruben als das Heizhaus Nord. Beide erhielten zentrale Rauchabführung mit Rauchtrichtern Bauart F<small>ABEL</small>, die, an die Lokomotivschornsteine gepreßt, keinen Rauch in das Heizhausinnere dringen ließen.

Beim Bau des Heizhauses Nord auf dem Gelände des Rohrteiches mußte die Gründung für Umfassungen, Arbeits-

213 Ansicht der »sächsischen Kraftstellerei I«, 1915
214 Stellwerksraum in der »sächsischen Kraftstellerei II«, 1915
215 Ansicht der »sächsischen Kraftstellerei II«, 1915
216 Stellwerksraum in der »sächsischen Kraftstellerei VII«, im Jahre 1915
217 Im Mai 1940 wurde das alte Stellwerk WO abgerissen und das B 3, das größte Stellwerk des Hauptbahnhofs, eröffnet
218 Heizhaus A, später Bw Leipzig Hauptbahnhof Nord, im Bau, 1905
219 Heizhaus A im Jahre 1906

gruben und Drehscheibe bis unter die Teichsohle erfolgen und für die inneren Fußbodenflächen mit Gleisen und Arbeitsgruben ein System aus Stampfbetonbögen hergestellt werden *(Bild 218)*. Für das Heizhaus Süd waren derart aufwendige Maßnahmen nicht notwendig. Äußerlich unterschieden sich beide Heizhäuser im wesentlichen nur durch ihre Ausführung. Heizhaus Nord wurden als Ziegelrohbau und das Heizhaus Süd einheitlich mit seinen Nebengebäuden als Putzbauten erstellt.

Zur Versorgung der Wasserkrane diente ein unmittelbar östlich am Heizhaus Nord erbauter Wasserturm Bauart Intze mit 400 m³ Fassungsvermögen, am Heizhaus Süd ein auf den Sockel des Rauchabzugschornsteins aufgesetzter Behälter gleichen Volumens.

Als Bekohlungsanlagen sind beiden Betriebswerken etwa 38 m lange Schuppen mit Aufenthaltsräumen, Material- und Streusandlagern sowie 35 m lange überdachte Ladebühnen zugeordnet worden *(Bild 225)*. Elektrische Drehkrane und von diesen bewegte, kippbare Hunte mit 500 kg Steinkohlefüllung erleichterten den Umschlag und das Beschicken der Tender.

Vom Heizhaus Nord wurden die größeren Schnell- und Personenzuglokomotiven der Linien Leipzig – Hof und Leipzig – Dresden, vom Heizhaus Süd die Lokomotiven der Linie Leipzig – Chemnitz und des Vorortverkehrs der beiden Dresdner Linien behandelt.

Die Baukosten des Heizhauses Nord betrugen 307 000 Mark, die der zugehörigen Bekohlungsanlage 51 000 Mark, des Heizhauses Süd 210 000 Mark und seiner Bekohlungsanlage 42 800 Mark. Diese erhebliche Kostendifferenz resultierte hauptsächlich aus dem unverhältnismäßig hohen Gründungsaufwand für Heizhaus Nord.

Für die laufende Behandlung der Personenwagen: Reinigung und Versorgung mit Wasser, Ölgas, Preßluft und Heiz-

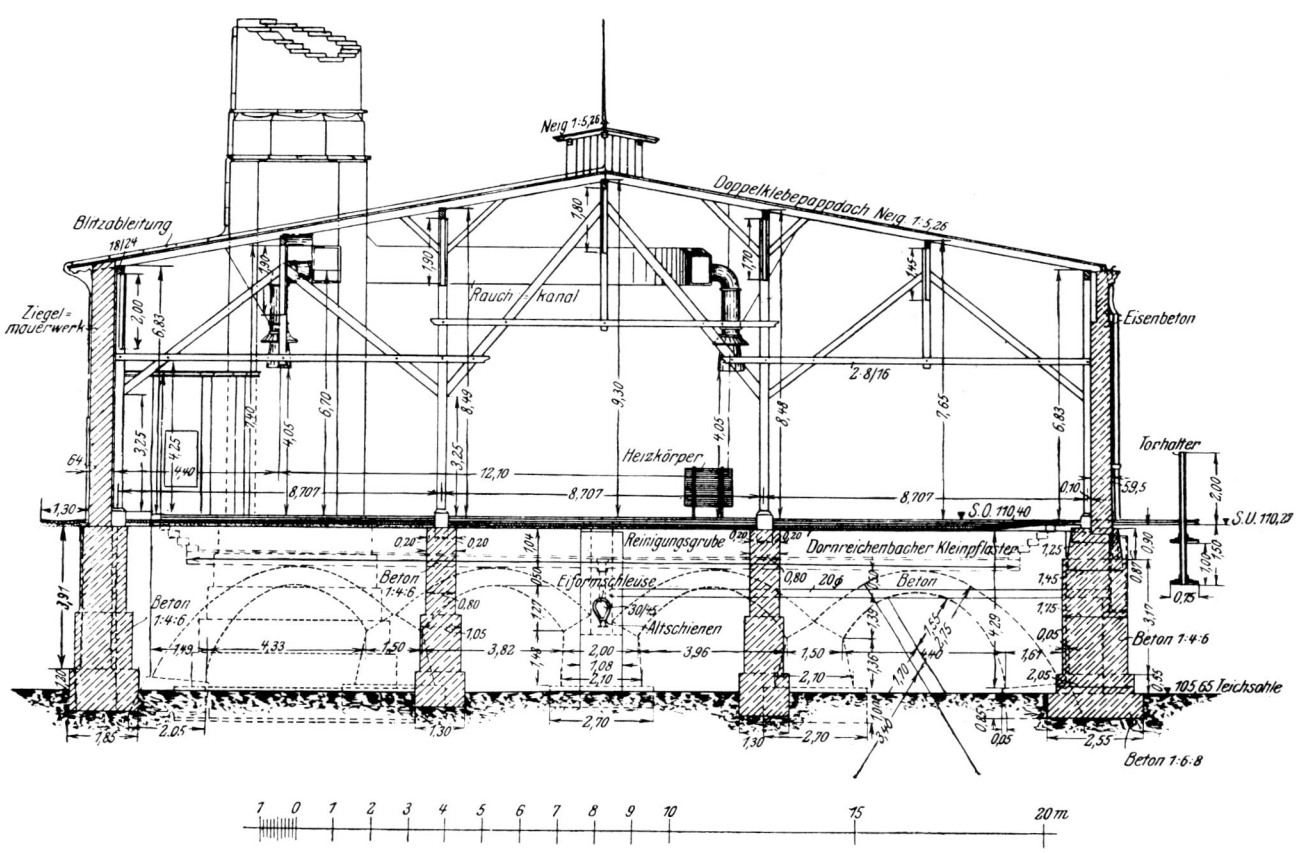

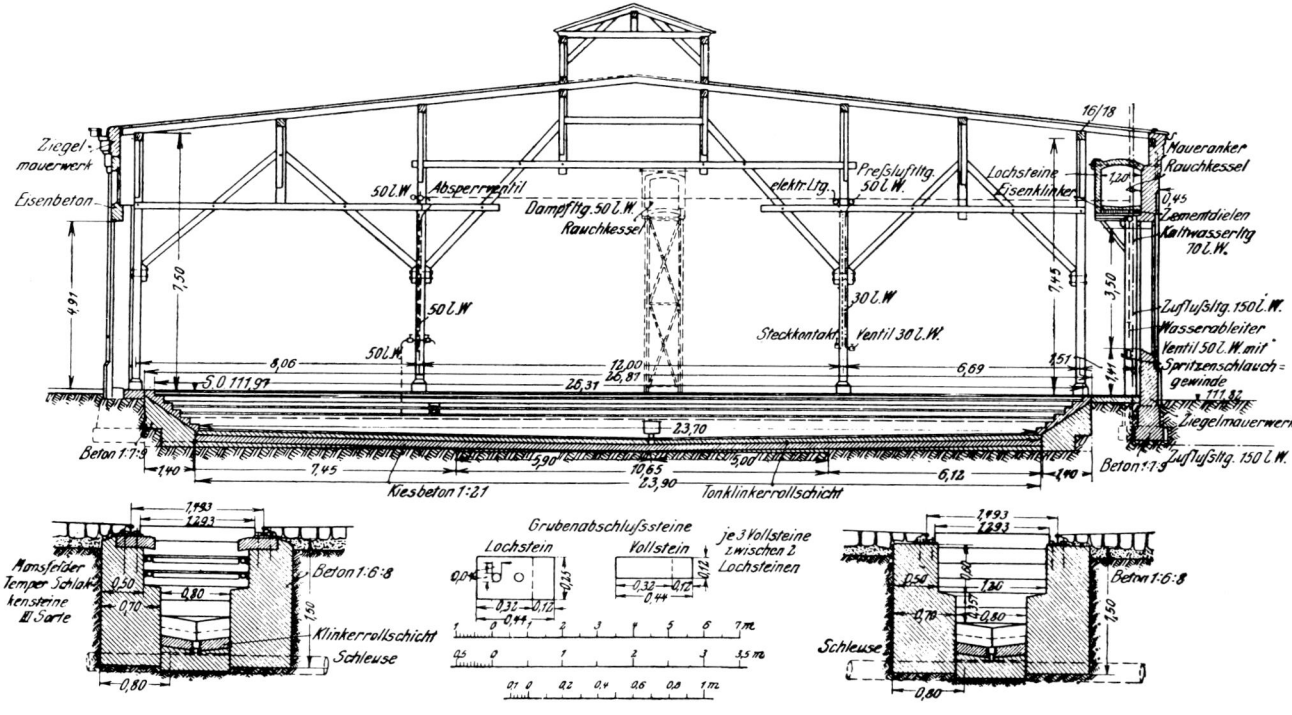

220 Bahnbetriebswerk Süd, 1988

221 Querschnitt des Heizhauses Nord (später Bw Nord), 1915

222 Heizhaus Süd, Querschnitt und Schnitte durch die Löschegruben, 1915

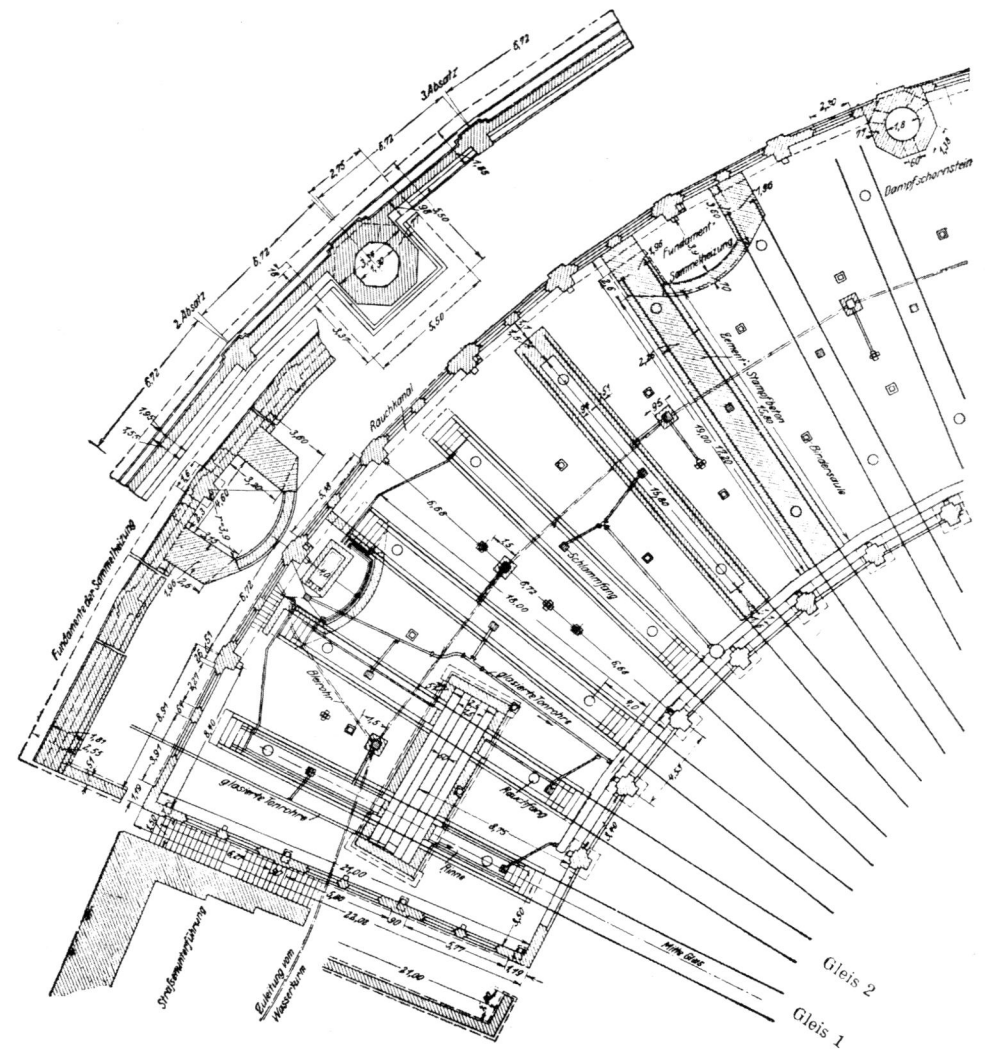

dampf schuf die sächsische Verwaltung im Bereich der Abstellgleisgruppen nördlich der Leipzig–Hofer Hauptgleise entsprechende Einrichtungen, für die periodische Durchsicht und Reinigung östlich des Hauptbahnhofes eine viergleisige Wagenreinigungshalle mit 120 m bzw. 156 m Gleislänge und ebenso langen Arbeitsgruben *(Tafel Faltblatt)*. Zur Ausstattung gehörten eine Saugluft-Entstaubungsanlage, eine Teppichklopfmaschine und Wasserspritzanlagen beiderseits der Gleise. Unterkünfte, Räume für Reinigungsgeräte und -material sowie ein Kesselhaus zur Beheizung, Warmwasser- und Heizdampfversorgung sowie zur Verbrennung allen im sächsischen Teil des Hauptbahnhofes anfallenden Mülls vervollständigten die Wagenreinigungsanstalt. Als Betriebswagenwerkstatt für laufende Instandhaltung wurde eine schon früher errichtete 66 m lange viergleisige Halle benutzt.

Für die Versorgung der sächsischen Seite des Empfangsgebäudes, der Gemeinschaftsanlagen und der Vorheizanschlüsse an den Bahnsteigen baute die sächsische Eisenbahnverwaltung südlich des Eilgutschuppens am östlichen Randbahnsteig ein eigenes Heizwerk *(Bild 224)*, dessen Bunkeranlage den Transport der Kohle durch Becherwerke und Förderbänder in sechs hochliegende Bunker direkt über die Kessel und damit deren obere Beschickung ermöglichte. Im angefügten Turm wurden zur Speisung der in Bahnsteighallennähe befindlichen Krane zwei Wasserbehälter mit je 25 m³ Fassungsvermögen untergebracht; damit sollte nur kurzzeitig wartenden Lokomotiven die Fahrt zum weiter entfernten Heizhaus erspart werden.

Die preußische Eisenbahnverwaltung legte ihr Betriebswerk (heute Bahnbetriebswerk Leipzig Hbf West) nördlich der Parthe und Plösner Straße an und ließ beiderseits der Berliner und Eilenburger Hauptgleise die Lokomotiv-Rundschuppen II (westlich) und III (östlich), ebenfalls wie bei den sächsischen mit 20-m-Drehscheiben, für insgesamt 47 Schnell- und Personenzuglokomotiven errichten *(Tafel Falt-*

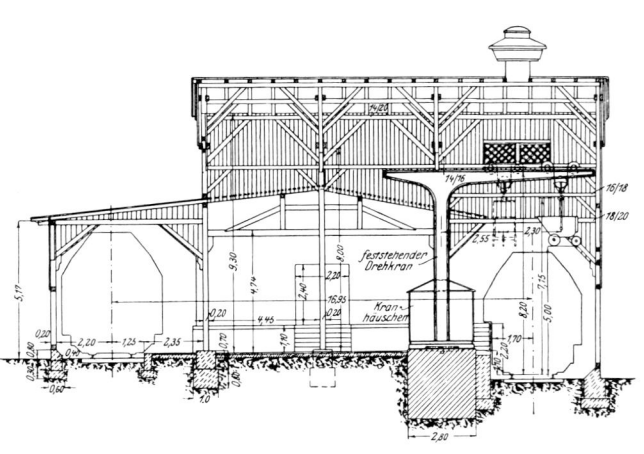

223 Grundriß des Lokomotivschuppens II (später Bw West)
224 Heizwerk der Sächsischen Staatseisenbahnverwaltung am östlichen Randbahnsteig, 1915
225 Bekohlungsanlage am Heizhaus Süd (später Bw Süd), Schnitt durch die Verladebühne mit Kran, 1915
226 Hauptbahnhof Leipzig im Bau, Anfang 1910. Ansicht des alten Vorplatzes von Westsüdwest. Von links: Auf dem Gelände des ehemaligen Thüringer Bahnhofes entsteht die Westseite des Empfangsgebäudes (Untergeschoß). – Magdeburger Bahnhof – Dresdner Bahnhof – Hotel Stadt Rom
227 Hauptbahnhof Leipzig im Bau, 1911. Südwestansicht des westlichen Kopfbaues des Empfangsgebäudes mit Ausgangsrisalit an der Blücherstraße (heute Rudolf-Breitscheid-Straße)

228 Hauptbahnhof Leipzig im Bau, 1912. Ansicht der Westseite (preußische Seite) von Südsüdwest. Vorn Mitte: Baubeginn des Fußgängertunnels
229 Die am 1. Mai 1912 dem Betrieb übergebene erste Hälfte des Hauptbahnhofes, das Empfangsgebäude von Südwesten
230 Die Brandenburger Brücke wurde 1910 vollendet, Ansicht von Nordwesten, 1955
231 Brandenburger Brücke, Teilansicht mit Mittelpfeiler
232/33 Unterführung der Berliner Straße, vollendet im Jahre 1913

blatt). Dazu schlossen sich in nördlicher Richtung Bekohlungsanlagen, Übernachtungsgebäude und auf der Ostseite eine Werkstatt für elektrische Lokomotiven an, denn bereits 1914 hatte die Königlich Preußische Eisenbahn-Verwaltung die Linien Leipzig – Bitterfeld – Dessau – Magdeburg und Leipzig – Halle (S) elektrifiziert.

Beiden Lokomotivschuppen (II und III) standen eigene Verkehrsgleise zu den Bahnsteiggleisen des Hauptbahnhofes zur Verfügung. Die Schuppen und ihre Nebengebäude wurden als Ziegelrohbauten in Pfeiler-Wand-Bauweise errichtet (Bild 225), wie diese seinerzeit besonders im Industriebau noch üblich und für das Stützensystem von Lokomotiv-Ringschuppen vorteilhaft war. 1908 konnten die Betriebsanlagen vollendet und in Dienst gestellt werden. Der Krieg verzögerte jedoch die Aufnahme des regelmäßigen elektrischen Zugbetriebes bis 1921/1922.

Die Lage des am Abzweig der Thüringer Hauptgleise errichteten Wagenreinigungsschuppens der preußischen Eisenbahnverwaltung südwestlich des heutigen Bahnbetriebswerkes Leipzig Hbf West war vor allem durch das zwischen Personen-Hauptbahnhof und Parthe nur beschränkt zur Verfügung stehende Baugelände bedingt. Der 80 m lange zweigleisige Schuppen besaß sonst gleiche Einrichtungen wie der sächsische, zur Wagenwäsche jedoch nur feststehende Wasserentnahmeposten. Daneben hatten auch hier alle Abstellgleisgruppen Installationen zur Versorgung der Wagen mit Gas, Heizdampf, Preßluft und Wasser. Nordwestlich im Zwickel zwischen Parthe und Plösner Straße wurde das Elektrizitätswerk zur Versorgung der preußischen Seite des Hauptbahnhofes mit Licht- und Kraftstrom erbaut, während die Heizdampferzeugung für die Beheizung der preußischen Gebäudeteile und für die Vorheizanlagen an den Bahnsteiggleisen durch das südlich neben dem Versandgüterschuppen errichtete Kesselhaus vorgesehen war.

Der Bauablauf

Nicht weniger faszinierend als Planung und Ausführung des einzigartigen Bauvorhabens erscheint jetzt nach einem Dreivierteljahrhundert bautechnologischen Fortschrittes der geradezu legendäre, doch tatsächlich so geschehene Bauablauf des Riesenwerkes, das mit der Umgestaltung der gesamten Leipziger Eisenbahnanlagen verbunden war. Dies alles erfolgte außerdem immer bei vollem Weiterbetrieb des dichten Personen- und Güterverkehrs!

Nachdem die preußische und sächsische Eisenbahnverwaltung ihre geplanten Anlagen termingemäß fertiggestellt und in Betrieb genommen hatten, konnte bereits im Mai 1909 von Westen her mit den Ausschachtungs- und Betongründungsarbeiten für das Empfangsgebäude begonnen werden, zu dem am 16. November 1909 in Anwesenheit von Vertretern beider Eisenbahnverwaltungen und der Stadt Leipzig unter der südwestlichen Gebäudeecke der Grundstein gelegt »und in althergebrachter Weise durch Spruch und Hammerschlag geweiht wurde« (Bild 226). [10]

Die Bauausführung des Empfangsgebäudes und der mit ihr verbundenen Querbahnsteighalle erfolgte programmgemäß in drei Abschnitten. Der erste, den Seitenflügel, westlichen Eckbau (Bilder 227 und 228), die preußische Eingangshalle und den Mittelteil mit dem Speisesaal (Bilder 229 und 235), die anteilige Querbahnsteighalle und die im Frühjahr 1910 begonnenen ersten drei Längsbahnsteighallen (Bild 186) einschließlich der westlichen Randbahnsteighalle umfassende Bauabschnitt wurde bereits Ende April 1912 fertiggestellt und am 1. Mai 1912 mit Einführung der Thüringer Linien in Betrieb genommen (Bild 234). Einen seinerzeit wohl optimalen Betriebsdienst gewährleistete das durch die preußische Eisenbahnverwaltung 1911 bis 1912 erbaute brückenartige, elektromechanische »Kraftstellwerk« W–O (Bild 212), das heute nicht mehr existiert. Seit 1. Mai 1912 war auch der erste preußische Verkehrstunnel (Tafel Faltblatt) zur Überführung zunächst der Thüringer Postwagen zum Postgüterbahnhof und zur Einführung der Hofer Linie befahrbar.

Der erste, am 1. Mai 1912 vollendete Teil des Empfangsgebäudes diente zunächst allein der preußischen Verwal-

tung, wobei die sächsische provisorisch in der westlichen Eingangshalle und im benachbarten Verbindungsgang noch bis 1. Oktober 1915 zehn Fahrkartenschalter sowie Handgepäckaufbewahrung, Gepäckannahme und -ausgabe erhielt.

Zu den bedeutendsten, verkehrswichtigen Kunstbauten des Hauptbahnhofes gehörte auch die von der sächsischen Eisenbahnverwaltung für die Stadt Leipzig gebaute und schon am 1. September 1910 dem Verkehr übergebene Brandenburger Brücke *(Bilder 230 und 231)*, ebenso die fast 200 m lange Unterführung der Berliner Straße *(Bild 232 und 233)*. Mit dem ersten Abschnitt des Empfangsgebäudes wurde zugleich der zweite Bauabschnitt der Gesamtumgestaltung der Leipziger Bahnanlagen planmäßig vollendet und unmittelbar danach der Magdeburger Bahnhof, der zwischenzeitlich die Thüringer Linien aufgenommen hatte, abgebrochen.

Der zweite Bauabschnitt des Empfangsgebäudes brachte nach außen hin nur geringen sichtbaren Fortschritt und dienste im wesentlichen der Vorbereitung des dritten. Der am 15. November 1913 zur öffentlichen Benutzung übergebene zweite Abschnitt umfaßte den restlichen Teil des Mittelbaues mit dem Wartesaal I. und II. Klasse und den Nichtrauchersaal einschließlich der zugehörigen Geschosse sowie die unmittelbar nach Abbruch des Magdeburger Bahnhofes errichtete, schon am 1. Februar 1913 vollendete vierte Längsbahnsteighalle *(Bild 236)*. Kurz zuvor wurde der festlich ausgestattete Wartesaal zum Empfang der durch König FRIEDRICH AUGUST III. von Sachsen zur Einweihung des Völkerschlachtdenkmals am 18. Oktober 1913 eingeladenen deutschen und ausländischen Staatsoberhäupter benutzt.

Im Verlauf des zweiten Bauabschnittes waren seit 1. Oktober 1912 *(Bild 237)*, als der Westteil des Hauptbahnhofes auch den Schnell- und Eilzugverkehr der Hofer Linie, am 1. Februar 1913 *(Bild 238)* beide Linien in Richtung Dresden

und den Verkehr nach Chemnitz aufnahm, verschiedene bauliche Provisorien notwendig, unter anderem am Kopf der sächsischen Längsbahnsteige zwei leichte Fachwerkbauten *(Bild 238)* mit Handgepäckaufbewahrung, Fahrkartenschaltern, Auskunft, Bahnsteigschaffner- und Diensträumen, die schließlich im Frühjahr 1915 dem Bau der beiden letzten Bahnsteighallen 5 und 6 weichen mußten. Gleichzeitig bezog die Bahnhofsverwaltung nach Schließung des Dresdner Bahnhofs bis Ende September 1915 das Obergeschoß des westlichen Eckbaues. Für den gesamten Betrieb des sächsischen Verkehrs diente zunächst allein die unweit östlich der Längsbahnsteighalle 4 errichtete »sächsische Kraftstellerei II« *(Bilder 213 und 214)*. Während desselben Abschnittes konnte im Herbst 1912 auch das Heizwerk für die sächsischen und Gemeinschafts-Anlagen fertiggestellt und der erste Teil des Empfangsgebäudes mit Wärme versorgt werden.

Durch die Schließung des Dresdner Bahnhofes *(Bild 239)* war es möglich, die sächsischen Eilgüterschuppen mit dem bereits 1909 bis 1910 zwischen den sächsischen und preußischen Eilgutanlagen erbauten Tunnel am 1. Oktober 1913 zu vollenden bzw. in Betrieb zu nehmen.

Für die geplante Untergrundbahn wurde im Herbst 1913 mit dem Bau der Tunnel begonnen und bereits im Frühjahr 1914 der erste 80 m lange Abschnitt für den Untergrundbahnhof unter dem Querbahnsteig und Empfangsgebäude östlich neben der sächsischen Eingangshalle *(Tafel III)*, im Frühjahr 1915 der nordöstlich weiterführende 630 m lange Tunnel unter den Längsbahnsteigen 22–23 und im Vorgelände sowie dort ein 180 m langer Einschnitt fertiggestellt. Dieses zukunftsorientierte, fortschrittliche Verkehrsprojekt vermochten die Erben der großartigen Bahnhofsanlage bis jetzt nicht zu realisieren. Nach Vollendung dieser Tunnelbauten konnten nun die sächsische Eingangshalle mit dem östli-

234 Einfahrt des »Ersten Zuges« aus Corbetha; er erreichte den Hauptbahnhof nachmittags um 5.27 Uhr

235 Hauptbahnhof Leipzig im Bau, Mai 1912. Die »preußische« Seite ist vollendet, davor ist der Magdeburger Bahnhof und im Bildvordergrund der Dresdner Bahnhof zu erkennen

236 Empfangsgebäude nach Vollendung des zweiten Bauabschnittes am 15. November 1913

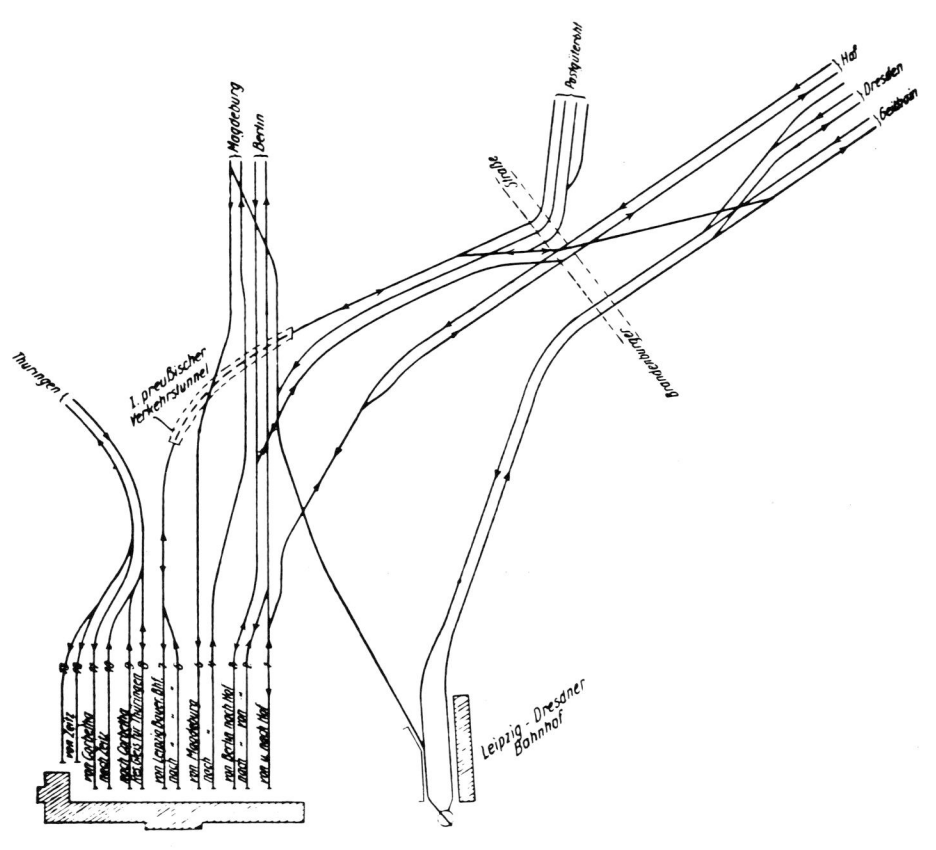

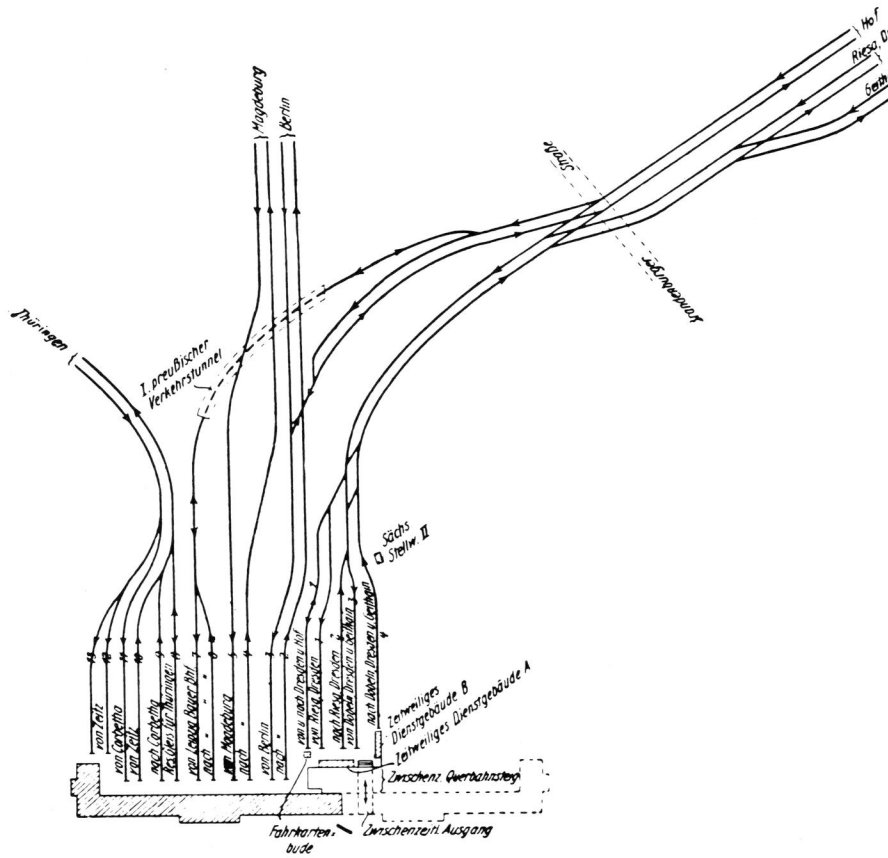

chen Eckbau und die letzten beiden Felder der Querbahnsteighalle errichtet werden. Der Ostflügel des Empfangsgebäudes befand sich schon seit 1913 im Bau. Zugleich wurde als letzte die 6. Längsbahnsteighalle zwischen die 1913 bis Frühjahr 1914 vollendete 5. Halle und die im Sommer 1914 fertiggestellte östliche Randbahnsteighalle eingebaut.

Anfang August 1915 waren alle Längsbahnsteighallen, der Querbahnsteig mit der östlichen Ausgangshalle und die sächsischen »Kraftstellwerke« I, III, IV mit ihren Sicherungseinrichtungen verkehrsbereit. Zusammenhängend mit der Einführung des Dresdener und Hofer Verkehrs in den Hauptbahnhof wurde nun Ende September 1915 auch die 1914 hergestellte Verbindungsbahn zwischen der Leipzig – Dresdner und Leipzig – Hofer Linie bei Sellerhausen sowie am 1. Oktober 1915 der Maschinenbahnhof am Heizhaus Süd in Betrieb genommen. Damit waren die betriebswichtigen Anlagen des Hauptbahnhofes vollendet und schließlich die Bauarbeiten am Empfangsgebäude soweit fortgeschritten, daß die Freitreppe der sächsischen Eingangshalle benutzt und der provisorische Zugang vom Vorplatz zu den sächsischen Längsbahnsteigen samt den behelfsmäßigen Abfertigungsgebäuden beseitigt werden konnten. Die letzten Arbeiten des dritten Bauabschnittes am Empfangsgebäude, im Bereich der Bahnsteiganlagen und des Vorplatzes wurden Ende November 1915 beendet.

Wenige Tage später, an jenem denkwürdigen 4. Dezember 1915, ist dann in einem schlichten Festakt *(Bild 241)* auf der westlichen Warteterrasse der sächsischen Eingangshalle der Grundstein des ehemaligen Dresdner Bahnhofes als Schlußstein *(Bild 240)* des neuen Hauptbahnhofs-Empfangsgebäudes und symbolisch für die gesamten Leipziger Bahnhofsbauten eingesetzt worden *(Bilder 242 und 243)*.

Das gewaltige Werk der Leipziger Eisenbahnneubauten und des Hauptbahnhofes sollte nach den 1902 vertraglich fixierten Ablaufplänen eigentlich schon Ende 1914 vollendet werden. Daß diese Frist trotz mehrmonatiger Streiks der Bauarbeiter 1911, des Kriegsbeginns Anfang August 1914 und nicht zuletzt in Anbetracht der sich während der Ausführung ergebenden zusätzlichen, teilweise recht umfangreichen Bauleistungen nur um ein Jahr überschritten wurde, erscheint im Hinblick auf den Umfang der Arbeiten unbedeutend. Hingabe, Einsatz- und Leistungsbereitschaft der Bauarbeiter und bauleitenden Ingenieure, mit denen allein die grandiosen Pläne verwirklicht werden konnten, verdienen für immer größten Respekt.

Die Baukosten des Empfangsgebäudes und der Bahnsteighallen

237 Bau- und Betriebszustand am 1. Oktober 1912
238 Bau- und Betriebszustand am 1. Februar 1913
239 Abbruch des alten Dresdner Bahnhofs im Jahre 1913
240 Der Grundstein des ehemaligen Dresdner Bahnhofs wurde der Schlußstein des neuen Empfangsgebäudes

Die Gesamtbaukosten betrugen:
- für das Empfangsgebäude mit 291 000 m³ umbautem Raum, einschließlich Innenausbau und technischer Gebäudeausrüstung, jedoch ohne Ausstattung und Mobiliar   6 850 000 Mark
= 23,47 Mark je m³ umbauter Raum
- für die Querbahnsteighalle mit 245 000 m³ umbautem Raum, einschließlich Fundamente, Dachdeckung, Oberlichte und Abschlußbogenbinder   2 190 000 Mark
= 8,94 Mark je m³ umbauter Raum
- für die Längsbahnsteighallen mit 69 090 m² Grundfläche und 1 065 000 m³ umbautem Raum einschließlich Fundamente, Entwässerung, Dachdeckung und Oberlichtverglasung   2 200 000 Mark
= 2,07 Mark je m³ umbauter Raum
für die Hallen insgesamt: 4 390 000 Mark
für das Empfangsgebäude und die Hallen: 11 140 000 Mark

241 Feierliche Schlußsteinlegung in der sächsischen Eingangshalle des Empfangsgebäudes am 4. Dezember 1915. Staatsminister von SEYDEWITZ führte die ersten drei Hammerschläge aus und bezeichnete »die Vollendung des mächtigen Bauwerks inmitten des Weltkrieges als Markstein in der Geschichte des europäischen Eisenbahnwesens«

4. Die Gesamtbaukosten für die Neugestaltung der Leipziger Bahnanlagen

Für die Preußischen und Sächsischen Staatseisenbahnen, die Reichspost und die Stadt Leipzig war der Gesamtkostenaufwand für die Neugestaltung der Leipziger Bahnanlagen ursprünglich mit rd. 135 Millionen Mark veranschlagt. Davon sollten Preußen 52 438 210 Mark, Sachsen 56 248 432 Mark, die Reichspost 5 000 000 Mark für den Postgüterbahnhof und das Briefpostamt an der Brandenburger Straße und die Stadt Leipzig 17 000 000 Mark, davon 10 000 000 Mark für den Grunderwerb und für die Herstellung des Bahnhofsvorplatzes sowie 3 250 000 Mark für den Bau der Brandenburger Straße tragen.

Die endgültigen Kosten betrugen für die Bauten und Anlagen der *preußischen Eisenbahnverwaltung*:

– Hauptpersonen- und Güterbahnhof Leipzig	31 800 000 Mark
– Freiladebahnhof mit Lagerplätzen	6 010 000 Mark
– Grundstückserwerb	7 085 000 Mark
– Überführung der Mockauer Straße am Berliner Bahnhof	423 000 Mark
– Verschiebebahnhof Wahren und Güterverbindungsbahn Leutzsch–Wahren einschließlich Grunderwerb	7 899 000 Mark
– Umbau des preußischen Bahnhofes Plagwitz–Lindenau einschließlich Grunderwerb	2 000 000 Mark
– Nacherwerb von Grundstücken an den Bahnhöfen Schönefeld und Wahren	445 000 Mark
insgesamt	55 662 000 Mark

der *sächsischen Eisenbahnverwaltung*:

– Hauptpersonen- und Güterbahnhof Leipzig	28 946 751 Mark
– Verschiebebahnhof Engelsdorf mit Verbindungsbahn nach Schönefeld	8 567 280 Mark
– Anbau des sächsischen Bahnhofes Plagwitz–Lindenau mit Verbindungsbahn nach Großzschocher	1 849 700 Mark
– Umgestaltung des Bahnhofes Gaschwitz	3 016 159 Mark
– Umbauten an der Linie Leipzig–Dresden	1 246 490 Mark
– Verbindungsbahn Engelsdorf–Stötteritz	2 264 800 Mark
– Umbauten an der Leipzig-Hofer Verbindungsbahn einschließlich Bahnhof Stötteritz	2 681 312 Mark
insgesamt	48 572 582 Mark
außerdem für	
– Werkstättenbahnhof Engelsdorf	4 139 472 Mark
– Elektrizitätswerk Connewitz	1 813 914 Mark
insgesamt damit	54 525 968 Mark

der *Reichspostverwaltung*:

– Gebäude, Bahnsteige und Gleise des Postgüterbahnhofes einschließlich Grunderwerb	4 172 350 Mark
– Postgebäude an der Brandenburger Straße einschließlich Grunderwerb	1 584 420 Mark
insgesamt	5 756 770 Mark

der *Stadt Leipzig*

– Land- und Grundstückserwerb sowie Herstellung des Hauptbahnhofsvorplatzes	11 317 694 Mark
– Landbeschaffung und Bau der Brandenburger Straße einschließlich der Brücke über den Hauptbahnhof	3 344 151 Mark
– Beitrag zum Bau der ersten 700 m langen Untergrundbahnstrecke	1 100 000 Mark
– Straßenunter- und -überführungen	3 642 403 Mark
– Bau und Veränderung verschiedener Straßen- und Entwässerungsanlagen	1 697 132 Mark
insgesamt	21 101 380 Mark

Die Gesamtbaukosten für die Neugestaltung der Leipziger Bahnanlagen betrugen damit 137 046 118 Mark. Sie überschritten den Voranschlag also nur um 2 046 118 Mark, für ein Bauvorhaben dieser Größenordnung nicht zuletzt auch im Hinblick auf die in einem längeren Zeitraum 1902 bis 1915 ausgeführten Bauleistungen bei entsprechender Inflationsrate ein phantastisches Resultat!

242 Avers der Erinnerungsmedaille zur Eröffnung am 4. Dezember 1915
243 Revers der Erinnerungsmedaille zur Eröffnung am 4. Dezember 1915

DIE PROJEKTANTEN UND BAULEITER

5

Wie immer blieben die ungezählten Bauarbeiter des gewaltigen Werkes, das ohne ihren Einsatz und Fleiß nicht geschaffen worden wäre, namenlos. Erfreulicherweise wurde aber den vielen Projektanten und Bauleitern im Referat von Rothe, Mirus u. a. ein Denkmal gesetzt. Demzufolge waren »während der 14jährigen Bauzeit ... an den Vorbereitungsarbeiten und an der Durchführung beteiligt:

– Seitens der preußischen Eisenbahnverwaltung von der Eisenbahndirektion Halle (S) als technische Dezernenten Ober- und Geheimer Baurat Bischof, Oberbaurat Gräger, Regierungs- und Baurat Schmitz, Oberbaurat Massmann, Geheimer Baurat Schönemann, Regierungs- und Baurat Senst;
  von dem Betriebsamte Leipzig II einschl. der angegliederten Neubauabteilungen die Regierungs- und Bauräte Michaelis, Petri, Thiemann, Bauinspektor Heinemann, Regierungsbaumeister Riedel, Heinrich, Schneider, Hofmann, Berg und Schlunk;
  von dem Betriebsamte Leipzig I Regierungs- und Baurat Rehbein, Regierungs- und Baurat Kröber;
  von dem Maschinenamte Leipzig Regierungs- und Baurat Weinhold, Regierungsbaumeister Fretzdorff und v. Glinsky.
– Seitens der sächsischen Eisenbahnverwaltung von der Generaldirektion der Staatseisenbahnen zu Dresden die Abteilungsvorstände Geheime Bauräte Peters, v. Schönberg, Homilus, Toller, Kreul und Oberbaurat Vogt als bautechnische Referenten, Geheimer Baurat Klien und Oberbaurat Friessner als maschinentechnischer, Geheimer Baurat Oehme als elektrotechnischer Referent;
  von den höheren technischen Bureaus der Generaldirektion Oberbaurat Christoph, Baurat Lehmann, Bauamtmann Braune, Regierungsbaumeister Dr.-Ing. Kögler, Lempe, Dr.-Ing. Elsner, Wiedemann und Bauobersekretär Karig vom Brückenbaubureau;
  vom maschinentechnischen Bureau Oberbaurat Lindner und Bauamtmann Zeuner;
  vom elektrotechnischen Bureau Oberbaurat Oehme, Finanz- und Baurat Möllering, Baurat Fritz Besser, Regierungsbaumeister Sixtus, Wägler, Wentzel, Erwin Besser und Bauobersekretär Georgi;
  vom Naubauamt für die Bahnhofsbauten Leipzig als Vorstände Oberbaurat Toller (1901 bis Oktober 1912), Baurat Rothe (Oktober 1912 bis Juli 1916), Bauamtmann Erler und Baurat Puruckherr (Juli 1916 bis Oktober 1917);
  von der Hochbauabteilung für den Bau des Empfangsgebäudes und der größeren Hochbauten Baurat Mirus, Bauamtmann Dr.-Ing. Wesser und Eisenbahnarchitekt Dürichen;
  von den übrigen Bauabteilungen, von welchen zeitweise vier bestanden, Finanz- und Baurat Uter, Bauräte Haeuser und Winter, Bauamtmänner Dettelbach, Herbig, Regierungsbaumeister Poppe, Starke, Friedrich, Augustin, Junge, Knöfel, Wagner, Käufler, Fochtmann, Fischer, Reinhardt, Schütze, Regierungsbauführer Becker, Rothhamel, Seibt, Geissler, Kern, Platzmann, Melzer, Elsner, Bischoff, Köhn, Feuereissen genannt Fambach, sowie Baurat Richter für die maschinentechnischen Angelegenheiten, insbesondere für den Werkstättenbahnhof Engelsdorf;
  von den Bauämtern I und II Bauräte Täubert und Winter, Finanz- und Baurat Dietsch, Oberbaurat Menzner;
  vom Werkstättenamt Engelsdorf Finanz- und Baurat Degener, Baurat Richter, Bauamtmann Wentzel und Neumann;
  vom elektrotechnischen Amt Leipzig Regierungsbaumeister Wägler, Bauräte Fritz Besser, Richter und Lehmann;
  als Vorstände der Eisenbahnbetriebsdirektionen Leipzig II und I bei der Bearbeitung betrieblicher Fragen Oberbauräte Dannenfelser, Weidner, v. Lilienstern und Falian.
– Seitens der Reichspostverwaltung Postbaurat Geheimer Postrat Schmedding, Postbaurat Wildfang;
– für den Neubau des Postamtsgebäudes an der Brandenburger Straße und des Postgüterbahnhofs Regierungsbaumeister Schalkau, Postbauinspektor Loebell, Regierungsbaumeister Hubrig, Postbausekretär als örtlicher Bauleiter der Gebäude des Postgüterbahnhofs.
– Seitens der Stadt Leipzig die Oberbürgermeister

244 Querbahnsteighalle mit Ingenieuren, Architekten, Vertretern der Eisenbahnverwaltungen und der Stadt Leipzig, Bauleitern und Eisenbahnbeamten nach Vollendung der preußischen Seite des Empfangsgebäudes und der Bahnsteighallen am 1. Mai 1912

Dr. Tröndlin *(Bild 77)* und Dr. Dittrich *(Bild 76)*; vom Tiefbauamt Stadtbauamtmann Krey, Starke und Wagner, Obervermessungsinspektor Stadtbauamtmann Ferber und Vermessungsinspektor Seidel.« [11]
In dieser Aufstellung sind nur *die* technischen Kräfte nominiert, die unmittelbar mit der Bauvorbereitung und -durchführung beschäftigt waren – also am Reißbrett und auf der Baustelle anleitend, zeichnend, berechnend –, ausgenommen die beiden Oberbürgermeister, die sich als Stadtväter um den Hauptbahnhof verdient machten.

Die Ausführung des bis dahin in Deutschland einzigartigen, riesigen Bauvorhabens zur Umgestaltung der Leipziger Eisenbahnanlagen mit dem Hauptbahnhof konnte nur von einem quantitativ und qualitativ entsprechenden Firmen- und Lieferantenpotential bewältigt werden. Allein die Zahl der an den Arbeiten und Lieferungen beteiligt gewesenen größeren Unternehmen – fast eintausend – übertraf alle bisherigen Vorstellungen. Naturgemäß waren zumeist Firmen aus dem Raum Leipzig und Sachsen beteiligt, bedeutende Kräfte aber auch aus anderen Industrieschwerpunkten des Reiches. Viele von ihnen hatten auf ihrem Gebiet Pionierarbeit geleistet, nicht wenige davon internationalen Ruf, zum Beispiel: AEG, A.-G. für Beton- und Monierbau, A. Borsig, Julius Berger Tiefbau A.-G., Brown, Boveri und Co. A.-G., J. F. Christoph A.-G., Dykerhoff u. Widmann, Louis Eilers, Elsäß. Maschinenbaugesellschaft Grafenstaden, Maschinenfabrik Germania, Ph. Holzmann u. Co., F. A. Klönne, Gebr. Körting A.-G., Körting u. Mathiesen A.-G., Lauchhammer A.-G., Linke-Hoffmann-Werke, C. Lorenz A.-G., Mannesmann-Röhrenwerke, Orenstein u. Koppel, Julius Pintsch, Ruberoid A.-G., Siemens-Schuckert, Siemens u. Halske, Unruh u. Liebig, Josef Vögele, Wayss u. Freytag, C. F. Weber A.-G., Rudolf Wolle und andere.

245 Eine typische Szene aus den dreißiger Jahren. Dampflokomotiven beherrschen das Geschehen wie hier die 01 219 bei der Ausfahrt mit einem Schnellzug nach Dresden, daneben setzt die 39 156 an einen Schnellzug nach Hof

DIE DREISSIGER JAHRE IN BILDERN

6

246 Maschinen der Baureihe 17$^{10-11}$ waren damals sehr häufig zu beobachten. Die 17 1142 bei der Ausfahrt mit einem Schnellzug nach Berlin
247 Bei Leipzig Ost unterwegs nach Dresden die 17 711
248 Noch heute schlagen die Herzen beim Anblick des »Sachsenstolzes« schneller. Diese schönen 1'D1'-Schnellzuglokomotiven der Baureihe 19^0 waren täglich im Hauptbahnhof zu erleben. Im Sommer 1940 entstand diese Aufnahme eines aus Dresden kommenden Schnellzuges, der den Verkehrstunnel II passiert hat
249 An diesem Sommertag wartete auch eine E 18 mit ihrem Zug auf die Weiterfahrt nach Magdeburg über Halle (Saale)
250 Auch preußische Dampflokomotiven wie die P 8 trafen ständig in Leipzig ein, hier verläßt die 38 2070 mit einem Personenzug nach Cottbus den Hauptbahnhof

251 Die Schnellzuglokomotive 03 207 im Bw West, Gruppenfoto mit einem Teil des Personals dieses Bahnbetriebswerkes
252 Sie waren hier zu Hause, die Schnellzuglokomotiven der Gattung sächs XII HV, der Baureihe 17^7: die 17 709
253 Blick vom inneren Schürzensteg in die Längsbahnsteighallen, um 1930
254 Eine künstlerische Aufnahme für Bromöldruck: das Porträt der 75 550 (sächs XIV HT, Nr. 1849)
255 Rangierlokomotive 89 223 (sächs VT, Nr. 1624) im Bw Leipzig Süd, dahinter ist das Stellwerk R 33 zu erkennen
256 Die 75 567 (sächs XIV HT, Nr. 1877) im Bw Leipzig HBf Süd
257 Die Schnellzuglokomotive 01 089 bei der Reinigung im Bahnbetriebswerk Halle(S) P, Indienststellung 1939. Lokomotiven dieser Baureihe und der ebenfalls stromlinienverkleideten Baureihen 03^{0-2} und 03^{10} beförderten seinerzeit auch die auf dem Hauptbahnhof Leipzig abfahrenden bzw. ankommenden Schnellzüge Richtung Berlin Anh Bf usw.
258 Bereits 1931 ausgemustert: die 2'B n2v-Personenzuglokomotive 36 993 (VIII V2, Nr. 613) im Bw Leipzig Hbf Süd

259/60 So präsentierte sich der Hauptbahnhof in den dreißiger Jahren

261 Die fabrikneue 1'Do1'-Schnellzuglokomotive E 18 44 abfahrbereit im Hauptbahnhof Leipzig, Ende 1938

262 Solche neuentwickelten Schnelltriebwagen wie der SVT 137 225, Bauart »Hamburg«, bei der Ausfahrt aus dem Bw Leipzig Hbf Nord, brachten einen deutlichen Fortschritt im Fernverkehr zwischen den Großstädten und Berlin

263 Triebwagenzug Dresden – Leipzig, VT 137 030 mit dem VS 145 014, 1934

264 Schnellverkehr Leipzig – Halle (Saale). Elektrotriebwagen legten die Strecke (lt. Reichskursbuch 1935) als Eilzüge mit Zwischenhalt in Schkeuditz in 29 Minuten, als Personenzüge mit sieben Zwischenhalten in 44 Minuten zurück

265 Die 2' C 2'-Schnellzuglokomotive E 06 11 im Bw Leipzig Hbf West

266 Luftangriff auf Leipzig am 7. Juli 1944, bei dem viele Reisende auf dem Hauptbahnhof ums Leben kamen. Amerikanischer Originalkommentar: »Rauch steigt von den Rangierbahnhöfen in Leipzig auf (während eines Bombardements der 306. Bombergruppe der 8. Luftflotte) am 7. Juli 1944«. Zur Orientierung: unten links Elsterflutbecken, neben dem bereits zerstörten Stadtzentrum unten in Bildmitte der alte Johannisfriedhof (dunkles Trapez). Der Hauptbahnhof oberhalb des Stadtzentrums ist durch Rauchwolken verhüllt

7 DIE ZERSTÖRUNG DES HAUPTBAHNHOFES IM ZWEITEN WELTKRIEG

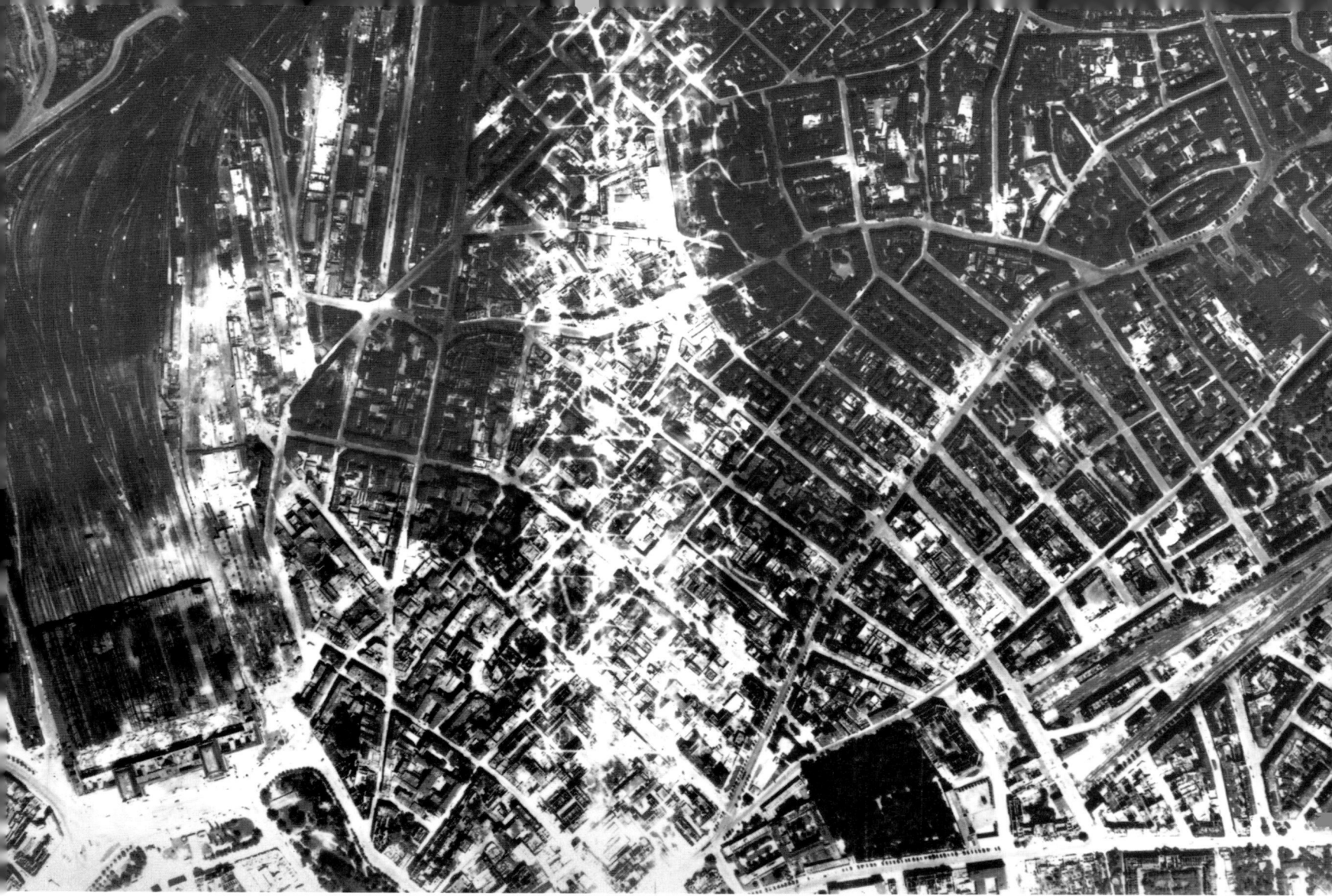

Bis zum Herbst 1943 blieb die Stadt Leipzig von britisch-amerikanischen Luftangriffen verschont. Bei einem Versuch, anläßlich der am 25. August 1940 angekündigten Leipziger Messe demonstrativ Ziele in und bei Leipzig anzugreifen, verflogen sich die britischen Verbände. Danach vergingen über zwei Jahre, bis in der Nacht des 20. Oktober 1943 britische Bomber erstmalig einen Flächenangriff auf Leipzig durchzuführen versuchten, der Zerstörungen und Verluste unter der Bevölkerung verursachte. Witterungsbedingt hatten nur 285 von 358 eingesetzten Bombern den Zielraum in zersprengten Formationen erreicht und lediglich einzelne Vorortbezirke in Paunsdorf und Stötteritz getroffen. Doch wenig später suchte der »Tod im Morgengrauen« (GROEHLER) in schrecklicher Weise auch Leipzig heim. OLAF GROEHLER schilderte die Aktion des britischen Bomber Command, bei der auch der Leipziger Hauptbahnhof schwer getroffen wurde:
    »Nach einem für das Bomber Command verlustreichen Angriff auf Berlin in der Nacht vom 2. zum 3. Dezember wird am 4. Dezember 1943, spät nach Mitternacht, ... erneut der Einflug starker britischer Bomberverbände über der Nordsee mit Ostkurs auf den Zuidersee gemeldet. Die faschistische Luftverteidigung erwartet einen neuen Angriff auf Berlin. Von ihren Horsten aus werden die ersten der mit Funkmeßgeräten ausgerüsteten zweimotorigen Nachtjäger in den anfliegenden Bomberstrom geschleust. Ab Quakenbrück kennzeichnen grelle Detonationen abstürzender Bombenflugzeuge den Weg der britischen Bomber. An die Besatzungen der einmotorigen faschistischen Nachtjäger ergeht der Befehl, sich über Berlin zu sammeln. Um 03.03 Uhr reißen die Sirenen die Berliner aus dem Schlaf. In den Führungsbunkern des I. Jagdkorps ist man überzeugt, daß der Angriff auf Berlin nun unmittelbar bevorsteht. Man scheint recht zu haben, denn wenig später werfen neun Mosquitos über Berlin Zielmarkierungs- und Sprengbomben ab. Sie werden von der

267 Die Personenzuglokomotive 38 2914 mit ihrem Zug am Bahnsteig 9 nach dem Luftangriff vom 7. Juli 1944
268 Ein einziges Chaos ...
269 Blick vom Bahnsteig 22/23 zum Querbahnsteig, dessen Überdachung völlig zerstört ist
270 Der Hauptbahnhof am 17. Juli 1944. – Eine Luftaufnahme nach dem Angriff zehn Tage zuvor. Deutlich ist die Zerstörung der Querbahnsteighalle zu erkennen. Die hellen Bildflächen sind vernichtete Objekte

271 Ein einziges Bild der Verwüstung bot sich auf allen Bahnsteigen, hier Bahnsteig 24–25
272 Kaum vorstellbar, daß dieses monumentale Bahnhofsgebäude Jahre später wieder im alten Glanz erstrahlen sollte . . .
273 Teilansicht der Bahnsteighallen nach dem Luftangriff am 7. Juli 1944. Mit der Querhalle stürzten auch die benachbarten Stahlbinderfelder der Längsbahnsteighallen ein. Durch die Trümmer sind provisorische Holzstege als Durchgänge zum Empfangsgebäude gelegt
274 und 275 Die Querbahnsteighalle nach der Zerstörung durch Luftangriff am 7. Juli 1944

Luftverteidigung als Vorhut des Bomberstromes angesehen. Die Mosquitos fliegen ab. Es herrscht unheimliche Stille über Berlin. Wo sind die gemeldeten Bomberpulks geblieben?

Die Antwort kommt als Luftlagemeldung über Funk aus Leipzig. Von dort wird 03.13 Uhr Luftgefahr 15 gemeldet. 03.39 Uhr heulen die Sirenen. Der Bomberstrom war kurz vor Berlin um 90 Grad nach Süden geschwenkt. Um 03.42 Uhr überfliegt er bereits Zerbst, wenige Minuten später Delitzsch. 03.50 Uhr, präzis zur vom Bomber Command befohlenen Angriffszeit fallen auf Leipzig die ersten Bomben. In drei eng aufgeschlossenen Wellen überquert der Bomberstrom die Messestadt. Trotz geschlossener Wolkendecke ist das Leipziger Stadtzentrum von den Angreifern klar ausgeleuchtet. 198 Zielmarkierungsbomben und 128 Leuchtbomben tragen dazu bei, daß während des gesamten Angriffs, der 35 Minuten von 03.50 bis 04.25 Uhr dauert, sich das Ziel für die anfliegenden Bomber deutlich ausmachen läßt. Einer der letzten Bomber, der wegen eines Motorschadens erst nach 04.25 Uhr Leipzig überfliegt, meldet gewaltige Feuersbrünste in der Stadt«. [12]

422 Halifax- und Lancaster-Bomber der Royal Air Force warfen 279 878 Stabbrand-, 12 470 Phosphorbrand-, 449 Spreng- und 310 Minenbomben, insgesamt 1 382 t Munitionslast auf einem 3 km breiten und 5 km langen Gebiet der Stadt von Norden nach Süden ab, die wie vorher in Hamburg unvorstellbare Feuerstürme entfachten und Zerstörungen verursachten. Dabei starben 1815 Menschen, 60 blieben vermißt, unter den 15 229 getroffenen, davon 4011 zerstörten, 1063 schwer und 10 155 mehr oder weniger beschädigten Gebäuden war auch der Leipziger Hauptbahnhof, der bei diesem Angriff jedoch hauptsächlich nur einen, allerdings fast totalen Glasschaden und Bombentreffer der Gleisanlagen davontrug. Danach mußte der Personenverkehr nur kurzfristig zur Beräumung des Bahnhofs und Beseitigung der

Gleisschäden, die in wenigen Tagen behoben waren, durch Leipziger Vorortbahnhöfe (Connewitz, Paunsdorf, Plagwitz, Wahren), Fernzüge auch durch entferntere, aufnahmefähige Endbahnhöfe des Vorortverkehrs abgefertigt werden. Bereits am 5. Dezember verkehrten die meisten Züge wieder vom bzw. bis zum Hauptbahnhof.

Der folgenschwerste Angriff traf den Hauptbahnhof erst am 7. Juli 1944 *(Bilder 266 bis 269 und 271)*, den 308 schwere Bomber der 8. Luftflotte der United States Air Force in neun Direktanflügen vormittags 9.20 bis 10.20 Uhr ausführten. Dabei kamen auch viele Reisende ums Leben. In der zehn Tage nach dem Bombardement entstandenen Aufnahme der USAF-Luftaufklärung *(Bild 270)* sind neben Einzeltreffern Streifen der von Nord nach Süd abgeworfenen Bombenteppiche erkennbar, wovon der westliche das Empfangsgebäude und die Hallen, besonders die Querbahnsteighalle sowie zwei der östlichen Güterabfertigungsanlagen zerstörte.

276 Der Hauptbahnhof Leipzig am 20. April 1945. Die Luftaufnahme der US-Air-Force zeigt die Zerstörungen in der Umgebung des Bahnhofes, dessen Querbahnsteig- und Westhalle zerbombt wurden, im Vordergrund der Brühl, links Hotel Astoria und die Neue Börse. Es herrscht Ausgangssperre

277 Teilansicht des Empfangsgebäudes nach dem Luftangriff des 7. Juli 1944. Die Trümmer sind bereits beseitigt

278 Provisorische Verschalung der 1944 durch Luftangriffe teilweise zerstörten Westhalle des Empfangsgebäudes, Ansicht vom Vorplatz

Die vernichteten bzw. ausgebrannten Objekte erscheinen im Foto als helle Stellen: rechts unten der Eilenburger Bahnhof, rechts (östlich) des Hauptbahnhofes neben den Güteranlagen getroffene Anlieger der Deutschen Reichsbahn an der Brandenburger Straße, darüber links oben (nördlich) die (nicht beschädigte) Brandenburger Brücke mit dem Schadensgebiet an der Berliner und Rackwitzer Straße. Eine Luftaufnahme der USAF vom 20. April 1945 *(Bild 276)* zeigt die Zerstörungen in unmittelbarer Nähe des Hauptbahnhofes, dessen zerbombte Querbahnsteig- und die West-Eingangshalle. Die Szene ist fast menschenleer.

Während die Schäden am Empfangsgebäude und des Vorderteils der West-Eingangshalle *(Bild 277)* substantiell für den provisorischen Weiterbetrieb *(Bild 278)* und späteren Wiederaufbau den Verhältnissen entsprechend technisch noch relativ hinnehmbare Zerstörungen darstellten, verursachte ein einziger Bombentreffer auf die Abschlußbogenreihe zwischen der Querbahnsteig- und den Längsbahnsteighallen den völligen Einsturz der 265 m langen Stahlbetonkonstruktion des Querbahnsteighallendaches *(Bild 275)*. Auch die auf den Abschlußbogenpfeilern der Querhalle aufliegenden End-Binderfelder der stählernen Längsbahnsteighallenkonstruktion *(Bild 273)* stürzten damit ein, die zwar außerdem noch an anderen Stellen durch einzelne Bombentreffer beschädigt, naturgemäß aber hierdurch in ihrem großflächigen Gesamtsystem nicht erschüttert wurde *(Bild 196)*. Das Chaos der riesigen Trümmer, die teilweise auch die Decke der unter dem Querbahnsteig liegenden Gepäckräume und -tunnel durchschlugen, bot einen unbeschreiblichen Anblick *(Bild 274)*; ihre Beseitigung schien titanische Kräfte zu erfordern, ja manchem Betrachter damals fast unmöglich.

Ursache für den Einsturz der gesamten Abschlußbogenreihe der Querhalle durch einen einzigen Treffer war ihre wegen des schwierigen Baugrundes gewählte »statisch bestimmte« Konstruktion aus sechs Dreigelenkbögen *(Bild 169)*, deren Stützpfeiler I bis IV, wie bereits beschrieben, während der Bauausführung provisorische Stützen erhielten, nun aber beim Ausfall eines Wölbbogens infolge des enormen Horizontalschubes nacheinander zusammenbrachen. Stabilisierende Gruppenpfeiler hätten dies verhindert. Aber welcher Bauingenieur konnte vor dem Ersten Weltkrieg solchen zerstörerischen Einsatz von Fliegerbomben erahnen?

Der Luftangriff vom 7. Juli 1944 war nicht der letzte Großangriff auf Leipzig. Kurz vor Kriegsende ist dabei am 10. April 1945 noch der Rangierbahnhof Engelsdorf schwer getroffen worden *(Bild 279)*. Durch das Flächenbombardement wurden zahlreiche Güterwagen und Triebfahrzeuge vernichtet. Zum Luftbild der USAF-Luftaufklärung lautet der Originalkommentar: »Die ausgeglühten Reste verschiedener Lokomotiven liegen in den von Trümmern bedeckten Resten einer Lokomotivrotunde auf einem Rangierbahnhof in Leipzig. Die Drehscheibe ist durch das Bombardement der Alliierten in tausend Stücke zerrissen.« [13] Bild 280 zeigt eine Teilansicht dieses Objektes nach dem Inferno. Ähnliche Bilder boten sich damals auch auf dem Rangierbahnhof Leipzig-Wahren und auf den meisten Betriebsanlagen des Leipziger Hauptbahnhofes *(Bilder 280 und 281)*.

Die Bilder der Zerstörung lassen nicht nur die chaotischen Verhältnisse jener Tage erkennen, sondern zugleich ahnen, welchen ungeheuren Arbeitsaufwand der Wiederaufbau den Menschen in schwerer Zeit abforderte. Er stand den gewaltigen Leistungen des Neubaues nicht nach; denn vorher mußten erst noch die Trümmer weggeräumt werden. Viele glaubten damals angesichts so verwüsteter Städte wie Leipzig oder Dresden überhaupt nicht daran, ob sie jemals aus den Ruinen wiederaufstehen würden. Solche Zweifel kamen auch angesichts des desolaten Zustandes der Gebäude des Leipziger Hauptbahnhofes, vor allem seiner Querbahnsteighalle *(Bilder 284, 286, 288, 289 und 292)*.

279 Rangierbahnhof Engelsdorf. Luftbild der US-Air-Force nach einem Flächenbombardement am 10. April 1945. Im Vordergrund vernichtete Güterzüge, in Bildmitte die Fußgängerbrücke zum Reichsbahn-Ausbesserungswerk und rechts dahinter zur Reparatur abgestellte Lokomotiven der Baureihe 38, im Hintergrund rechts Engelsdorf, links Ortsteil Sommerfeld und die Fernverkehrsstraße F 6 Leipzig–Dresden

280 und 281 Rangierbahnhof Engelsdorf (Bw Engelsdorf), 20. Juni 1945. Zerstörter Lokomotiv-Rundschuppen nach dem Luftangriff am 10. April 1945

282 Wiederaufbau der Abschlußbögen des Querbahnsteiges im Jahre 1958

DER WIEDER-AUFBAU

8

161

283–289 Trümmer, Umsiedler und Heimkehrer bestimmten in den Jahren 1946/47 das Bild

Der Wiederaufbau des Empfangsgebäudes

Nach dem verheerenden Luftangriff vom 7. Juli 1944 sind die Durchgangszonen und wesentlichsten Diensträume des Empfangsgebäudes zunächst behelfsmäßig für den Personenverkehr wieder benutzbar gemacht worden. Die an der Vorplatzfront zerstörte westliche Eingangshalle wurde durch eine provisorische Verschalung gegen die Hauptwindrichtung geschlossen *(Bild 278)*. Anstelle des Fensterglases traten, soweit Tageslicht nicht erforderlich, oft Bretter- oder Preßspanplattenverkleidungen. Erst nach vollständiger Beseitigung der Trümmer in den Jahren 1945/48 *(Bild 290)* war dann an einen regelrechten Wiederaufbau in ursprünglicher Gestalt zu denken, der 1948 am Empfangsgebäude begann.

Zuerst wurde die durch Luftangriffe weniger in Mitleidenschaft gezogene östliche Eingangshalle in alter Form wiederhergestellt und schon am 7. Oktober 1949 vollendet. Daraufhin konnten die Bauarbeiten 1950 an der teilzerstörten westlichen Eingangshalle aufgenommen und ihre unter den herrschenden Verhältnissen bautechnisch schwierige Rekonstruktion *(Bild 291)* dennoch so zügig vorangetrieben werden, daß die Einweihung bereits am 13. August 1951 erfolgen konnte.

Allen für diese Baumaßnahmen Verantwortlichen und den Bauleuten gebührt das große Verdienst, ein großartiges Baudenkmal deutscher Bau- und Verkehrsgeschichte erhalten zu haben. Sie hatten damit die Grundlage für den weiteren umfassenden Wiederaufbau des Hauptbahnhofes Leipzig geschaffen, den die Regierung der Deutschen Demokratischen Republik 1954 verfügte.

Der Wiederaufbau
der Längsbahnsteighallen

Nach Durchführung der notwendigsten Werterhaltungsmaßnahmen im Jahre 1954 waren sämtliche Längsbahnsteige wieder betriebsfähig, aber noch ohne durchgehende Überdachung. Während es keine Meinungsverschiedenheiten darüber gab, das Empfangsgebäude im Äußeren und Inneren in seiner architektonischen Ursprungsform wiederherzustellen – was auch konstruktiv problemlos war –, konnte über die statisch-konstruktive Gestaltung der Längsbahnsteighallen erst nach gründlicher Prüfung ausführbarer Varianten entschieden werden. Dabei kam es weniger darauf an, einen architektonischen Kompromiß zwischen den Wünschen der Stadt und der Deutschen Reichsbahn, als vielmehr eine Lösung insbesondere ohne die Mängel der alten Bedachung zu finden. Deren flachgeneigte, nur schwierig zu reinigenden Oberlichte wurden nämlich durch äußere und innere Staubimmission, Schnee oder Reifniederschlag stark verdunkelt, so daß die Hallen bei bedecktem Himmel oft künstlich beleuchtet werden mußten. Außerdem entstanden infolge Temperaturbewegung der Stahldachkonstruktion häufig Glasschäden.

Pläne, die alte Hallenkonstruktion *(Bild 253)* ganz abzubrechen und stattdessen neuzeitliche flache Bahnsteigdächer zu errichten, blieben wegen des damit verbundenen technischen Aufwandes für die Sicherung der unterirdischen Anlagen und in Anbetracht der weitgehend erhaltenen Stahlbinderkonstrukion außer Betracht. Schließlich standen drei Variantenvorschläge *(Bild 293)*, von welchen einer dem alten Tonnenprofil entsprach, unter vielen anderen Entwürfen zur engeren Wahl. Von diesen erwies sich die zur Ausführung

bestimmte Variante 1 mit terassenförmigem Dachprofil, steiler 55° geneigter Oberlichtverglasung, fast ebenen, zur Reinigung und Instandsetzung begehbaren hölzernen Dachstreifen und schneesicherer Entlüftung über den Glasbändern als wirtschaftlichste und auch architektonisch als die beste Lösung *(Bild 293 oben)*.

Bei Variante 2 *(Bild 293 Mitte)* mit Tonnenquerschnitt und Deckung der Oberlichte aus U-Profilglas, die der ursprünglichen Dachform am nächsten kam, hätten sich nicht nur die gleichen Mängel der Verschmutzung, sondern auch Probleme wegen der relativ bruchgefährdeten Gläser ergeben.

Die Variante 3 *(Bild 293 unten)*, ebenfalls mit dem alten Tonnenprofil, jedoch mit querliegenden Raupenoberlichten, besaß noch größere Nachteile: schwierige Abdichtung gegen Niederschläge, größere Eigenmasse der Dachfläche, größere Windkräfte in Hallenlängsrichtung und Schneelast, die konstruktive Verstärkungen erforderten.

Beim Vergleich der Varianten, die auch Modellversuchen zur Bewertung der Tageslichtbeleuchtung unterworfen wurden, dürfte es nicht schwergefallen sein, die Variante 1 als die optimale für die Ausführung zu wählen. Sie war in der Tat eine geniale Lösung. – vgl. mit Tabelle «Varianten der Längsbahnsteighallendächer».

Anfängliche Vorbehalte verschiedener Seiten, unter anderem des Beirates für Bauwesen, gegenüber dieser Dachform verstummten nach Vollendung der Hallen, als die Helligkeit spendenden horizontalen Lichtbänder auch gestalterisch gefielen *(Bilder 294, 364 und 365)*. Ihr äußeres Bild, von den Längsseiten und Schürzen gesehen *(Bilder 367 und 373)* befriedigte ebenfalls architektonische Ansprüche.

Mit den Bauarbeiten an den Längsbahnsteighallen wurde im April 1955 begonnen, 1958 waren sie im wesentlichen fertiggestellt. Restarbeiten, Dachanstrich, Glaserarbeiten usw. erfolgten noch 1959 bis 1960, während der Hauptprüfbefund

290 So präsentierte sich das Empfangsgebäude im Jahre 1947: eine teilweise zerstörte Westhalle und (rechts) ein Luftschutzbunker
291 Wiederaufbau der Westhalle des Empfangsgebäudes im Jahre 1951, Ansicht von Süden
292 Unter dem beschädigten Vordach des Eingangs zur Osthalle . . .

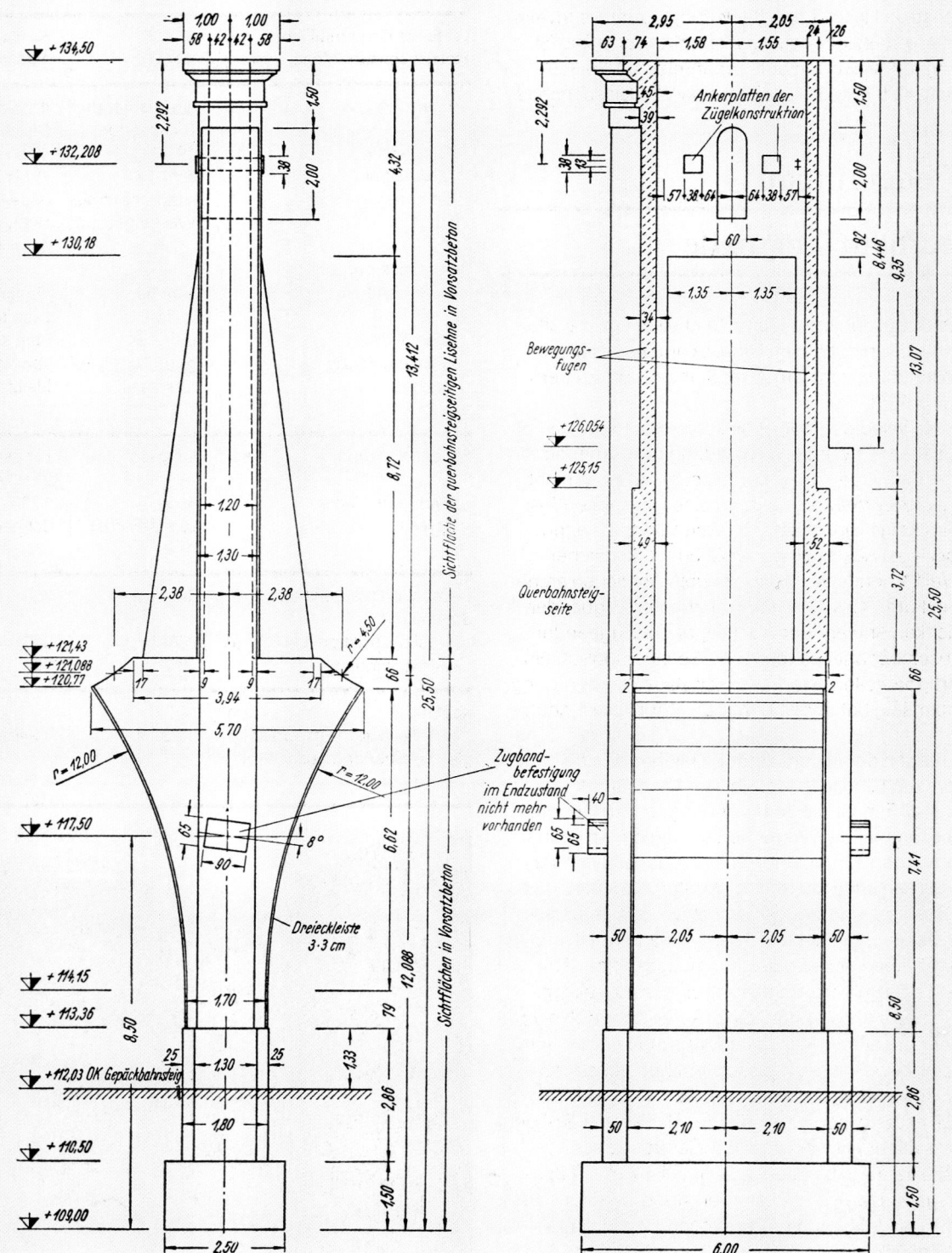

297 Wiederaufbau der Querbahnsteighalle: die neuen Pfeiler der Abschlußbögen, entworfen und gezeichnet von Bauingenieur GERHARD SCHMIDT
298 Wiederaufbau der Querbahnsteighalle, Herstellung der Abschlußbögen; stählernes Untergerüst mit hölzernem Lehrgerüst im Bogen 2
299 Wiederaufbau der Querbahnsteighalle, Konstruktion der neuen Abschlußbögen

Verankerung für die Zügel des nicht mitgezeichneten Bogens
Verankerung für die Zügel des gezeichneten Bogens
Zügelkonstruktion
siehe links
Kranbahnkonsole
Beton für Bogen B 160
Beton für Auflagerbänke B225
angegebene Maße sind die Entfernungen der Platten „a"-„f"
Längsschnitt
Querschnitt A-B

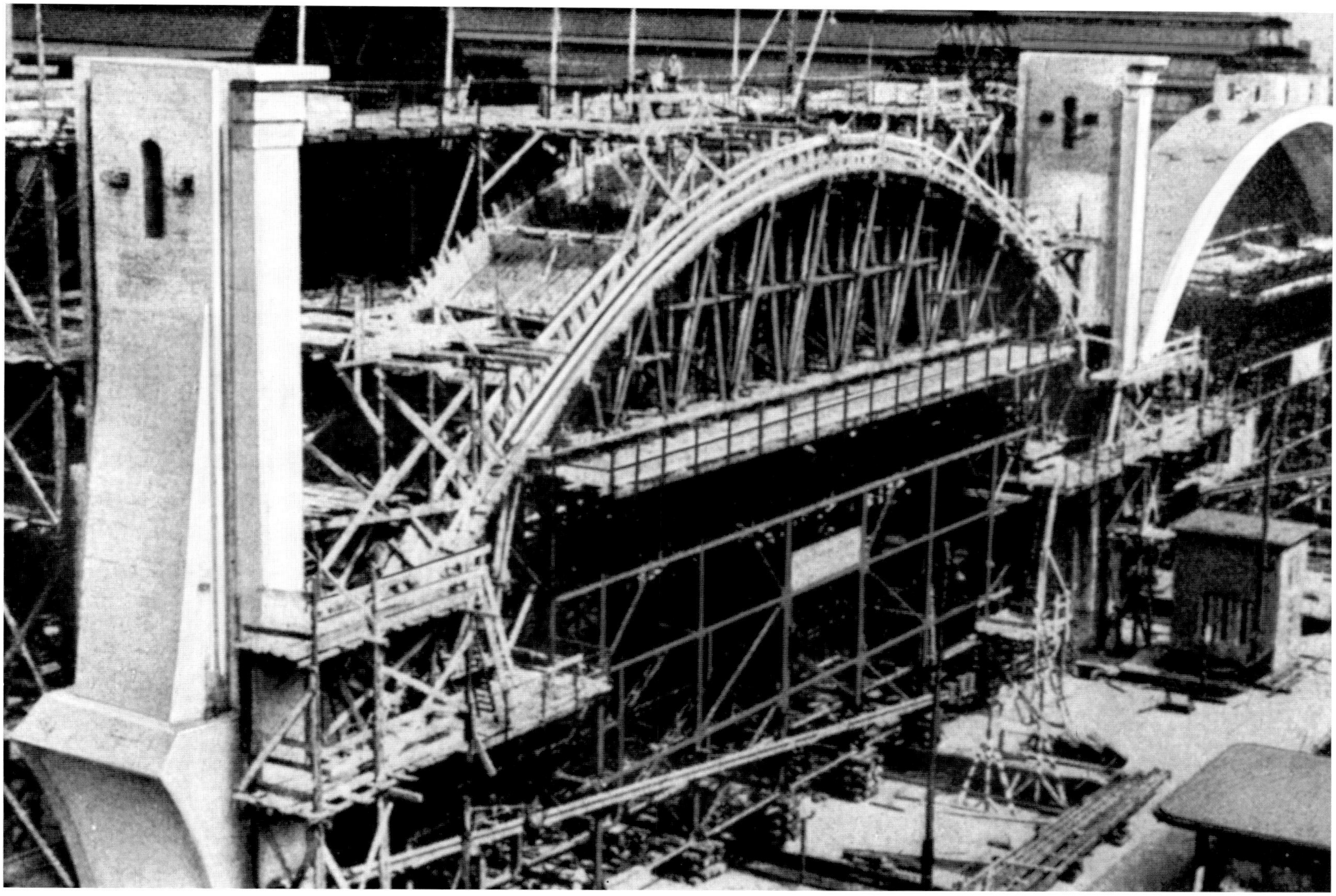

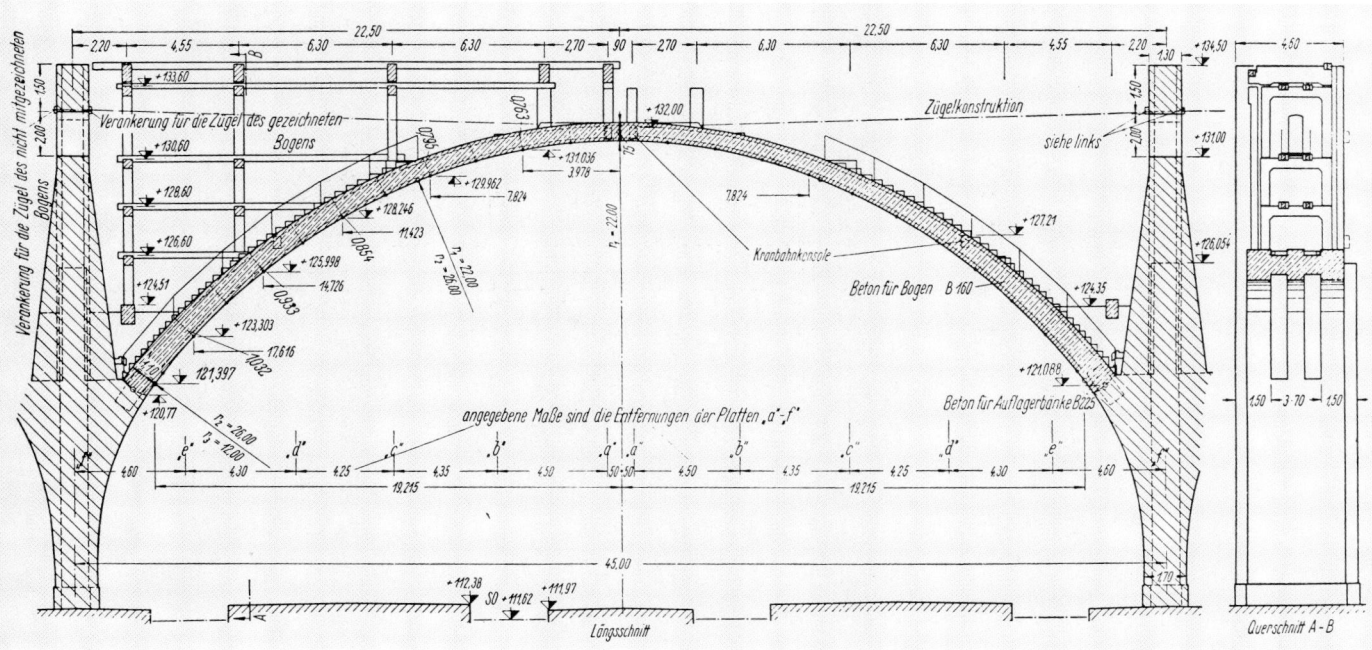

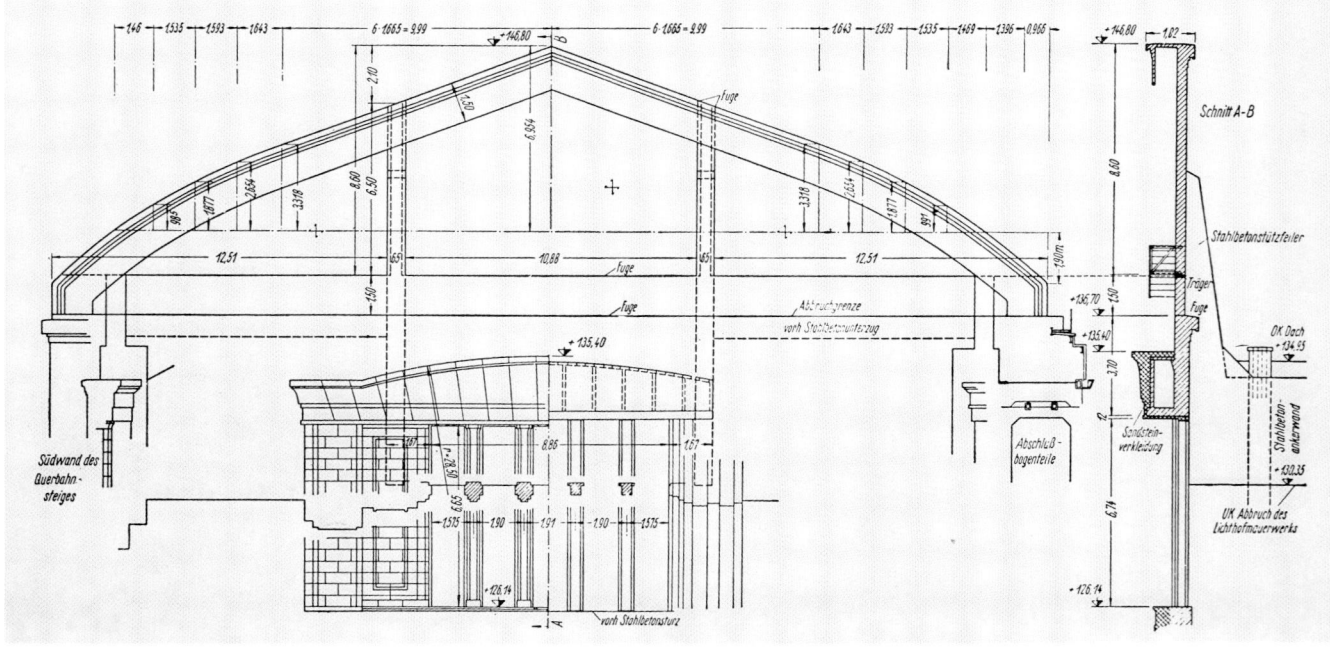

170

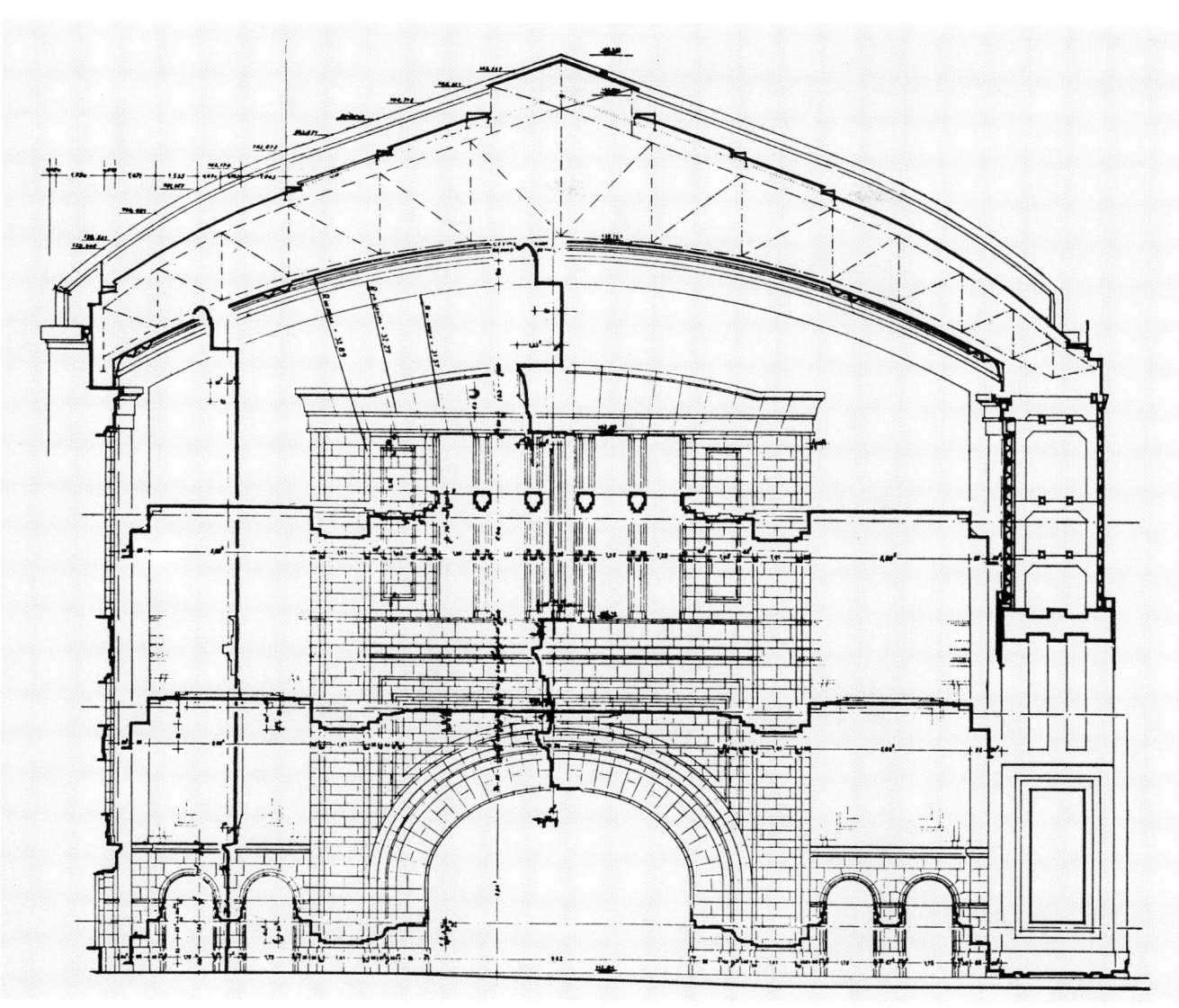

und an den Festpunkten gelenkig ausgeführt sind *(Bild 299)*. Diese zweckmäßige Zügelkonstruktion kann im Katastrophenfall die Horizontalkräfte aus einseitigem Kämpferschub aufnehmen und damit den Einsturz der Abschlußbogenreihe verhindern, wenn eine beliebige Bogenhälfte ausfallen sollte. Konstruktiv sind die Zügel und ihre Verankerungen für den Fall, daß die andere, nicht betroffene bzw. nicht eingestürzte Bogenhälfte als Kragarm erhalten bleibt, so hergestellt, daß auch diese nachfolgend noch einstürzt, damit gefährliche statische Kräftewirkungen auf die benachbarten Abschlußbögen und -pfeiler vermieden werden.

Als problematisch wurde vor Baubeginn, der 1955 erfolgte, der Zustand der alten Fundamente angesehen, nachdem man bei Probebohrungen zur Baugrunduntersuchung aggressives Grundwasser feststellte und Betonproben von Pfeilerfundamenten Zersetzungserscheinungen durch Sulfate und Kohlensäure zeigten. Nach gründlicher Untersuchung aller freigelegten Fundamente stellte sich jedoch heraus, daß die bisher eingetretene Schädigung in Anbetracht ihrer Größe unerheblich war, so daß sie wieder für den Aufbau der Pfeiler verwendet werden konnten.

Die Ausführung der Abschlußbogenreihe *(Bild 298)* erfolgte derart, daß zunächst 1958 die Pfeiler errichtet *(Bild 300)*, die östlichen und westlichen Widerlager wiederhergestellt, dann die stahlbewehrten Bögen betoniert, die aus zwei Zugbändern mit je zwei U-24-Profilstahlträgern bestehende Zügelkonstruktion angebracht und erst danach 1959 die Bogenwandaufbauten aus Stahlbetonfertigteilen montiert wurden. Der VEB Baustoffkombinat Merseburg und die Steinmetzfirma A‍RNHOLD, Leipzig, lieferten dafür 2534 Fertigteile mit 2118 t Gesamtgewicht, die nach Zwischenlagerung mit Güterwagen auf Culemeyer-Straßenfahrzeugen zum Magdeburg-Thüringer Güterbahnhof transportiert, von hier auf Bahnsteiggleisen zum Querbahnsteig gefahren und

300 Längsbahnsteighallenbinder mit neuem Terrassendach, Teilansicht. Im Hintergrund Rüstung für einen Pfeiler der Abschlußbögen
301 Der Wiederaufbau der Querbahnsteighalle geschah nach modernen Gesichtspunkten und fand bei vollem Betrieb statt
302 Wiederherstellung der Querbahnsteighalle. Übersichtsplan und Einzelheiten des Ost- und Westgiebels
303 Wiederaufbau der Querbahnsteighalle, Schnitt und innere Giebelansicht

mit einem Turmdrehkran auf die Bögen gesetzt worden sind.

Beim Luftangriff am 7. Juli 1944 hatten auch die südlichen Auflager der Querhalle am Empfangsgebäude Schäden davongetragen. Da jedoch die Stahlkonstruktion der neuen Überdachung leichter als die ursprüngliche war, konnte diese Wand nach partieller Reparatur ihre Tragfunktion ohne weiteres wieder übernehmen. Während desselben Bombardements wurden außerdem Teile des Ostgiebels und der dortige End-Soffittenbinder zerstört. Beide Giebel bestanden aus Stahlbeton. Wegen der für den Wiederaufbau des Hallendaches vorgesehenen Stahlbinder – statt der alten Stahlbetongewölbekonstruktion – war es erforderlich, die Standfestigkeit der Giebelwände durch ein neues statisches System zu sichern und das obere Giebeldreieck nach Abbruch der alten Wandkonstruktion bis auf die entsprechende Höhe (Bild 302) einschließlich der dazu notwendigen Stahlbetonstützpfeiler usw. neuzugestalten. Dabei wurden auch die Fenstergruppen der Giebel architektonisch verändert (Bild 303).

Beim Entwurf der neuen Dachkonstruktion der Querbahnsteighalle sollten die Projektanten folgende Forderungen erfüllen: 1.) Ausführung ohne wesentliche Beeinträchtigung des Personenverkehrs, möglichst mit vorgefertigten Bauelementen; 2.) Bewahrung der Vorplatzansicht auch durch eine neue Dachkonstruktion; 3.) Optische Querteilung der Hallendecke im Inneren auch bei einer konstruktiv durchgehenden Deckenschale.

Von drei Varianten wurde wiederum eine zweischalige Dachkonstruktion, jedoch mit Stahlbindern, -pfetten, -unterzügen und angehängter gewölbter Decke sowie aufsitzender Dachhaut gewählt. Die Regelbinder haben 34,75 m, die Binder an den Eingangshallen 33,60 m Stützweite, auf der Umfassungswand des Empfangsgebäudes Rollenlager und auf der Abschlußbogenwand ihr festes Auflager erhalten (Bil-

304 Wiederaufbau der Querbahnsteighalle. Variantenvorschlag mit Kreiszylinder-Überdeckung
305 Variantenvorschlag für eine Rautenfachwerk-Überdeckkung als Gewölbe
306 Schaubild zum Studienentwurf für das Dach der neuen Querbahnsteighalle, entworfen von Prof. Dr.-Ing. A. SCHEUNERT, Halle (Saale)

307 Wiederaufbau der Querbahnsteighalle, Montage der Dachbinder, 1960

308 Montage der Dachkonstruktion der Querbahnsteighalle am Westgiebel, 1959

309 Wiederhergestellte Querbahnsteighalle während der Verglasung der inneren Oberlichtflächen, 1962

der 303 und 307). Als Rollenlager fanden auf 140 mm Durchmesser abgedrehte alte Lokomotivachsen Verwendung, die beste Stahlqualität zur Aufnahme der Auflagerkräfte von 75 Mp garantierten. Vom Herstellerwerk wurden die geschweißten Stahlbinder in zwei Hälften zum Querbahnsteig transportiert, dort am Firstknoten und Untergurt zusammengenietet und auf ihre Lager gehoben (Bild 308). Die Windverbände liegen in jedem zweiten Binderfeld der Obergurt-, die vertikalen Querverstrebungen als durchgehender Längsverband in der Auflagerebene. Mit Rücksicht auf die eintretende erhebliche temperaturbedingte Längenänderung erhielt die 265 m lange Stahldachkonstruktion sechs Dehnungsfugen. Von 9000 m², Gesamt-Dachfläche wurden 3500 m² = 40 % als Oberlichte mit kittloser Verglasung, die restlichen 5500 m² aus 60 mm dicken Stahlbetonhohldielen mit Fußverstärkung an den Auflagern und doppellagiger Pappdeckung ausgeführt. Zu Reinigungs- und Reparaturzwecken dienen äußere Laufstege entlang der Traufseiten und quer angeordnete an den Giebeln. Zur Be- und Entlüftung des 210 000 m³ umfassenden Raumes der Querbahnsteighalle mußten wegen des seinerzeit noch vorherrschenden Dampflokomotiveinsatzes und zur Reduzierung hoher Temperaturen während der heißen Jahreszeit im Dachraum zur Laterne führende Abluftschächte zwischen den Oberlichten sowie Lüftungsschlitze an der vertikalen traufseitigen Schalung der Dachbinder vorgesehen werden.

Die 1955 bis 1962 wiederaufgebaute, konstruktiv ganz neu gestaltete Querbahnsteighalle wirkt leichter. Sie überläßt der mächtigen Abschlußbogenreihe den ersten Rang (Bild 309). Von allen Gesichtspunkten her betrachtet, war der Neubau die optimale Lösung und eine hervorragende Ingenieurleistung der Projektanten der Außenstelle Halle (S) des Entwurfs- und Vermessungsbüros der Deutschen Reichsbahn.

DIE FÜNFZIGER UND SECHZIGER JAHRE IN BILDERN

310 Der Traktionswandel kündigt sich an, neben der E 04 zwei moderne E 42 in Doppeltraktion

311 Die preußischen P 8 bestimmten bis Ende der sechziger Jahre das Geschehen mit, hier die 38 3461 bei der Ausfahrt mit P 3511 nach Riesa, Mai 1969

312 Ein »Sachsenstolz«, die 19 001 mit P 4201 von Plauen ob Bf kommend; rechts sind Postwagen (»Sackwagen«) zu erkennen, Oktober 1953

313 Die 62 012 abfahrbereit nach Altenburg, April 1953

314 Nochmals die 19 001 mit P 4201, die Längsbahnsteighallendächer sind noch nicht wiederhergestellt, die alten Fahrleitungsmasten stehen noch

315 Die Baureihe 03 gehörte jahrzehntelang zum gewohnten Bild im Hauptbahnhof. Hier die 03 083 am Bahnsteig 3 im August 1967

316 Eine seltene Aufnahme: die 61 002 des Henschel-Wegmann-Zuges im Vorfeld des Hauptbahnhofes Leipzig, September 1950

317 Dieser Schnappschuß der Stromlinien-Schnellzuglokomotive 03 1010 mit teilweise entfernter Verkleidung auf der Drehscheibe des Bw Leipzig Hbf West entstand Ende der vierziger Jahre

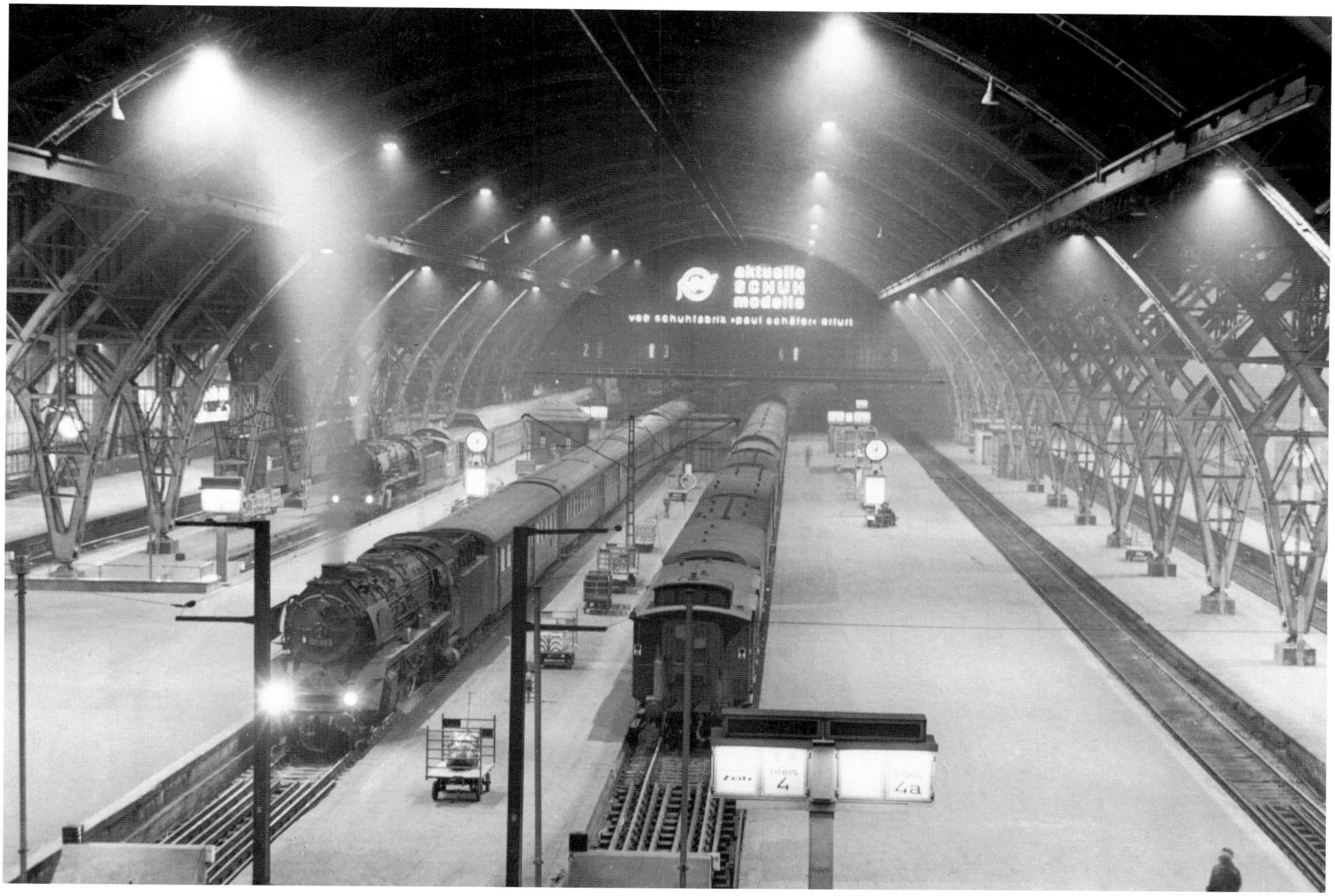
aktuelle
SCHUH
modelle
veb schuhfabrik »paul schäfer« erfurt
Gleis
4
4a

61 002

03 1010

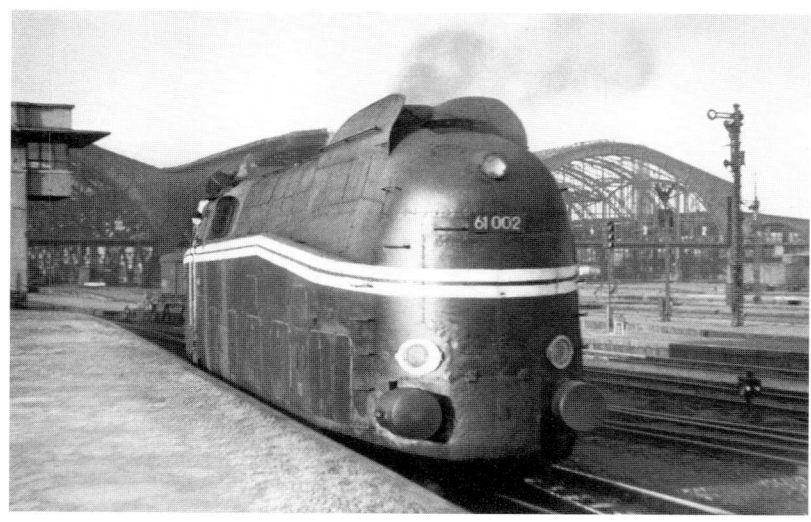

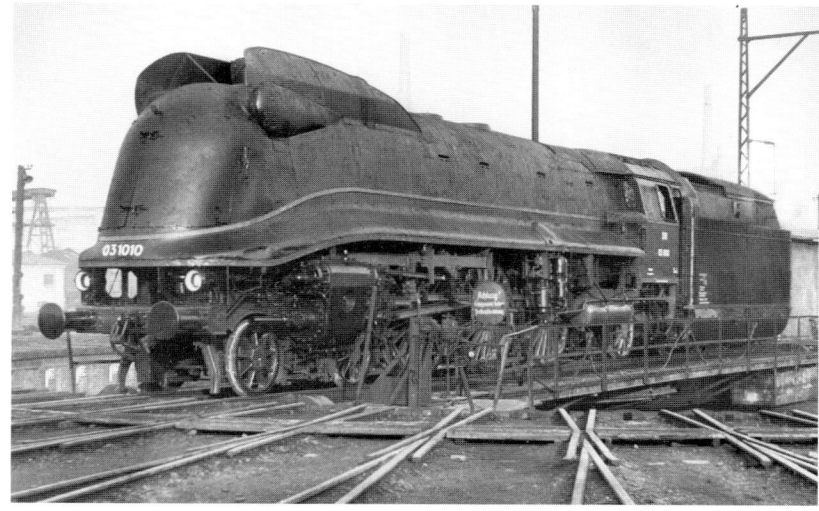

318 Die 1′ C 1′-Neubaulokomotiven der Baureihe 35 kamen Ende der fünfziger Jahre in Leipzig zum Einsatz, hier die 35 1046 (ex 23 1046)
319 Nächtliche Ruhe . . .
320–323 Bis weit in die siebziger Jahre versahen Dampfloks noch planmäßig ihren Dienst

324 Morgendämmerung über dem Vorfeld ...
325 Von 22 Stellwerken aus wurden damals die Züge präzise dirigiert
326 Impression bei Nacht. – Noch ist der Hauptbahnhof ein Domizil für Dampfloks ...
327 Das Bahnhofsvorfeld mit Blick auf die Hallenschürze
328 Der Hauptbahnhof heute: Fünf elektrifizierte Strecken nehmen hier ihren Anfang – ein feinnerviges Panorama
329 Doppelstockgliederzug im Vorfeld des Hauptbahnhofes

330 Die E 04 01 hat für ihren Personenzug im Dezember 1968 einen Heizkesselwagen am Haken

331 E 04 09 mit Personenzug, Dezember 1968

332 Die Bo'Bo'-Lokomotive E 44 044 abfahrbereit mit P 4114 nach Espenhain, Mai 1969

333 Die E 94 082, aufgenommen von der zum Raw Halle überführten Lokomotive 94 2123 im Bw Leipzig Wahren im Mai 1968

334 Die 1'Co 1'-Schnellzuglokomotive E 04 03 mit Eröffnungszug für den elektrischen Betrieb Leipzig–Halle (Saale), Dezember 1958

335 Der Triebzug ET 25 201 Ende der sechziger Jahre

336 Die E 04 09 – hier vor einem Schnellzug im August 1962 – erreichte 1933 mit einem 309-Tonnen-Zug auf der Strecke München–Stuttgart 151 km/h

337 Der »Rote Dessauer«, ET 25 012, im Bw Leipzig Hbf West, Anfang der sechziger Jahre

338 Die E 04 01 wartet im Juni 1961 auf ihren nächsten Einsatz

339 S-Bahn Leipzig. Testfahrt eines neuen Nahverkehrstriebwagenzuges zwischen Leipzig und Wurzen, 1975 bei Seller-

U- UND S-BAHN FÜR LEIPZIG

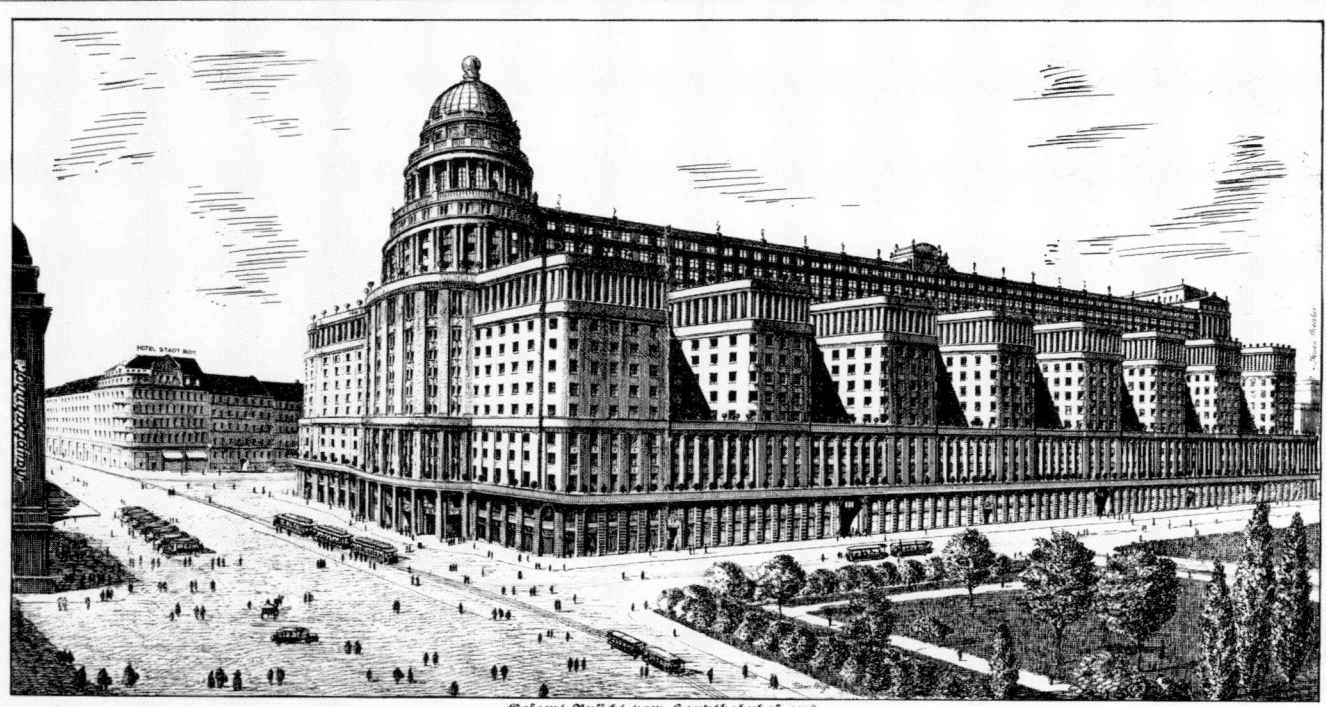

U-Bahn-Pläne und U-Bahn-Anfänge

Bereits bei den ersten Planungen für einen Hauptbahnhof wurde seitens der Sächsischen Staatseisenbahnverwaltung vorgeschlagen, diesen mit dem Bayrischen Bahnhof durch eine Stadt-Bahn für Personenverkehr entweder mit einer Tunnellinie unter dem Promenadenring oder einer Hochbahn längs der Nürnberger Straße zu verbinden. Im Rahmen der Umgestaltung der Leipziger Bahnanlagen durch die Sächsische und Preußische Staatseisenbahnverwaltung nahmen diese Vorschläge für eine im Stadtgebiet als Untergrund- oder Unterpflasterbahn auszuführende Strecke, die dann auch den Vorortverkehr östlich und südlich der Stadt verbinden sollte, schon konkrete Form an. Vorsorglich wurden die Vorortgleise aus Richtung Dresden etwa 310 m westlich der Brandenburger Brücke zunächst in einen Einschnitt und nach weiteren 180 m im Tunnel unter dem Vorgelände des Hauptbahnhofes in die Bahnsteighallen *(Bild 341)* und den Untergrund-Bahnhof im Empfangsgebäude geführt *(Tafel III)*. Der vom Herbst 1913 bis Frühjahr 1915 ausgeführte U-Bahn-Abschnitt befindet sich im Empfangsgebäude auf einer Länge von 80 m (heute ist dort das Zeitkino untergebracht), unter den Bahnsteighallen und unterhalb des Vorgeländes ist er 630 m lang. Östlich neben der sächsischen Eingangshalle endet der Tunnel 8,50 m vor der Umfassungswand des Empfangsgebäudes *(Tafeln III und V)*, wo er provisorisch abgeschlossen wurde, so daß der Weiterbau der U-Bahn jederzeit ohne Beeinträchtigung des Bahnhofsgebäudes möglich war.

Nach Vorschlägen von 1905 sollte der Bayrische Bahnhof einem neuen, am südlichen Abzweig des Connewitzer

Gleisdreieckes anzulegenden »Südbahnhof« weichen. Im Zusammenhang damit wurde angeregt, von hier eine Linie Richtung Dösner Weg dann als Unterpflasterbahn unter der Trasse der alten 1878 eingestellten »Leipziger Verbindungsbahn« *(Bild 3)* zwischen der Sächsisch-Bayrischen, Leipzig-Dresdner und Magdeburg-Leipziger Eisenbahn in der heutigen Linie: Johannisallee – Crusiusstraße – Klasingstraße – Lutherstraße – Kreuzung Thälmann- und Rosa-Luxemburg-Straße zum Hauptbahnhof mit einer U-Bahn-Station für die Ostvorstadt in der Johannisallee angelegt werden.

Diskussionen über weitergehende Pläne für U-Bahn-Verbindungen folgten, zumal sich Leipzigs Einwohnerzahl der 700 000 näherte, einer den Bau und Betrieb von Hoch- oder Untergrundbahnen rechtfertigenden Großstadtdimension. Doch keine der progressiven Anregungen wurde verwirklicht, auch nicht seinerzeit, als z. B. in der Euphorie einer gewissen Konjunktur nach dem Ersten Weltkrieg eine »Welthandels-Palast A.-G.« gegenüber dem Hauptbahnhof 1921 ihren phantastischen »Internationalen Zentral-Welt-Handels- und Welt-Messe-Palast« in Leipzig *(Bild 340)* für ca. 20 000 Aussteller mit Untergrund-Bahnhof bauen wollte. Die folgende Inflation verhinderte nicht nur diesen überschwenglichen Plan.

Das 1934 wegen zunehmender innerstädtischer Verkehrsschwierigkeiten wiederum erörterte Projekt der U-Bahn-Verbindung zwischen Hauptbahnhof und Bayrischem Bahnhof mit Stationen am Augustusplatz (Karl-Marx-Platz) und Königsplatz (Wilhelm-Leuschner-Platz) kam über Vorprojektstudien nicht hinaus, deren weitere Bearbeitung und Verwirklichung wiederum der Krieg vereitelte.

Zusammenhängend mit dem Wiederaufbau der Stadt nach dem Zweiten Weltkrieg, als infolge der verheerenden Luftangriffe fast in allen beliebigen Richtungen Freiraum für U-Bahn-Trassen, aber zunächst weder Bedarf noch Mittel vorhanden waren, ist es dann leider von den Städtebauern versäumt worden, wenigstens vorsorglich Trassen für ein künftiges Untergrund- oder Unterpflasternetz von neuer Bebauung freizuhalten. In der Planung des städtischen Nahverkehrs besaßen aber Straßenbahn und Autobus nach wie vor Priorität, die sie auch bis in die Gegenwart behalten haben.

Die S-Bahn
Leipzig

Zur Verbesserung des Personen-Nahverkehrs, insbesondere des Berufs- und Schülerverkehrs, wurde 1967 beschlossen, auch für Leipzig eine Stadtschnellbahn zu schaffen, die vorhandenen ebenso wie künftigen Industrie- und Wohngebieten günstige Verkehrsbedingungen bieten sollte. Da gefordert war, die S-Bahn möglichst schnell und kostengünstig einzurichten, kam damals nur der Betrieb auf vorhandenen Strecken der Reichsbahn in Frage, die lediglich entsprechend ausgebaut und ausgestattet werden mußten.

Für die erste, am 12. Juni 1969 eröffnete Linie A bot sich die Benutzung der vom Hauptbahnhof westlich um das Stadtgebiet über Leutzsch und Plagwitz nach Gaschwitz sowie von hier östlich Leipzigs über Connewitz und Stötteritz

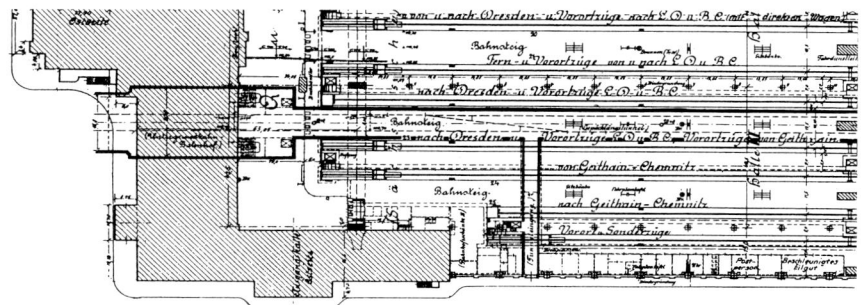

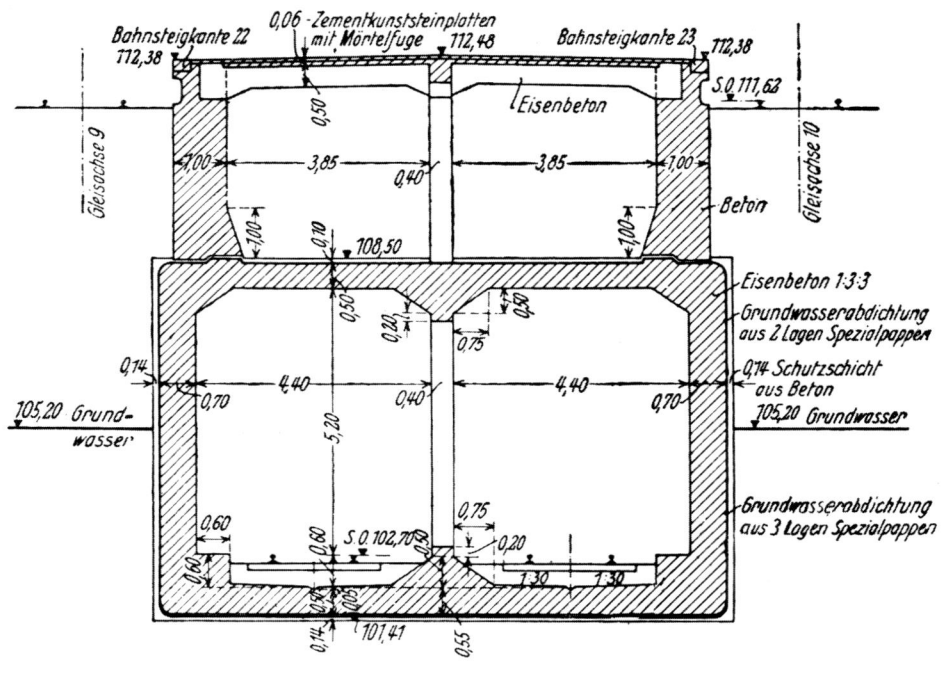

340 Projekt eines Internationalen Zentralen Welt-Handels- und Welt-Messe-Palastes in Leipzig gegenüber dem Hauptbahnhof, 1921

341 U-Bahn-Tunnel im Bereich der Bahnsteige 22/23, 1915

wieder zum Hauptbahnhof führenden Strecken an *(Bild 342)*. Kooperativ mit den Leipziger Verkehrsbetrieben, die weiterhin Hauptverkehrsträger des Nahverkehrs blieben, wurden zusätzlich zu den für den S-Bahnbetrieb auszubauenden Bahnhöfen bedarfsgemäß neue Haltepunkte *(Bilder 342 und 343)* eingerichtet. Dies geschah nicht zuletzt unter dem Gesichtspunkt, günstige Umsteigemöglichkeiten zwischen bestehenden Straßenbahn- bzw. Busverbindungen und der S-Bahn als zu integrierender Bestandteil des Leipziger Nahverkehrs zu schaffen.

Vor allem durch ihre Einführung in den direkt am Rand der City gelegenen Hauptbahnhof *(Bild 343)* bietet die S-Bahn nicht nur günstigste Kontakte mit dem Nahverkehr aller Verkehrsträger, sondern auch zugleich mit dem Eisenbahn-Fernverkehr. Von Anfang an konnte die gemeinschaftlich mit den Fern- und Vorortzügen deren Gleise mitbenutzende S-Bahn auf den bereits elektrifizierten Linien mit Regelfahrzeugen,

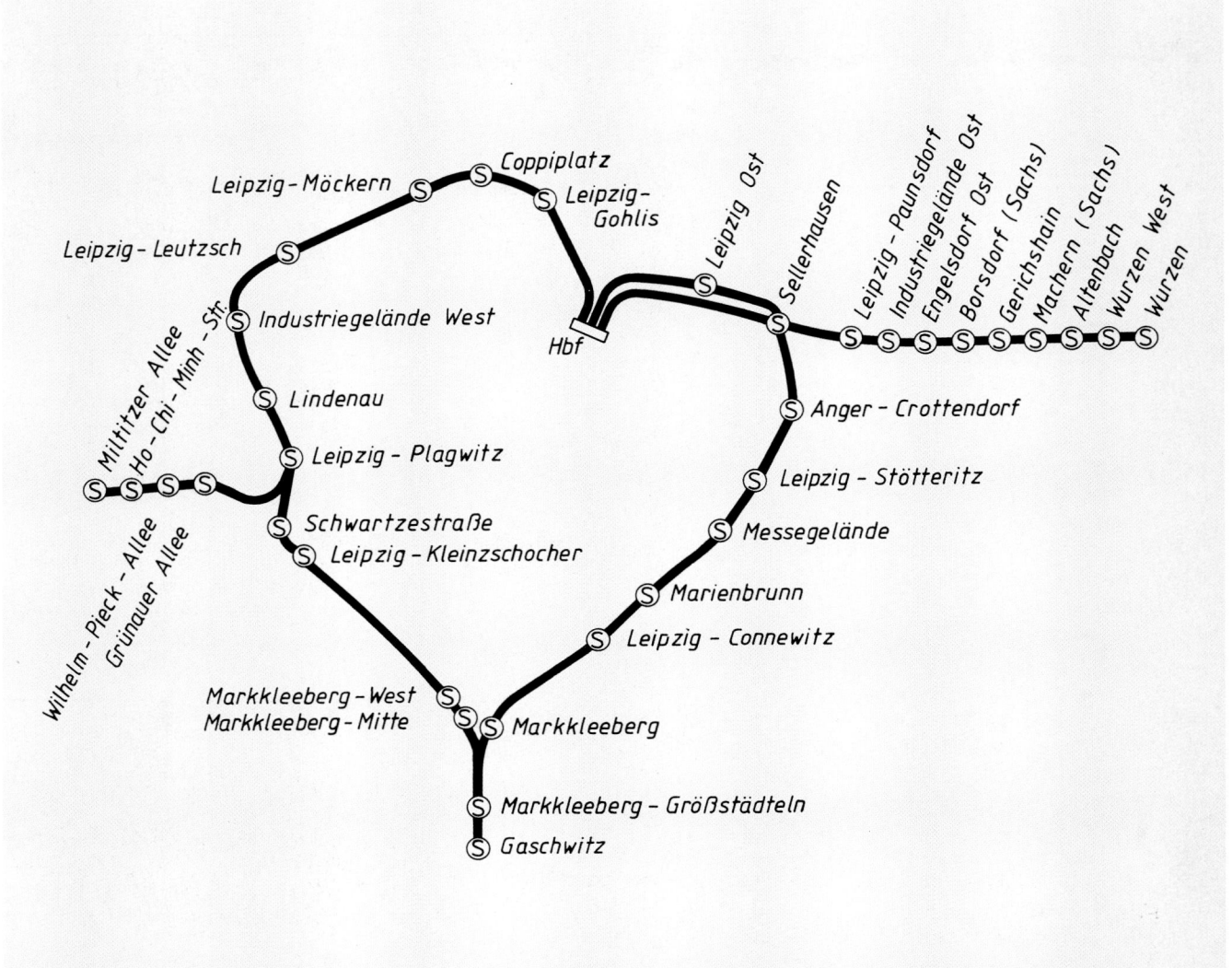

d. h. elektrischen Lokomotiven *(Bild 385)* und vierachsigen Mitteleinstiegwagen, später doppelstöckigen Sitzwagen 2. Klasse mit Steuerwagen *(Bild 387)*, nach dem Wendezugprinzip betrieben werden, das beim »Kopfmachen« auf dem Hauptbahnhof und dem Bahnhof Gaschwitz Anwendung finden muß, solange nicht besondere Nahverkehrstriebwagen *(Bild 339)* zur Verfügung stehen.

Das zunächst nur aus dem herzförmig um Leipzig führenden Ring bestehende S-Bahn-Netz wurde am 26. Mai 1974 durch die Linie B, Leipzig – Borsdorf (Sachs) – Wurzen (Kursbuch-Nr. 502) erstmals erweitert. Am 25. September 1977 erhielt das neue Wohngebiet Leipzig – Grünau mit dem ersten Abschnitt einer Stichbahn, der neuen Leipziger Stadtschnellbahnstrecke Linie C (Kursbuch-Nr. 504) ab 31. Mai 1981 als Linie C, Leipziger-Plagwitz – Grünauer Allee – Wilhelm-Pieck-Allee (Kursbuch-Nr. 502) Anschluß an die S-Bahn. Seit 3. Juni 1984, nach dem Weiterbau der Stichbahn bis Miltitzer Allee,

verkehren die Linie A (Kursbuch-Nr. 501) als S 1 von Gaschwitz – Hauptbahnhof – Leipzig-Plagwitz – Miltitzer Allee und als S 2 in umgekehrter Richtung, die Linie B, (Kursbuch-Nr. 502) zwischen Leipzig Hbf – Borsdorf (Sachs) – Wurzen und die Linie C (Kursbuch-Nr. 503) zwischen Leipzig Hbf – Leipzig-Plagwitz – Gaschwitz *(Bild 342)*.

Nicht nur für den Hauptbahnhof brachte die Einführung der S-Bahn eine nicht unwesentliche zusätzliche Belastung, die allein durch minimalsten Aufenthalt beim Wendezugbetrieb reduzierbar ist. Um die Streckendurchlaßfähigkeit bei der an sich schon sehr dichten Zugfolge auf den Fernstrecken zu erhöhen, sind zuerst auf dem Abschnitt Leipzig-Gohlis – Leipzig-Leutzsch moderne automatische Streckenblock-Einrichtungen installiert worden. Während das alte Projekt einer unterirdischen Bahnverbindung zwischen Hauptbahnhof und Bayrischem Bahnhof aus den bereits dargelegten Gründen kaum noch realisiert werden dürfte, sind andere

künftige S-Bahn-Linien, wie zum Beispiel der früher mit attraktiven elektrischen Triebwagen durchgeführte Schnellverkehr Leipzig – Schkeuditz – Halle (S) mit Beziehung zum Flughafen Halle – Leipzig oder neue S-Bahn-Verbindungen mit nahe liegenden Kreisstädten denkbar. Als erste, wichtigste Maßnahme würde der Bau einer Verbindungskurve zwischen Leipzig-Connewitz und Leipzig-Kleinzschocher die Betriebsführung des bestehenden Netzes verbessern helfen, indem zumindest im Süden dann ein durchgehender Verkehr möglich wäre.

Einer analogen Lösung im Vorgelände des Hauptbahnhofes stünden wesentlich kompliziertere Bedingungen entgegen. Ob sie hier überhaupt erforderlich bzw. ökonomisch ist, müßte unter anderem die Statistik des Verkehrs zwischen den betreffenden Industrie- und Wohngebieten Leipzigs erweisen. Bisher werden jedoch die größten Beförderungsziffern bei den vom bzw. zum Hauptbahnhof verkehrenden S-Bahn-Zügen registriert. Im System des Leipziger Nahverkehrs ist die S-Bahn inzwischen ein wichtiges integriertes Verkehrsmittel, das bei durchschnittlich 33 km/h Reisegeschwindigkeit und dem Bedarf angepaßter Zugfolge angenehme Beförderungsbedingungen bietet.

Die Leipziger S-Bahn bietet ihren Reisenden ein attraktives Fahrplanangebot. Die Zugfolge beträgt am Tage 20 Minuten, lediglich in den verkehrsschwachen Vormittagsstunden wird im 60-Minuten-Takt gefahren.

342 S-Bahn Leipzig. Übersicht 1988

343 S-Bahn Leipzig. Hauptbahnhof Bahnsteig 6 und 7 mit Zügen von und nach Gaschwitz, Dezember 1988

344 Informationstafeln auf jedem Bahnsteig

11 FAHRPLÄNE UND FREQUENZEN

Bahnsteigführer
Abfahrtszeiten der Züge von Leipzig Hauptbahnhof.

Zugart	nach	Abfahrt	Bahnsteig	Zugart	nach	Abfahrt	Bahnsteig	Zugart	nach	Abfahrt	Bahnsteig	Zugart	nach	Abfahrt	Bahnsteig
P	Corbetha	12⁰⁰	3	S	München	7⁰⁷	7	P	Dresden	12²⁷	9	P	Dessau	5¹⁰	7
P	Probstzella	12¹³	5	S	Cöln	7¹⁰	4	P	Leipzig Bayr. Bf.	12³⁵	5	P	Naumburg	5¹⁵	3
P	Dessau	12³³	7	P	Naumburg	7¹⁷	3	S	Berlin	12³⁹	7	P	Naunhof	5¹⁸	8
P	Wurzen	1⁰⁴	9	P	Naunhof	7²²	8	S	Frankfurt (Main)	12⁴⁰	4	P	Schkeuditz	5²⁵	6
S	München	1¹⁰	7	P	Markranstädt	7³⁰	3	P	Corbetha	12⁴⁷	3	P	Pegau	5²⁵	1
S	Reichenbach ob. B.	1¹⁸	7	P	Oschatz	7⁴⁰	10	S	Hannov.-Geestem.	1⁰⁰	6	P	Dresden	5³⁷	9
P	Leipzig Bayr. Bf.	1²⁵	5	E	Berlin	7⁴⁴	4	P	Dresden	1¹⁵	8	P	Riesa	5⁴²	10
P	Magdeburg	3²⁴	6	P	Halle (Saale)	7⁴⁵	6	P	Zeitz	1²⁰	3	P	Geithain	5⁵⁸	10
P	Leipzig Bayr. Bf.	4⁰³	5	P	Dresden	7⁴⁸	9	S	Naunhof	1²⁰	8	P	Corbetha	6⁰⁰	4
P	Probstbothen	4¹⁰	3	P	Großbothen	7⁵⁸	10	S	Eythra	1²⁵	1	P	Großheringen	6²⁰	3
S	Berlin	4²⁰	7	P	Dresden	8⁰⁷	10	S	Marienbad	1²⁶	7	P	Naunhof	6²⁰	10
P	Magdeburg	4²⁵	6	P	Zeitz	8¹⁵	3	P	Wurzen	1²⁸	9	S	Berlin	6²⁵	7
P	Otterwisch	4³⁹	8	P	Leipzig Bayr. Bf.	8²⁹	5	S	Chemnitz	1³⁴	9	P	Grimma ob. Bf.	6²⁹	10
P	Otterwisch	4⁴⁸	8	S	Berlin	8³⁵	6	S	Corbetha	1³⁵	3	S	Hamburg-Altona	6³⁰	6
E	Chemnitz	4⁵⁷	7	S	Reichenbach	8³⁸	7	L	Reichenbach	1⁵⁰	7	P	Gera (Reuß)	6³⁰	3
P	Dresden	5⁰⁰	8	E	Warnem.-Doberan	8³⁹	4	P	Belgershain	1⁵¹	10	P	Leipzig Bayr. Bf.	6³¹	5
P	Halberstadt	5⁰²	5	P	Markranstädt	8⁴⁰	3	P	Naumburg	1⁵⁵	7	P	Lausick	6³²	10
P	Zeitz	5⁰²	3	S	Dresden (-Breslau)	8⁴³	8	P	Grimma-Rochlitz	2⁰⁰	10	E	Gera	6⁴⁰	1
P	Bremen	5¹³	6	E	Bitterfeld (-Berlin)	8⁴⁵	4	E	Berlin	2²²	8	S	Berlin	6⁴⁵	7
P	Geithain	5¹⁷	9	P	Chemnitz	8⁴⁷	9	P	Leipzig Bayr. Bf.	2²²	5	S	Dresden	6⁴⁷	8
P	Corbetha	5²²	3	P	Magdeburg	8⁵⁰	6	P	Wittenberge	2²⁵	6	P	Markranstädt	6⁵⁰	3
P	Naunhof	5²²	9	P	Wurzen	8⁵³	10	P	Borsdorf	2³⁴	10	S	Chemnitz	6⁵¹	8
P	Wurzen	5³⁵	10	P	Belgershain	8⁵⁸	9	P	Oberholz-Belgersh.	2³⁸	9a	P	Halle (Saale)	6⁵⁵	6
P	Wurzen	5⁴¹	9	P	Magdeburg	9⁰⁰	6	P	Großbothen	2⁴²	10	L	Karlsbad-Marienb.	7⁰⁰	7
S	Amsterdam	5⁵⁵	6	S	Cassel (-Cöln)	9⁰⁵	3	P	Geithain	2⁴⁹	9	E	Dresden	7⁰¹	9
E	Johanngeorgenst.	6⁰⁰	7	S	Cöln	9²⁹	6	P	Dresden	2⁵³	9	P	Wurzen	7⁰⁵	10
P	Rochlitz	6⁰⁰	9	S	Dresden (-Wien)	9³²	7	E	Magdeburg	3¹⁰	6	P	Magdeburg	7¹⁵	6
S	Basel	6¹⁵	4	P	Eisenach	9³⁵	3	E	Naumburg	3¹⁰	3	P	Grimma-Großboth.	7¹⁹	9
P	Dessau	6²⁰	7	P	Borsdorf	9⁴⁰	7	S	Bitterfeld-Berlin	3²²	7	P	Naumburg	7²⁰	3
P	Halle (Saale)	6²⁰	6	S	München	9⁴⁰	6	S	Dresden	3²²	8	P	Belgershain	7²⁴	10
P	Oberholz Belgersh.	6²⁰	10	P	Zeitz	9⁵²	3	P	Halle (Saale)	3³⁰	6	P	Corbetha	7²⁵	4
S	Dresden	6²⁴	7	S	Eger	9⁵⁷	7	P	Pegau	3³⁰	3	P	Dresden	7³⁰	9
P	Corbetha	6³⁰	1	P	Grimma-Großboth.	9⁵⁹	10	P	Wurzen	3⁴⁰	9	P	Zeitz	7³⁵	3
E	Dresden	6³¹	8	P	Halle (Saale)	10⁰⁵	5	P	Leipzig Bayr. Bf.	3⁵²	5	P	Magdeburg	7⁴⁰	6
P	Liebertwolkwitz	6³⁵	10	P	Dresden	10⁰⁹	9	P	Naunhof	7⁴⁵	8	S	Halle (Saale)	9⁴⁵	6
P	Dresden	6⁴⁰	9	E	Weißenfels	10²⁰	3	E	Nürnberg	7⁵⁰	7	P	Leipzig Bayr. Bf.	9⁵⁵	5
P	Leipzig Bayr. Bf.	6⁴⁰	5	P	Dresden	10²¹	9	P	Leipzig Bayr. Bf.	8¹⁰	5	P	Dresden	10⁰⁵	9
P	Grimma ob. Bf.	6⁴⁹	10	P	Wurzen	10²⁴	10	E	Dresden	8²⁰	8	S	Hamburg-Altona	10⁰⁵	6
P	Saalfeld	6⁵⁰	8	S	Hamburg-Altona	10²⁵	6	P	Grimma ob. Bf.	8²⁴	9	P	Naunhof	10¹⁰	9
S	Hamburg-Altona	6⁵⁷	6	S	Geestemünde	10³⁵	7	P	Liebertwolkwitz	8²⁸	10	S	Saalfeld	10¹³	3
P	Lausick	7⁰¹	9	S	Hoek van Holland	10⁴⁰	6	P	Saalfeld	8³⁰	3	P	Zeitz	10⁴⁵	3
E	München	7⁰⁵	3	P	Magdeburg	10⁵⁵	7	S	Dresden	8⁴⁰	8	P	Zerbst	10⁴⁸	7
E	Zeitz	11¹⁰	3	P	Naunhof	3⁵³	9	P	Halberstadt	8⁴⁹	6	S	Frankfurt (Main)	10⁵⁵	4
P	Leipzig Bayr. Bf.	11¹⁷	5	P	Markranstädt	4⁰⁰	3	P	Markranstädt	8⁴⁹	3	P	Corbetha	11⁰⁰	3
P	Geithain	11²¹	9	E	Magdeburg	4¹⁰	6	P	Wurzen	8⁴⁸	9	P	Riesa	11⁰⁰	9
P	Grimma ob. Bf.	11²⁵	8	P	Probstzella	4¹⁰	3	P	Leipzig Bayr. Bf.	9⁰⁰	5	P	Leipzig Bayr. Bf.	11¹²	5
P	Dresden	11³⁷	9	P	Magdeburg	4¹⁶	9	P	Geithain	9¹⁰	10	P	Cöthen	11²⁰	6
P	Markranstädt	11⁴⁰	3	P	Belgershain	4¹⁸	9	E	Plauen	9¹⁴	8	P	Liebertwolkwitz	11²²	9
P	Leipzig Bayr. Bf.	12⁰⁸	5	P	Wurzen	4²³	9	P	Nossen	9²⁰	10	P	Leisnig	11⁴⁵	9
S	Naumb.(-Münch.)	12⁰⁹	3	P	Wittenberge	4³¹	5	S	Berlin	9²²	7	S	Reichenbach Vo.	11⁴⁵	7
P	Bremen	12¹⁵	6	S	Dresden	5⁰⁰	8	S	Erfurt	9³⁰	3	S	Chemnitz	11⁵⁰	9
P	Naunhof	12¹⁹	8	E	Plauena	5⁰⁰	7	P	Bad Sulza	9³⁵	3	S	Naumburg	11²⁵	4
P	Weida	12²⁰	3	P	Grimm(-Eger)	5⁰⁴	10	S	Roßlau	9³⁹	7	S	Dresden	11⁵⁸	8
S	Reichenbach	12²²	7	S	Cassel	5⁰⁵	3	P	Wurzen	9⁴⁰	9				
P	Liebertwolkwitz	12²³	10	P	Belgershain	5⁰⁸	9								

Für den Reisenden sagen Fahrpläne am augenfälligsten etwas über die Bedeutung und Entwicklung des »Betriebsmittels Bahnhof«, über Zugfolge, Verkehrsverbindungen und Reisegeschwindigkeit aus. Als interessante Dokumente der Verkehrsgeschichte geben Fahrpläne jedoch keine Auskunft über Beförderungsleistungen oder Effektivität usw. Aus vielerlei Gründen liegen erschöpfende kontinuierliche statistische Angaben zur Verkehrsleistung von Bahnhöfen, besonders aus neuerer Zeit, kaum vor. Solange Bahnsteigsperren bestanden und regelmäßige Verkehrszählungen stattfanden, gab es noch verhältnismäßig exakte Übersichten. Nach deren Wegfall, während des Krieges, aber auch in Anbetracht des seit langem überwiegenden Anteils ermäßigter Zeitkarten usw. nicht nur des Nahverkehrs, ließen sich genaue aktuelle Zahlen der täglich auf dem Hauptbahnhof Leipzig ankommenden und abgehenden Reisenden nicht mehr ermitteln. Betriebszählungen der Reichsbahndirektionen erfolgten nur an wenigen Stichtagen. Den für eine exakte Zählung erforderlichen hohen Aufwand wollte die Deutsche Reichsbahn-Gesellschaft deshalb schon 1928 zur Ermittlung des Reiseverkehrs auf dem Hauptbahnhof während der Frühjahrsmesse nicht tragen. Jedoch ist für den Zeitraum dieser Messe überliefert, daß vom 1. bis 8. März 1928 von deutschen Bahnhöfen 278 056 Fahrkarten nach Leipzig verkauft wurden, 39 Messezüge mit 19 190 Personen, davon elf Züge mit 3947 Personen aus dem Ausland, anreisten. Zusätzlich ließ die Deutsche Reichsbahn-Gesellschaft noch 26 Sonderzüge nach Leipzig fahren und hier den fahrplanmäßigen Verkehr durch 416 Vor- und Nachzüge verstärken, zuzüglich zu den normal verkehrenden Zügen der Abfahrts- und Ankunftstafeln des Reichskursbuches von 1928 *(Bilder 348 bis 350)*. Damals war der 24-Stunden-Tag noch nicht eingeführt, beachtlich die große Zahl der Züge mit Postwagen, die schnellste Postbeförderung ermöglichten, z. B. von Briefpost bis 1000 km Entfernung in 24 Stunden.

345 bis 347 »Bahnsteigführer mit Abfahrtszeiten der Züge«, gültig bis 1. Oktober 1914

348 bis 350 Leipzig Hauptbahnhof. Abfahrts- und Ankunftstafel, Sommer 1928

Laut »Bahnsteigführer« des Leipziger Hauptbahnhofes, gültig bis 1. Oktober 1914 *(Bilder 345 bis 347)*, d. h. noch vor Vollendung des dritten Bauabschnittes des Empfangsgebäudes, verkehrten von hier aus Schnell-, Eil- und Personenzüge in der Richtung Thüringen, Halle, Magdeburg, Berlin und Dresden, Schnellzüge in der Richtung Hof, München, Plauen, Eger (heute Cheb) und Chemnitz über Lausick und Borna – Narsdorf. Allein seine Abfahrtstafel registrierte 144 Personen-, 21 Eil-, 50 Schnell- und zwei Luxuszüge, insgesamt 217 Züge täglich (nur Abfahrt)!

In Bildplänen »über den Lauf und die hauptsächlichsten Anschlüsse der von Leipzig Hbf abfahrenden Schnell-, Eil- und Personenzüge des Fernverkehrs vom Sommer 1929« *(Bilder 351 und 352)* fallen nicht nur die günstigen, auf fahrplanmäßige Pünktlichkeit hindeutenden Anschlußzeiten und besondere Wagenläufe, sondern auch der kurze Aufenthalt von sieben Minuten für den Triebfahrzeugwechsel im Kopfbahnhof auf. Auch der Gepäck- und Expreßgutverkehr jener Zeit *(Bilder 119 und 120)* hatte beachtliche Dimensionen. Die folgenden Zahlen veranschaulichen zugleich die enormen Leistungen der Abfertigungsanlagen und Arbeitskräfte des Hauptbahnhofes jener Zeit:

	Frühjahr 1927		Frühjahr 1928	
	Stück	kg	Stück	kg
Gepäckeingang:				
Tagesdurchschnitt	372	10342	361	10100
Tag vor Messebeginn	3367	164490	4178	175300
Woche vor Messebeginn	9249	334980	11437	400720
Expreßguteingang:				
Tagesdurchschnitt	1578	29513	1378	28810
Tag vor Messebeginn	2735	70180	5022	120110
Woche vor Messebeginn	19859	481540	23965	577970

Zeit	Zug Nr.	Von	Bahnsteig	Zeit	Zug Nr.	Von	Bahnsteig
:9 34	D 144	Dresden-Riesa	11	5 58	470	Dresden-Riesa	21
9.40	251	Chemnitz-Bad Lausick	24	:5.58	D 131	Wesermünde-Bremen-Hannover-Halberstadt	6
9.40	385	Gera-Zeitz	2	6 11	4557	Liebertwolkwitz	26
9.41	1574	Großbothen	19	6 24	1510	Dresden-Döbeln	19
9.42	849	Bad Elster	13	W6 30	877	Corbetha	2
9.47	402	Magdeburg-Bitterfeld	12	6 32	598	Wurzen	20
9.56	4	Berlin	6	W6 35	918	Taucha	7
:10. 5	D 30	Berlin (bis 15. September)	15	6 37	2427	Gaschwitz	16
10. 9	716	Eilenburg	7	:6 38	FD 5	Frankfurt-Erfurt (bis 15. Sept.)	6
10.20	584a	Wurzen (S von Oschatz)	20	6 46	4211	Regensburg-Hof	14
W10.20	906	Taucha	8	7 10	850	Berlin	15
10.28	4531	Liebertwolkwitz	24	W7 11	720	Eilenburg	7
10.39	4227	Gößnitz	16	7 19	1582	Naunhof	20
10.50	665	Corbetha	3	7 24	2441	Borna b Leipzig	24
11.14	433	Magdeburg-Halle (S.)	9	7 24	4559	Liebertwolkwitz	14
11.22	519	Hannov.-Halberst-Halle	10	W7 26	851	Großheringen	24
:11.23	D 22	Berlin	15	7 27	4517	Liebertwolkwitz (S v. Belger. b.)	24
11.32	1506	Dresden-Döbeln	19	7 30	592	Wurzen	19
:11.37	FD 6	Berlin (bis 15. September)	6	S7 33	851	Großheringen	8
11.51	584	Wurzen	21	:7 39	D 31	München-Hof (b s 15. September)	13
11.53	4503	Chemnitz-Bad Lausick	24	7 43	345	Saalfeld (S.)-Gera	6
12. 1	1586	Großbothen	20	7 45	848	Berlin	15
12.27	4207	Hof	15	7 49	1576	Großbothen	20
:12.33	D 255	Chemnitz	24	7 49	439	Magdeburg-Halle (S.)	9
12.35	200	Breslau-Cottbus-Eilenburg	7	S7 53	2218	Pretzsch-Eilenburg	8
:12.35	D 132	Dresden-Riesa	11	7 56	4515	Chemnitz-Bd.Lausick	24
1. 5	387	Saalfeld-Gera	2	7 58	408	Magdeburg-Bitterfeld	12
1.11	472	Dresden-Riesa	19	S8 11	516	Falkenberg-Eilenburg	7
1.17	9	Cassel-Bebra-Erfurt	6	8 12	847	München-Saalfeld-Zeitz	3
1.22	4241	Altenburg	16	8 24	867	Reichenbach (V.)	16
1.35	404	Magdeburg-Bitterfeld	12	8 27	722	Eilenburg	8
:1.42	D 83	Altona-Magdeburg-Halle	15	:8 30	D 141	Köln-Hannover-Magdeb.	15
1.44	586	Wurzen	20	8 34	73	Frankfurt (M.)-Corbetha	2
W1.49	2439a	Gaschwitz	16	8 43	4543	Bad Lausick	24
1.53	4535	Belgershain	24	8 59	480	Dresden-Riesa	19
2. 1	1534	Großbothen	21	9 0	2455	Gaschwitz	16
2.11	859	Weißenfels	3	:9 7	D156	Berlin	14
2.15	718	Eilenburg	7	9 10	1560	Grimma	20
2.36	2431	Gaschwitz	14	9 18	253	Chemnitz-Bad Lausick	24
2.43	435	Magdeburg-Halle	10	S9 22	373	Gera-Zeitz	2
2.50	4505	Chemnitz-Bd.Lausick	24	9 31	855	Erfurt	3
:2.53	D 241	Frankfurt(M.)-Naumburg (S.)	3	:9 33	D138	Dresden-Riesa	11
3. 2	588	Riesa	19	9 44	420	Magdeburg-Bitterfeld	12
3.14	369	Gera-Zeitz	9	9 54	4551	Bad Lausick	24
3.26	1584	Naunhof (Sonnabds. v. Großbothen)	21	:9 58	D 24	Berlin	15
S3.35	910	Taucha	7	9 59	2427a	Gaschwitz	16
3.38	2425	Gaschwitz	16	10 7	1512	Großbothen	21
3.48	1508	Dresden-Döbeln	19	:10 14	D 202	Dresden-Riesa	6
3.49	4209	Plauen i.V.	15	10 18	920	Eilenburg	8
W3.49	422	Wolfen (Kr. Bitterfeld)	12	10 21	855	München-Hof	14
4. 5	4511	Chemnitz-Bad Lausick	24	W10 25	4553	Liebertwolkwitz	24
:4. 7	D 84	Dresden-Riesa	11	S10 31	873	Corbetha	3
4.28	1578	Großbothen	20	10 39	2224	Wittenberg (Pr. Sa.)-Eilenbg.	7
4.36	590	Wurzen	19	S10 45	4555	Belgershain	24
4.38	461	Bremen-Magdeb.-Halle	9	10 47	169	München-Nürnb.-Saalf.-Gera	2
4.43	2439	Gaschwitz	16	10 47	600	Wurzen	21
W4.55	857	Corbetha	3	10 56	453	Magdeburg	10
5.13	3083	Warnemünde - Halle (im Juli und August)	9	:11 9	D151	Wittenberge-Magdeb.	9
				11 14	8.3	Bebra-Naumburg	1
W5.33	4545	Liebertwolkwitz	24	11 15	1580	Grimma	19
5.39	742	Eilenburg	7	:11 18	D 238	Berlin	15
5.40	437	Halle (S.)	9	11 36	2461	Kieritzsch	16
5.41	889	Corbetha	2	S11 41	724	Eilenburg (i. Juli u. August tägl.)	8
:5.45	D29	München-Hof	14	S11 46	1025	Halberstadt-Halle (bis 15. Sept.)	10
5.49	4507	Chemnitz-Bd.Lausick	24	:11 50	D 187	Köln-Cassel-Erfurt	3
:5.51	D 197	M.-Gladbach-Cassel-Bebra	3	11 59	4245	Zwickau	15
5.51	406	Magdeburg-Bitterfeld	13	11 58	4509	Chemnitz-Bd.Lausick	24

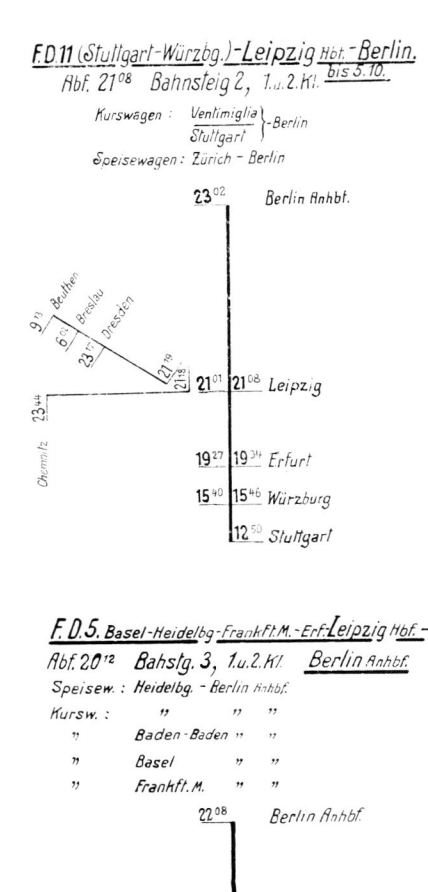

Entsprechend den Abfahrts- und Ankunftstafeln des Sommer-Fahrplanes 1939, gültig vom 15. Mai bis 7. Oktober 1939 (infolge Kriegsausbruchs daraufhin nur bis 29. August '39), dürfte der Hauptbahnhof Leipzig vor dem Zweiten Weltkrieg die dichteste Zugfolge gehabt haben (Bilder 353 bis 356), wenn beim statistischen Vergleich nur die täglich verkehrenden Züge erfaßt werden (Reisezugverkehr ohne S-Bahn). Wie heute war auch damals die Zugfolge in hohem Grade vom Tempo des Triebfahrzeugwechsels durchgehender und von der Bereitstellungszeit der hier eingesetzten Züge auf ihre Ausfahrgleise sowie von der entsprechenden Kapazität der Gleis- und Betriebsanlagen abhängig.

Absolut schnellster, über den Hauptbahnhof Leipzig verkehrender Zug war bisher laut Reichskursbuch Nr. 1 vom 15. Mai 1936 (gültig bis 3. Oktober) der seit diesem Fahrplan eingesetzte Fernschnelltriebwagen FDt 571/572 Berlin Anh Bf – Leipzig – Frankfurt (M). Von dieser Verbindung hatte der FDt 571 die kürzere Fahrzeit, drei Minuten für die Gesamtstrecke weniger als FDt 572:

```
    0   km  Frankfurt (M)  ab   6.40 Uhr
  385,7 km  Leipzig Hbf    an  10.28 Uhr
            Leipzig Hbf    ab  10.30 Uhr
  549,7 km  Berlin Anh Bf  an  11.46 Uhr
```

Er legte demnach die 549,7 km lange Gesamtstrecke in fünf Stunden und drei Minuten mit 108,85 km/h, die 164 km Strecke Leipzig – Berlin Anhalter Bf in nur einer Stunde und 16 Minuten mit 129,47 km/h Reisegeschwindigkeit zurück. Später kamen weitere mit Fernschnelltriebwagen bediente Verbindungen dazu, unter anderem FDt 231/232 Leipzig – Wesermünde, FDt 551/552 Berlin – Leipzig – München und FDt 583/584 Hamburg – Altona – Leipzig – Dresden (Bild 257). Beachtlich war der kurze Aufenthalt auf dem Hauptbahnhof Leipzig.

Der Zweite Weltkrieg brachte dann zunehmende Einschränkungen; auch diese Schnellverbindungen wurden eingestellt. Statt dessen wuchs die Verkehrsbelastung des Hauptbahnhofes durch Wehrmacht-Urlauberzüge und Militärtransporte aller Art, die neben dem Nahverkehr abgefertigt werden mußten. Schließlich hatten die Eisenbahner nach den Zerstörungen der Luftangriffe 1943/1944 den Betrieb auf dem Hauptbahnhof unter unvorstellbar schwierigen Bedingungen *(Bilder 357 und 358)* aufrechterhalten. Den schweren Neubeginn nach Kriegsende verdeutlicht die Abfahrtstafel vom 4. November 1946 *(Bild 360)*. Im selben Jahr empfing der Hauptbahnhof vom 8. bis 23. Mai bereits wieder die Besucher der ersten Nachkriegs-Frühjahrsmesse.

Zwischen diesen Zeugnissen einer Zeit des beginnenden, unerhört schwierigen Aufbaus *(Bild 298)* und den heutigen Bildern vom Verkehr des Leipziger Hauptbahnhofes scheinen Welten zu liegen. Schaut man sich die heutigen Fahrpläne an, sind die Ankünfte und Abfahrten von einst eher bescheiden. Wer denkt heute noch bei der Ankunft des Intercity aus Frankfurt am Main an die „Hamsterfahrten" der Nachkriegszeit. Wie hoch die Personenfrequenz der täglich ankommenden und abfahrenden Reisenden ist, läßt sich nur schätzen. Jedenfalls liegen keine repräsentativen statistischen Angaben darüber vor. Sie lassen sich auch nicht mehr ermitteln, nachdem der Hauptbahnhof Leipzig am 15. Dezember 1957 als erster Bahnhof der Deutscher Reichsbahn seine Bahnsteigsperren abschaffte, die noch eine gewisse Kontrolle des Reisendenaufkommens gestattete. So kann der nach wie vor faszinierende Betrieb dieser großartigen Verkehrsstelle nur im Zusammenhang mit der allgemeinen Verkehrsentwicklung betrachtet und eingeschätzt werden.

Obwohl in den Jahren um 1960 die individuelle Motorisierung in der DDR in erheblichem Maße zunahm und auch der

351 »Bildpläne über den Lauf und die hauptsächlichsten Anschlüsse«: FD 11, Sommer 1929
352 »Bildpläne über den Lauf und die hauptsächlichsten Anschlüsse«: FD 5, Sommer 1929
353 bis 356 Abfahrtstafel, gültig vom 15. Mai bis 7. Oktober 1939, infolge des Kriegsausbruches nur bis 29. August 1939 gültig

Noch Abfahrt von Leipzig Hbf

Zeit	Zug-Nr	In Richtung	Bahnsteig
14.05	E 260	Chemnitz Hbf (hält erstmalig in Narsdorf)	bG 24
⟩14.13 Sa	3527	Wurzen	20
14.15	E 272	Plauen (Vogtl) ob Bf b6 außer vS	16 18
14.19	405	Dessau-Magdeburg Hbf	13
⟩14.21 Sa	4411	Großbothen	23
⟩14.22 vS	4512	Borna-Leipz-Chemnitz Hbf-Cranzahl-Weipert (Kurort Oberwiesenthal)	16
14.31	1511	Döbeln Hbf-Dresden Hbf-Bodenbach	22
:14.37	D 4	Erfurt-Frankfurt (M)-Saarbrücken-Paris Ost	6
14.41	436	Halle (Saale)-Wolmirstedt Sau S bis Magdeburg Hbf	11
⟩14.45 vS	477	Riesa-Dresden Hbf	21
14.45	4538	Liebertwolkwitz	25
14.47	513	Eilenburg-Cottbus-Sagan	8
14.56	3521	Wurzen	22
15.03	4506	Chemnitz Hbf	26
⟩15.05 vS	4220	Werdau-Zwickau-Schwarzenberg-Johanngeorgenstadt	17
★15.08 vS	1026	Halle (S)-Halberstadt ★ nur bis 26. VIII.	10
15.14	E 1613	Bitterfeld-Dessau-Magdeburg Hbf (-Berlin)	12
15.19	D 3	Halle (Saale) (hält nur in Schkeuditz)	11
:15.23	D 190	Eisenach-Kassel-Köln-Arnsberg-Hagen-Wuppertal-Düsseldorf / Paderborn-Soest-Dortmund Süd-München Gl	6
⟩15.26 w	1212	Berlin Anh Bf	5
15.28	906	Naumburg-Jena-Saalfeld	3
15.33	1553	Großbothen-Döbeln Hbf-Meißen	22
:15.38	D 24	Hof-Nürnberg-München ★ v. 23. VII.-28. VIII.	15
15.41	E 262	Chemnitz Hbf	25
15.53	1214	Halle (S) en Außenbahnsteig	10a
15.53	4212	Hof Hbf	17
:15.55	D 21	Berlin Anh Bf	5
15.56	479	Riesa-Dresden Hbf-Bad Schandau	21
16.14	390	Zeitz	3
16.15	4556	Belgershain	26
:16.18	D 207 2. 3.	Dresden-Neustadt-Dresden Hbf-Breslau Hbf (hält erstmalig in Dresden-Neustadt)	6
16.18	499	Eilenburg-Cottbus	8
⟩16.23 w	906	Großkorbetha-(Weimar-Erfurt)	4
⟩16.23	3523	Wurzen	22
★16.24 w	D 184	Halle(S)-Magdeburg-Ludwigslust-Kiel ★ vom 25.-27., 29., 30. V. u vom 24./VI.-3. IX.	10
★16.24	D 184	Halle (S)-Magdeburg-Ludwigslust-Schwerin-Bad Kleinen-Seest-Wismar-Kiel ★ Verk. nicht vom 25.-27., 29. u 30. V. u 24./VI.-3. IX.	11
⟩16.29 w außer Sa	350	Zeitz	6
★16.31 w	D 184	Halle (S)-Magdeburg-Ludwigslust-Schwerin-Bad Kleinen-Seest-Wismar-Kiel ★ Verk v 25.-27., am 29. u 30. V. u vom 29./VI.-3. IX.	11
16.31	423	Dessau-Magdeburg Hbf (in Bitterfeld Anschluß nach Berlin)	13
16.33	2538	w: Narsdorf S: Borna b L	18
⟩16 39 w	438	Halle (Saale)-Magdeburg Hof	11
⟩16 43 w	4544	Bad Lausick	26
16.45	1555	Mo-Fr: Leisnig, Sa: Großbothen S ★ Grimma ★ ab I. X. bis Großbothen	23
16.48	2914	Zöschen-Merseburg	1
16.54	3525	Wurzen	20
17.00	370	Gera-Saalfeld (Saale)	6
17.02	E 66	Halle (Saale)-Halberstadt-Hildesheim-Hannover-Bremen-Wesermünde (L)	10
:17.12	D 205 2. 3.	Eilenburg-Cottbus-Sagan-Breslau	8
17.13	1456	Halle (S)-Magdeburg Hbf	11
:17.19	D 444	Weißenfels-Frankfurt (M)-(Mannheim-Ludwigshafen)	5
17.19	2440	Gaschwitz (Außenbahnsteig)	18a
17.23	884	Großkorbetha-(Eisenach)	4
17.23	1559	Großbothen	22
:17.33	D 131	Riesa-Dresden Hbf	15
⟩17.33	D 185	Riesa	14
⟩17 3b w	721	Falkenberg (Elster)	8
17.36	E 274	Reichenbach (V) ob Bf (-Plauen (V) ob Bf-Hof-Bayreuth-Nürnberg)	17
17.38	3529	Riesa	23
17.40	E 264	Werdau-Zwickau-Schwarzenberg-Johanngeorgenstadt	b6 16
17.43 w	425	Bitterfeld	12
:17.45	D 311	Plauen (V)-Bad Elster-Radiumbad Brambach-Eger	6
✕17.46	FDt 520 2.	Halle (Saale)-Magdeburg-Braunschweig-Hannov-Hagen-Wuppertal-Köln	11
:17.49	D 126	Zeitz-Saalfeld-Nürnberg Hbf	7
17.51	4548	Geithain	26
:17.52	D 84	Döbeln Hbf-Dresden Hbf	14
17.52	E 143	Döbeln Hof-Dresden Hbf bt S bis Saalfeld	20
18.03	1563	Naunhof (S in Beucha Trebsen (Mulde) umsteigen)	21
⟩:18.09 w	FDt 552 2	Nürnberg-München-Stuttgart	bG 6
18.09	419	Dessau-Zerbst	13
18.12 w	348	Gera ob Bf	3
18.19	4242	Werdau-Zwickau (Sachs) Hbf	17
18.23	1216	Halle (S) (hältnur in Schkeuditz) bG 10a Außenbahnsteig	10a
18.24 w	3535	Wurzen	22
18.26	2428	Eilenburg Außenbahnsteig eig	18a
18.30	505	Eilenburg-Finsterwalde (Nieder-)-(Cottbus)	8
18.33	454	Halle (Saale)	11
18.41	1513	Dresden-Saarbrücken-Rom-Schaffhausen-Neapel	5
18.41	877	Weißenfels-Naumburg	5
:18.50	D 11	Halle (Saale)	9
:18.55	D 243	Riesa-Dresden-N Dresden Hbf, Breslau Hbf	6
18.57	4514	Chemnitz Hbf	25
:19.02	FD 7 1.2	Berlin Anh Bf	3
:19.15	FD 5 1.2	Berlin Anh Bf	2
19.17	4450	Riesa	22
19.22	2454	Gaschwitz	18
19.23	E 136	Halle (Saale)-Halberstadt-Goslar-Hildesheim-Hannover Hbf	10
19.28 S	4413	Döbeln Hbf-Dresden-Neustadt	21
:19.31	D 208 2. 3.	Weißenfels-Erfurt-Kassel	6
19.32	E1617	Dessau-Magdeburg Hbf bG	11
19.34	1569	Großbothen	23
19.35	723	Eilenburg	8
19.38	440	Halle (Saale)-Magdeburg-Stendal-Wittenberge	11
19.38	407	Dessau-Magdeburg Hbf	12
19.39	4216	Reichenbach (Vogtl) ob Bf (-Plauen (V))	5
19.42	362	Zeitz	5
:19.44	D 141	Dresden Hbf (hält erstmalig in Dresden-Neustadt)	15
19.44	4550	Bad Lausick	26

Noch Abfahrt von Leipzig Hbf

Zeit	Zug-Nr	In Richtung	Bahnsteig
19.49	E 217	Riesa-Dresden Hbf vS u S bis Rochlitz (Sachs)	bG 20
⟩19.52	D 341	Chemnitz Hbf	14
19.54	3531	Wurzen	19
★⟩:20.00 w	D 1572	Erfurt-Frankfurt (M)-Karlsruhe Für Reisende nach Naumburg (S) und Erfurt ausgeschlossen ✦ Yb6	7
20.03	910	Weißenfels	4
⟩:20.10	D 23	Grimma ob Bf	11
20.13	1571	Grimma ob Bf	21
20.18	1218	Halle (Saale)	13
20.19	1319	Bitterfeld	bG 13
20.30	848	Gera-Saalfeld (Saale)-Nürnberg-Augsburg-München	7
:20.33	D 195	Dresden Hbf (Hält erstmalig in Dresden-N)	6
20.36	2918	Zöschen-Merseburg	1
20.40	1517	Döbeln Hbf-Dresden Hbf-Bodenbach	23
:20.42	⟩323	Berlin Anh Bf	5
20.50	/466	Gaschwitz Außenbahnsteig	18a
20.52	E 109	Eilenburg-Cottbus bis Sagan	8
20.57	D 45	Berlin Anh Bf	3
★:21.02 2. 3.	⟩Lo8	Dresden Hbf (hält erstmalig in Dresden-Neust) ★ v 24./VI. bis 3./IX.	7
⟩21.05	4508	Chemnitz Hbf	26
:21.08	D 156	Hof-Regensburg-Passau-Wien Westbf Für Gesellschafts-, Schul- und Jugendfahrten, Kinder und sonstige Transporte gesperrt	15
⟩21.16 S	1047	Berlin Anh Bf	14
21.18	878	Naumburg-Jena-Saalfeld (Saale)	4
21.21	1654	Halle Saale	bG 10
⟩:21.23 w	FDt 583 2.	Dresden Hbf (Hält erstmalig in Dresden-Neust) ✦	6
21.25	725	Eilenburg	8
21.28	E 266	Plauen (V) ob Bf	bG 15
21.30	E 94	Plauen (V) ob Bf	17
21.34	3541	Wurzen	23
21.35	4214	Werdau-Reichenbach (V)	18
21.39	1321	w Bitterfeld m Dessau eig S Dessau bG	13
21.53	481	Riesa-Dresden Hbf	22
:21.58	D 214 2. 3.	Weißenfe ans Bo Erf-Würzb-Rom-Schaffhausen-Neapel	3
22.01	1222	Halle (Saale)	bG 9
22.09	382	Zeitz	4
22.15	1573	Grimma ob Bf	23
⟩:22.23 S	D 103	Halle (S)-Magdeburg Hbf ★ nicht am 28. V.	10
:22.24	1868	Weißenfels	3
:22.27	D 24	Berlin Anh Bf	6
:22.30	E 164	Zeitz-Gera	5
:22.32	D 226	Hof-Regensburg-Landshut-Freilassing-Salzburg-Badgastein-Klagenfurt / Bad Reichenhall-Berchtesgaden / ✦ v 14./15./VI. bis 19./15./IX.	16
22.32	E 157	Riesa-Dresden Hbf	bG 21
22.36	855	Berlin Anh Bf	14
:22.36	4520	Chemnitz Hbf	25
:22.38	D 138	Halle-Magdeburg-Braunschw-Hannov-Bentheim-Oldenzaal-Vlissingen / Hamm-Unna-Düsseldorf-Amsterdam / Duis.-urg-M-Gladb-Venlo-Vlissingen Für Gesellschafts-, Schul- und Jugendfahrten, Kinder u sonstige Transporte gesperrt	11
22.38	2460	Gaschwitz Außenbahnsteig	18a
22.40	3543	Wurzen	22
22.48	4564	Belgershain	26
⟩:22.58	D 190 2. 3.	Erfurt-Soest-Wuppertal-Köln 1. 2. Duis-urg-M Gladb-Venlo-Vlissingen	5
23.20	462	Köthen (A-h)	11
23.25	E 280	Dessau-Magdeburg-Stendal-Uelzen-Hamburg-Altona 1.2.3.	13
23.25	3545	Wurzen	22
23.37	886	Großkorbetha	4
23.37	711	Falkenberg (Elster)	23
23.41	1515	Nossen	15
:23.48	D 26	Hof-Regensburg-Landshut-München / Craitsheim-Ulm-Friedrichshafen Gera-Nürn-berg-Lindau (bis 13./VI. u 2. VI. bis 13./VI. u 10./11./IX.)	3
23.5 vSnS	2912	Zöschen-Merseburg	1
23.54	E 268	Chemnitz Hbf	25
23.54	1455	Dessau Hbf (S.nS Anschl Dessau R)	12
:23.58	D 203 2. 3.	Riesa-Dres-den-N Dresd Hbf Breslau-Heydebreck	20
:23.59	D 290	Halle-Nordhausen-Northeim-Soest-Wuppertal-Köln / Duisburg-Düsseldorf	6

Züge mit beschränkter Verkehrsdauer sind durch ★ vor der Ankunftszeit gekennzeichnet
✦ Fernschnellzugwagen mit beschränkter Platzzahl und beschränkter Gepäckbeförderung Benutzung nur mit Platzkarte oder Zulassungskarte
✚ FDt 520 verkehrt erst von einem noch bekannt zu gebenden Tage an.

357 Puffer- und Trittbrettfahrer, Waggondach als Gepäckablage, 1947
358 Teilansicht der Schürzen der beschädigten Bahnsteighallen, 1947

öffentliche Kraftverkehr neben dem Empfangsgebäude „kräftig zulegte" – nach Feststellung des damaligen Ministers für Verkehrswesen Erwin Kramer übertraf der Berufsverkehr mit Kraftomnibussen den der Eisenbahn bei weitem – standen bei dem allgemein zu beobachtenden Trend bei der Deutschen Reichsbahn verschiedene qualitative und quantitative Entwicklungen gegenüber, die sich auch ganz gravierend auf den Betrieb im Leipziger Hauptbahnhof auswirkten. An erster Stelle sei die fortschreitende Elektrifizierung zu nennen, die es gestattete, mit leistungsstärkeren Lokomotiven größere Zugmassen durch Erhöhung der Wagenzahl bei gleichzeitig größeren Reisegeschwindigkeiten zu befördern. Als Beispiel sei an dieser Stelle nur genannt, die Erhöhung der durchschnittlichen Reisegeschwindigkeit auf der Strecke Leipzig–Riesa–Dresden in den Jahren 1974/75 auf 90 km/h. Die Hauptstrecken in Richtung Halle, Berlin und Erfurt wurden für 120 km/h Höchstgeschwindigkeit ausgebaut. Die Einführung des Städteschnellverkehrs im Jahre 1960 brachte ebenfalls eine Verbesserung des Personenfernreiseverkehrs mit sich. Jeden Morgen und jeden Abend bewegen sich auf den Bahnsteigen des Hauptbahnhofs dichte Personenströme, wenn der Berufsverkehr „auf vollen Touren" rollt. Aber auch während der Urlaubszeit und zur weltweit bekannten Leipziger Messe ist der Bahnhof mit all seinen Anlagen stark frequentiert. Seine vorerst letzte große Bewährungsprobe bestand der Leipziger Hauptbahnhof nach der Öffnung der innerdeutschen Grenzen Ende des Jahres 1989, als überlange und total überfüllte Schnellzüge in Richtung Berlin-West und die Bundesrepublik abfuhren, denen die gewiß großzügig bemessenen Bahnsteige oft noch zu kurz waren.

Deutsche Reichsbahn   Reichsbahndirektion Halle

Leipzig Hbf Abfahrt

Stand: 4. 11. 1946

Zeit	Zug-Nr	nach	Bahnsteig	Zeit	Zug-Nr	nach	Bahnsteig	Zeit	Zug-Nr	nach	Bahnsteig
⟩ 3.15 w	4520	Geithain (hält nicht überall)		15.03		Großbothen	21	15.05	479	Dresden Hbf (hält nicht überall)	21
3.20	4202	Plauen V, ob Bf (hält nicht überall)	16	⟩ 9.27 Sa	2536	Borna - Geithain	17	⟩15 09 w auß Sa	4572	Liebertwolkwitz	26
					405	Dessau	13				
				9.41	454	Halle (fährt bis Schk durch)	11	15.15	503	Cottbus	8
				9.43	1328	Zeitz	6	⟩15 18 w auß Sa	413	Dessau	13
				9.57	1806	Weißenfels (hält nicht überall)	5				
					1507	Dresden Hbf S: Döbeln (hält nicht überall)	26	15.49	2914	Leuna Brücke	6
4.00	1810	Weißenfels	5								
4.15	1322	Zeitz	4								
4.17	307	Dessau	12					16 20	442	Magdeburg	10
	430	Magdeburg (hält nicht überall)	9					:16.28 ◆	DD 121	Berlin Anh	14
4.57	4218	Altenburg S: Neukieritzsch	17					16 31	415	Magdeburg	13
					D 83	Dresden-N	14	16 35	1555	Rochlitz	20
				:10.16 ◆	D 45	Berlin Anh	3	16 47	1844	Weißenfels	5
					475	Dresden Hbf (hält nicht überall)	21		40	Borna - Geithain	18
				10.41	2499	Eilenburg	8	16 50	3415	Trebsen	19
5.07	448	Halle	11		456	Halle (hält nur in Schk)	11	16 55	2916	Leuna Brücke	4
5.10	399	Dessau	13						146	Halberstadt	11
5.15	1804	Weißenfels	6					⟩16 57 w	515	Wurzen	21
5.24	3503	Wurzen	21					16 5	4574	Bad Lausick	24
5.25	2 04	Leuna Brücke	3		860	Plauen (V) ob Bf (hält nicht überall)	17	⟩16 57 S	450	Chemnitz	26
5.41 w	2534	Neukieritzsch	17		E 166	Gera Hbf					
5.45	1541	Rochlitz	20	:11.05 ◆	D 184	Warnemünde	14				
⟩ 5.50 w	Te 319	Bitterfeld	9		4504	Chemnitz	7				
5.59	401	Dessau	14	⟩11.15 Sa	4222	Altenburg	18		E 204	Eilenburg	7
				11.26	409	Dessau Sa: Güterglück	13		D 84	Magdeburg	18
				⟩11.58 Sa	4224	Zwickau	18	⟩17 25 w	4508	Chemnitz (hält nicht überall)	25
								:17 30	D 18	Dresden-N	14
6.00	450	Halle	11					17 32	2507	Eilenburg	8
	E 252	Chemnitz	25					17 38	462	Halle (hält nicht in Lna)	10
	802	Eisenach hält bis Weißenfels nicht überall	5	:12.00 ◆	Td 254	Chemnitz (nur 2. Kl) (S - ohne Zulassungskarten)	25	17 40	D 6	Erfurt	5
⟩ 6.26 w	4570	Bad Lausick	26	⟩12.04 Sa	4572	Liebertwolkwitz	26	17 40	D 146	Zwickau	15
6.30	432	Magdeburg (hält nicht überall)	10	12.08	290	Leuna Brücke	6	17 47	370	Gera Hbf	6
6.32	3507	Wurzen	21	⟩12.28 auß Sa	5224	Altenburg	18	17 50	4212	Plauen V) ob Bf (hält nicht überall)	17
	D 100	Magdeburg	11	12 35	458	Halle	10	⟩18 02 w	3517	Wurzen	20
6.58	2495	Eilenburg	8	⟩12.50 Sa	2910	Leuna Brücke	1	18 06	444	Magdeburg (hält bis Hl nur in Sd)	11
								18 0	Td 260	Chemnitz (nur 2. Kl)	25
								18 21	417	Dessau	13
								18 22	1559	Döbeln	21
7 00	1505	Döbeln	20					18 45	4548	Geithain	24
7.03	4286	Plauen V) ob Bf (hält nicht überall)	16	13.00	340	Saalfeld	4				
7.05	1324	Zeitz	4	13.07	438	Magdeburg (hält bis Hl nur in Sd)	11				
	847	Berlin Anh (hält nicht überall)	14	13.09	1549	Großbothen	20				
⟩ 7.17 S	4510	Bad Lausick	24	13.11	842	Eisenach (hält bis L-Leutzsch nicht)	5	19.18	1826	Weißenfels	5
	353	Cottbus	7					19 20	446	Köthen	11
7.30	878	S: Saalfeld w: Großheringen	6	13 12	411	Dessau	13				
: ◆	DD 20	Dresden-N	19	13.15	3413	Trebsen	24				
7 37	4572	Chemnitz (hält nicht überall)	25	13 30	3513	Wurzen	21		1828	Weißenfels (hält nicht überall)	5
7.45	452	Halle (hält nicht überall)	11	13.30	4506	w: Chemnitz S: Geithain	25	20 08	419	Zerbst	14
7.47	3403	Trebsen	26					20 49	1344	Zeitz	4
	403	Magdeburg	13		4210	Plauen (V) ob Bf (hält nicht überall)	16	20 53	1569	Großbothen	20
7.59	465	Dresden Hbf (hält in Wurzen nicht)	21	13.52	4226	Altenburg (hält nicht überall)	17				
	378	Saalfeld (hält nicht überall)	5	14 00	1511	Dresden Hbf (hält nicht überall)	20	21 00	1830	Weißenfels hält bis L-Leutzsch nicht)	8
	658	Zwickau (hält nicht überall)	17		1336	Zeitz	5	21 00	509	Eilenburg	5
	3549	Wurzen	19	Sa	413	Dessau	13		w 2918	Leuna Brücke	6
8 42	532	Halberstadt (hält nicht überall)	11	14.55	460	Halle	11		4550	Bad Lausick	24
								21 33	421	Dessau	13
								21 35	464	Halle (hält nicht in Lna u Gk)	11
								21 40	3514	Wurzen	21
								21 43	4234	Neukieritzsch - (Gera Hbf)	18

Züge ohne Zeitangabe verkehren nur auf besondere Anordnung
◆ = Zug ist nur mit Zulassungskarte benutzbar

359 Abzeichen für Teilnehmer der Europäischen Reisezug-Fahrplankonferenz (C.E.H.) in Leipzig, 1958
360 Abfahrtstafel, Stand: 4. November 1946

361 Teilansicht des Ostflügels des Empfangsgebäudes. »Schlangestehen«, um eine Reisegenehmigung zu erwerben, 1948
362 Teilansicht des Westflügels des Empfangsgebäudes mit »Fiaker« auf dem Parkplatz, 1948

DIE SIEBZIGER UND ACHTZIGER JAHRE IN BILDERN

363 In den letzten beiden Jahrzehnten endete der Einsatz von Dampflokomotiven und mit der vollständigen Umstellung auf die elektrische Traktion wurde 1969 die Leipziger S-Bahn in Betrieb genommen. – Hier ein Zug der Linie S 2 nach Gaschwitz, 1971

364 Teilansicht der Bahnsteighallenkonstruktion. Die Halberstädter 01 2137-6 mit einem Messesonderzug, 1979
365 Teilansicht der westlichen Längsbahnsteighalle mit Gepäckbahnsteig. Die 01 2204-4 des Bw Saalfeld kommt mit dem Eilzug E 802 aus Sonneberg, 29. März 1980
366 Diesel-Rangierlokomotive der Baureihe 106 vor dem ehemaligen Heizhaus A – später Bw Nord
367 Die 01 2204 mit dem E 805 nach Sonneberg im April 1980
368 Blick in eine Längsbahnsteighalle
369 Rekolokomotive 22 028 am 22. April 1969 mit P 1380 nach Saalfeld (Saale) bei der Ausfahrt aus dem Hauptbahnhof Leipzig

370–375 Neubau- und Rekolokomotiven verrichteten noch in den siebziger Jahren vor Reisezügen ihren Plandienst

376–384 Diesel- und Elloks bestimmen in den siebziger Jahren nach und nach das Bahnhofsbild

385–387 S-Bahn-Verkehr im Jahre 1988
388 Eröffnung der Stadtschnellbahn am 12. Juli 1969 anläßlich des V. Turn- und Sportfestes der DDR
389 Triebwagenzug der Baureihe 280
390 Steuerwagen der S-Bahn Leipzig
391 Die E 11 032 im S-Bahn-Einsatz auf Linie S 1 kurz nach Verlassen des Verkehrstunnels I

392 Messe-Werbung in der Querbahnsteighalle Ende der achtziger Jahre

393 Der Bahnhofsvorplatz vom Hochhaus aus gesehen, in der Bildmitte die beiden Interhotels »Astoria« und »Merkur«

394 Die Osthalle des Hauptbahnhofes vom Eingangsbereich des Querbahnsteiges aus gesehen

395 Über die 10 Meter breite Freitreppe ist der 3,84 Meter höher gelegene Querbahnsteig zu erreichen

396 Von der Osthalle aus kann man die Westhalle über diese 100 Meter lange und 12 Meter breite Passage mit Service-Einrichtungen erreichen

397 Speiserestaurant im ehemaligen Wartesaal 1. und 2. Klasse (Osthalle). Die Deckengestaltung entspricht im wesentlichen in Form und Farbgebung wieder dem Originalzustand
398 Eine historische Aufnahme des Weinrestaurants
399 Auch der Speisesaal wurde wieder in seiner alten Schönheit rekonstruiert

400 Auch in der Westhalle führt eine 10 Meter breite Freitreppe zum Querbahnsteig. Im Erdgeschoßbereich sind neben der Gepäckaufbewahrung mehrere Geschäfte, ein Cafè, Fahrkarten- und Platzkartenschalter untergebracht
401 Blick von der Westhalle in den Verbindungsgang zur Osthalle
402 Die Querbahnsteighalle im abendlichen Licht – dabei zeigt sich, wie gut die neue Deckenkonstruktion mit der alten Architektur harmoniert

403 Blick vom östlichen Teil der Querbahnsteighalle
404 Das Ende der Dampflok-Traktion im Hauptbahnhof steht kurz bevor: die 35 1113 am 19. September 1984
405 Abendliches Intermezzo: die 118 316 heizt ihren Reisezug vor . . ., 21. Februar 1985
406 Am Bahnsteig 10 ist eine 243er mit einem Schnellzug angekommen . . .
407 Fast 50 Jahre lang waren die Elloks der Baureihe E 44 (244) in Leipzig zu Hause, hier die 244 124 am 4. Februar 1985
408 Die Traditionslok 218 019 unter der gewaltigen und zugleich filigranen Hallenkonstruktion, August 1985

Nächste Doppelseite:
409 Blick vom Universitätshochhaus auf den Hauptbahnhof und dessen Vorfeld – vgl. dazu auch das beiliegende Faltblatt mit dem Lageplan 1915

219

410 Der Hauptbahnhof im Abendlicht aus der unmittelbaren Nähe des Interhotels «Astoria» gesehen
411 Hinter den Hallenschürzen: die Silhouette von Leipzig
412 Die westliche Schürzenhalle bei Nacht

413 Ein imposantes Panorama bietet sich den Reisenden bei der Ankunft im Hauptbahnhof Leipzig

414 Nur in Leipzig waren die unverwechselbaren Rangierlokomotiven der Baureihe 107 eingesetzt, im Vordergrund ein S-Bahn-Zug

415 Von Mitte der sechziger Jahre bis Anfang der achtziger Jahre kamen die SVT der Baureihe 175 des Bw Berlin-Karlshorst als »Karlex« nach Leipzig

416 Reger Zugverkehr im Vorfeld in der Nähe des unverwechselbaren Stellwerkes B 3

417 Wie ein Fels in der Brandung wacht das Stellwerk B 3 über die Berliner Strecke, die Strecke nach Halle/Erfurt und den umfangreichen Rangierverkehr

418 Dieses Panorama bietet sich vom Stellwerk B 3: Brandenburger Brücke mit dem Postbahnhof im Hintergrund

419 Blick vom B 3 auf die Strecke nach Halle/Erfurt

420 Ansicht des Querbahnsteiges mit den Promenaden in Richtung Osten

DIE NEUNZIGER JAHRE

13

229

Zunächst blieb die Deutsche Reichsbahn nach der Wiedervereinigung der deutschen Staaten am 3. Oktober 1990 als selbständige Einheit weiter bestehen. Letztes gemeinsames Kursbuch mit der Deutschen Bundesbahn war die Jahresausgabe 1992/93, gültig vom 31. Mai 1992 bis 22. Mai 1993. Aus dem Sondervermögen Deutsche Reichsbahn und der Deutschen Bundesbahn wurde am 1. Januar 1994 die Deutsche Bahn Aktiengesellschaft (DB AG) gegründet. Die Deutsche Reichsbahn existiert seitdem nicht mehr.

Von der Vision zur Wirklichkeit - Ein Traum wird realisiert

Seit der Eröffnung 1915, der Zerstörung im Zweiten Weltkrieg und dem Wiederaufbau erlebte das Innere des Hauptbahnhofs Leipzig in den neunziger Jahren seine größte Bauphase. Am 1. März 1994 schrieb die Bahnhof Management und Entwicklungsgesellschaft mbH (BME), Frankfurt am Main, einen Architektur-Wettbewerb mit der Anforderung aus, die Gestaltung des Hauptbahnhofs und seine städtebauliche Einordnung zu verknüpfen. Er wurde von der Hentrich-Petschnigg & Partner KG (HPP), Düsseldorf, gewonnen.

Professor Angerer, Vorsitzender des Preisgerichtes, zeichnete diese Arbeit nach eingehender Prüfung durch 13 Preisrichter und viele Sachverständige mit dem ersten Preis aus. Sie wurde einstimmig zur weiteren Bearbeitung und Ausführung empfohlen. »Die ursprüngliche Befürchtung, daß bei der Unterbringung des umfangreichen Raumprogramms Konflikte zwischen Denkmalpflege und Wirtschaftlichkeit auftreten könnten, war gegenstandslos. Das mit dem ersten Preis ausgezeichnete Projekt beweist, daß durch die neue Nutzung das bedeutende Bahnhofsgebäude in seiner Struktur nicht angetastet werden muß und trotzdem die funktionellen, konstruktiven und wirtschaftlichen Belange zu erfüllen sind. Die neue Nutzung wird wesentlich dazu beitragen, den Hauptbahnhof Leipzig in seiner Bedeutung für das städtische Leben zu aktivieren« (Angerer).

Der Hauptbahnhof Leipzig wurde in der »Eisenbahnzeit« entworfen und gebaut. Heute, in der Epoche des Straßenverkehrs, mußte das weniger frequentierte »alte« Bauwerk Reisenden, kauflustigen Stadtbewohnern und Interessierten aus Stadt und Land zugleich erschlossen sowie entsprechend umgestaltet werden, um neuzeitliche Ansprüche zu befriedigen.

Im Erläuterungsbericht von HPP zu ihrem unter 30 Bewerbern preisgekrönten Entwurf heißt es unter anderem:

Erschließung: *Von der Stadt aus wird der Bahnhof fußläufig primär über die bestehenden Verbindungsachsen zur West- und Osthalle ebenerdig erschlossen. Die Umgestaltung des Stadtraumes zwischen Altstadt und Bahnhof, der Willy-Brandt-Platz, gestaltet diese Situation für den Passanten enorm attraktiver. Die klare Entwicklung eines qualitätsvollen Stadt- und Grünraumes, der Rückbau und die Verlagerung des Individualverkehrs und des ÖPNV reduzieren die stadtbaulichen und verkehrstechnischen Probleme auf ein Minimum. Ver- und Entsorgung erfolgen jeweils separat über die Ost- und Westflügel des Bahnhofes. Additiv zur ebenerdigen Erschließung besteht die unterirdische Erschließung des Bahnhofes über einen neu geschaffenen Pavillon am Willy-Brandt-Platz in der Achse der Westhalle. Der »Bahnhofspavillon« reduziert stadträumlich die Distanz zwischen Altstadt und Bahnhof und wird unterirdischer Verknüpfungspunkt der Stadt, des S-Bahn-Haltepunktes und des Bahnhofes. Die attraktive Passagenverbindung zwischen Bahnhofspavillon und Bahnhof kann temporären Charakter haben, zum Beispiel Öffnung während der Ladenzeiten. Die Erschließung des Bahnhofsgebäudes erfolgt über die bestehenden Eingangshallen, Querbahnsteigeingänge und einen neu geschaffenen Eingang in der Mitte des Bahnhofsvorplatzes. Von allen Punkten aus erreicht der Fußgänger auf direktem Wege den zentralen Verknüpfungs- und Kommunikationsbereich in der Querbahnsteighalle, eine linsenförmige Öffnung, welche EG und Querbahnsteighalle räumlich verbindet. Hier werden zum einen die Funktionen des Bahnhofes, das Sich-Fortbewegen, und zum anderen die neuen Nutzungsinhalte wie Einkaufen und private Dienstleistungen eingebunden, verstärkt wahrgenommen und transparenter erlebbar gemacht.*

Gebäudestruktur: *Der vorliegende Entwurf entwickelt in der Hauptsache eine räumliche, vertikale Verbindung des Bahnhofsgebäudes/Querbahnsteighalle. Der zentrale Kommunikationsbereich, die linsenförmige Öffnung im Querbahnsteig, fungiert als räumliches Verbindungselement zwischen EG und Querbahnsteighalle, dem zum Teil unter die Gleise geschobenen Einkaufszentrum bis hin zu dem „Satelliten" über den Gleisen. Der Linse zugeordnet befinden sich die primären vertikalen Verbindungselemente sowie Einzelhandel und private Dienstleistung, Gastronomie und Verweilzonen, die den kommunikativen Aspekt der Öffnung verstärken. Somit wird sie zum Forum und zur zentralen Drehscheibe des Multifunktionszentrums. Das Erdgeschoß definiert durch die Zuordnung von Einzelhandel und Dienstleistung einen neuen Schwerpunkt. Verstärkend zur bestehenden Bahnhofsnutzung tritt dieser Aspekt im 1. OG der Gleisebene und im 2. OG in der direkten räumlichen Konfrontation mit der bestehenden Nutzung des Bahnhofes auf. Den inhaltlich neu geschaffenen, nutzungstechnischen Abschluß nach oben in den Geschossen 3 und 4 bildet die fremd- und bahneigene Büronutzung.*

Denkmalpflege: *Der Bahnhof Leipzig ist in seinem momentanen Zustand ein Baudenkmal höchsten Ranges in bezug auf seine äußere Gestalt und seine verkehrstechnischen Inhalte. Durch die städtebauliche Neudefinition des Stadtraumes zwischen Altstadt und Bahnhof und dem Willy-Brandt-Platz erfährt der Bahnhof eine adäquate Aufwertung bezüglich seines städtebaulichen Stellenwertes. Die durch den Platz entstandene Integration in den städtebaulichen Kontext arrondiert hier die städtebauliche Situation in Anlehnung an den historischen Zustand und belebt funktional die zum Teil brachliegende, undefinierte Fläche. Der Entwurf beschränkt sich in der Umnutzung des Bahnhofes auf einen Eingriff in die vorhandene Substanz: eine die historische*

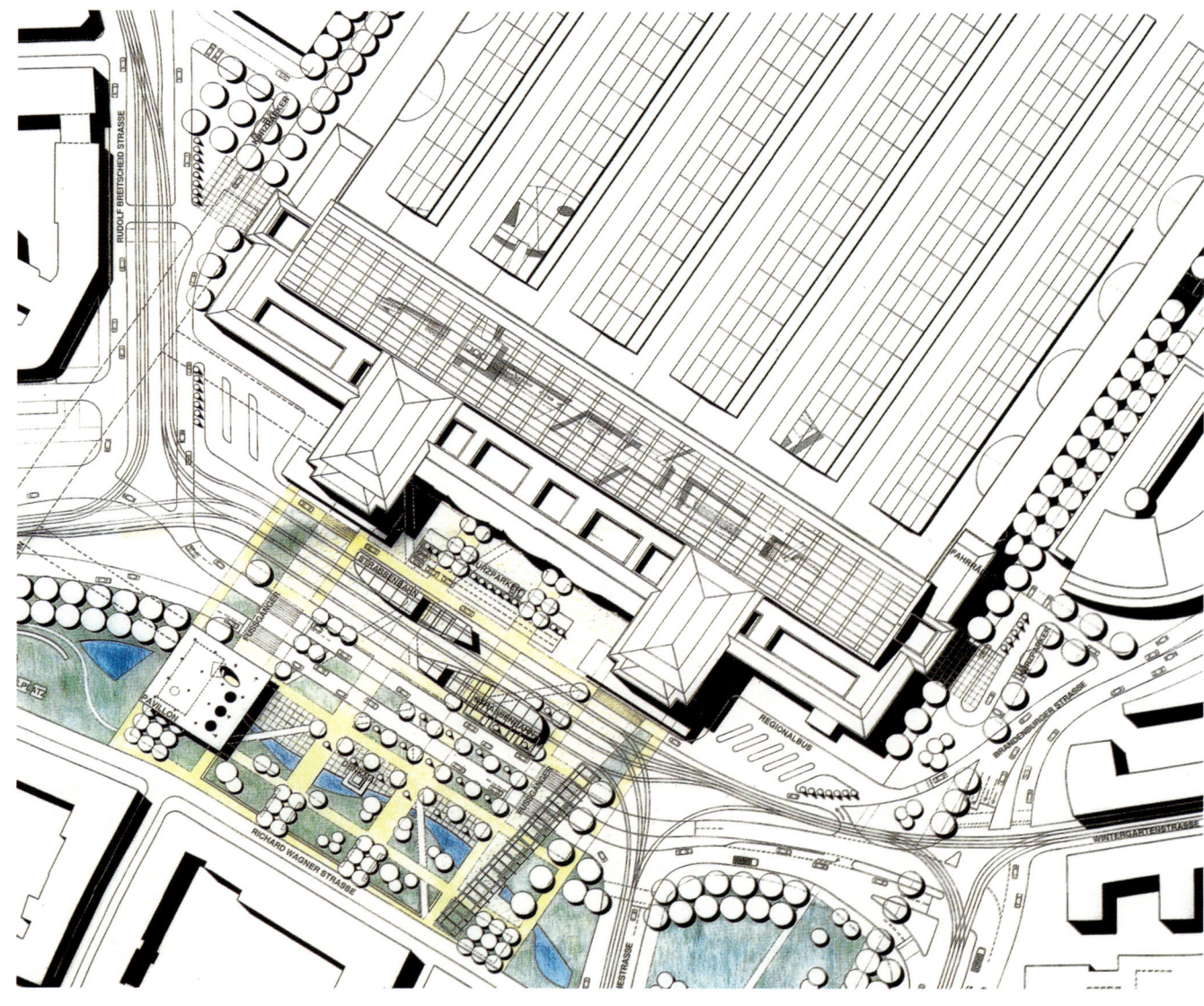

421 Grundriß der Gesamtanlage mit Anschluß an die City

Substanz respektierende, linsenförmige Öffnung im Querbahnsteig, die formal und funktional räumliches Verbindungselement im Querbahnsteig wird. Die vorgeschlagene neue Dachkonstruktion soll als eine mögliche Veränderung, nicht als konzeptbestimmender Zwangspunkt verstanden werden. Die vorhandene Dachkonstruktion entspricht durch die Zerstörung im Zweiten Weltkrieg nicht der historischen Situation. Der neu entwickelte Dachabschluß unterstützt positiv die historisch-räumliche Qualität des Querbahnsteiges und bildet durch seine filigrane Gestalt den transparenten Abschluß des multifunktionalen Zentrums. Die alten Wartesäle erfahren durch die Kultur- und Kongreßnutzung ihrer historischen Substanz entsprechende neue Inhalte.

Das Projekt sollte beispielhaft für große deutsche Bahnhöfe sein. Bauherr war der DB Immobilienfonds 7. Projektentwicklung, Projektsteuerung und Management oblagen der BME, die Generalplanung der ECE Projektmanagement GmbH Hamburg in Zusammenarbeit mit dem Preisträger HPP-Architekten Düsseldorf.

Am 29. April 1994 wurde der Grundstein für die Restaurierung und Modernisierung des Hauptbahnhofes Leipzig durch ECE-Manager Dr. Kraft, Oberbürgermeister Hinrich Lehmann-Grube, Bahnmanager Lepper, Banker Wetteskind und Sachsens Wirtschaftsminister Schommer gelegt. Das Ereignis fand in einer riesigen, etwa 10 Meter tiefen, über Nottreppen erreichbaren Baugrube inmitten des Querbahnsteiges statt. Viele der geladenen Gäste konnten sich in dieser Atmosphäre die Realisierung des Projektes, den Bahnhof zu den »attraktivsten und schönsten Deutschlands« (Lepper) umzubauen, noch nicht vorstellen.

Appelle, wie eine »Impulswirkung für die Innenstadt«(Lehmann-Grube) und Schommers Aufruf zu weiteren Investitionen durch die Deutsche Bahn AG, sollten die Anwesenden aufrütteln. Martin Lepper, Vorsitzender

des Geschäftsbereiches Personenbahnhöfe, ließ wissen, daß auf den Gleisen 24 bis 26 eine Auto-Parkdeck trotz des Einspruchs von ca. 30.000 Leipzigern, darunter Gewandhauskapellmeister Masur, Superintendent Magirius, Universitätsdirektor Weiss, gebaut werde. Der Bürgerprotest rang aber trotzdem der Bahn das Zugeständnis ab, Parkdecks nur unterhalb der genannten Bahnsteige und in Bahnsteighöhe anzulegen, hier verdeckt durch eine Dauerausstellung historischer Eisenbahnfahrzeuge, um damit den Denkmals- und Handelserfordernissen gleichermaßen Rechnung zu tragen. Insgesamt wurden auf der Ost- und Westseite des Hauptbahnhofes Parkmöglichkeiten für rund 1300 Autos geschaffen.

Für das riesige Bauvorhaben sollten maximal etwa 1000 Arbeitskräfte eingesetzt werden und nach seiner Vollendung im Hauptbahnhof ca. 1000 Arbeitsplätze zusätzlich entstehen. In der Tat arbeiteten wegen des zunehmenden Termindrucks bei mehr als 100 Firmen schließlich bis zu 2000 Menschen am Umbau des Bahnhofes. Auf der riesigen Baustelle herrschte »Babylonisches Sprachgewirr«.

Um den Querbahnsteig in seiner monumentalen Wirkung nicht zu beeinträchtigen, wurden außerdem zwei aus Glas und Stahl bestehende »Satelliten« hineingestellt, die sowohl Reisenden als auch Besuchern dienen.

Mit der festlichen Grundsteinlegung wurde, wie es in der Einladung hieß, ein »Meilenstein in eine positive Zukunft gesetzt. Der Hauptbahnhof wird seine Bedeutung als Reise-, Kultur- und Kommunikationszentrum der Sachsenmetropole zurückerlangen und den Menschen der Region ein echtes Einkaufserlebnis bieten«.

Nach Fertigstellung seiner Modernisierung und Restaurierung wurde der Hauptbahnhof Leipzig am 12. November 1997 durch Bundeskanzler Helmut Kohl vor etwa 900 Gästen im Beisein von Bahnchef Dr. Ludewig, Leipzigs neuem

422 Querschnitt durch den Querbahnsteig mit den »Promenaden«

Oberbürgermeister Tiefensee sowie Dr. Kraft, Vorsitzender der Geschäftsführung der ECE, in der Osthalle festlich wiedereingeweiht. Helmut Kohl sagte unter anderem: »Der Bahnhof sei wieder wie in seiner besten Zeit eine gute Visitenkarte der Bahn, die Sanierung des größten Kopfbahnhofes Europas ein hervorragendes Beispiel für den Aufbau Ost. Das Projekt zeige, was sich mit neuen Ideen und gutem Willen aller Beteiligten realisieren lasse. Die Renaissance der Bahnhöfe sei auch eine Renaissance der Bahn.«

Bundesbahnchef Ludewig betonte: »Der Hauptbahnhof mit seinen ‚Promenaden' ist ein Impulsgeber für die Stadt.«

Insgesamt wurden für die Vorbereitung des Projektes und die erforderlichen Baumaßnahmen rund 500 Millionen Mark aufgewendet. Davon finanzierten private Investoren über 400 Millionen Mark, ein gewaltiger Beitrag, der erstmalig in Deutschland zur Modernisierung eines Bahnhofes geleistet wurde.

An den »Promenaden« stehen nun auf drei Ebenen mit 30.000 qm Fläche rund 140 Läden, fast 2.000 qm gastronomische Einrichtungen für maximal 1.500 Personen und ca. 7.500 qm Bürofläche zur Verfügung, so daß die Deutsche Bahn jetzt hier täglich ca. 30.000 Personen mehr als vor dem Umbau zählt. Vorher war die Zahl der Reisenden auf etwa 50.000/Tag gesunken.

Der Hauptbahnhof Leipzig heute

Zur Ausführung der im November 1995 begonnenen Bauarbeiten mußten die unteren Geschosse der Querbahnsteighalle und ihre Anschlüsse umgestaltet sowie die Längsbahnsteige mit den Prellböcken für den behelfsmäßigen Zugang parallel zum abgetragenen Untergeschoß des Querbahnsteiges verkürzt werden. Im Oktober 1996 wurde

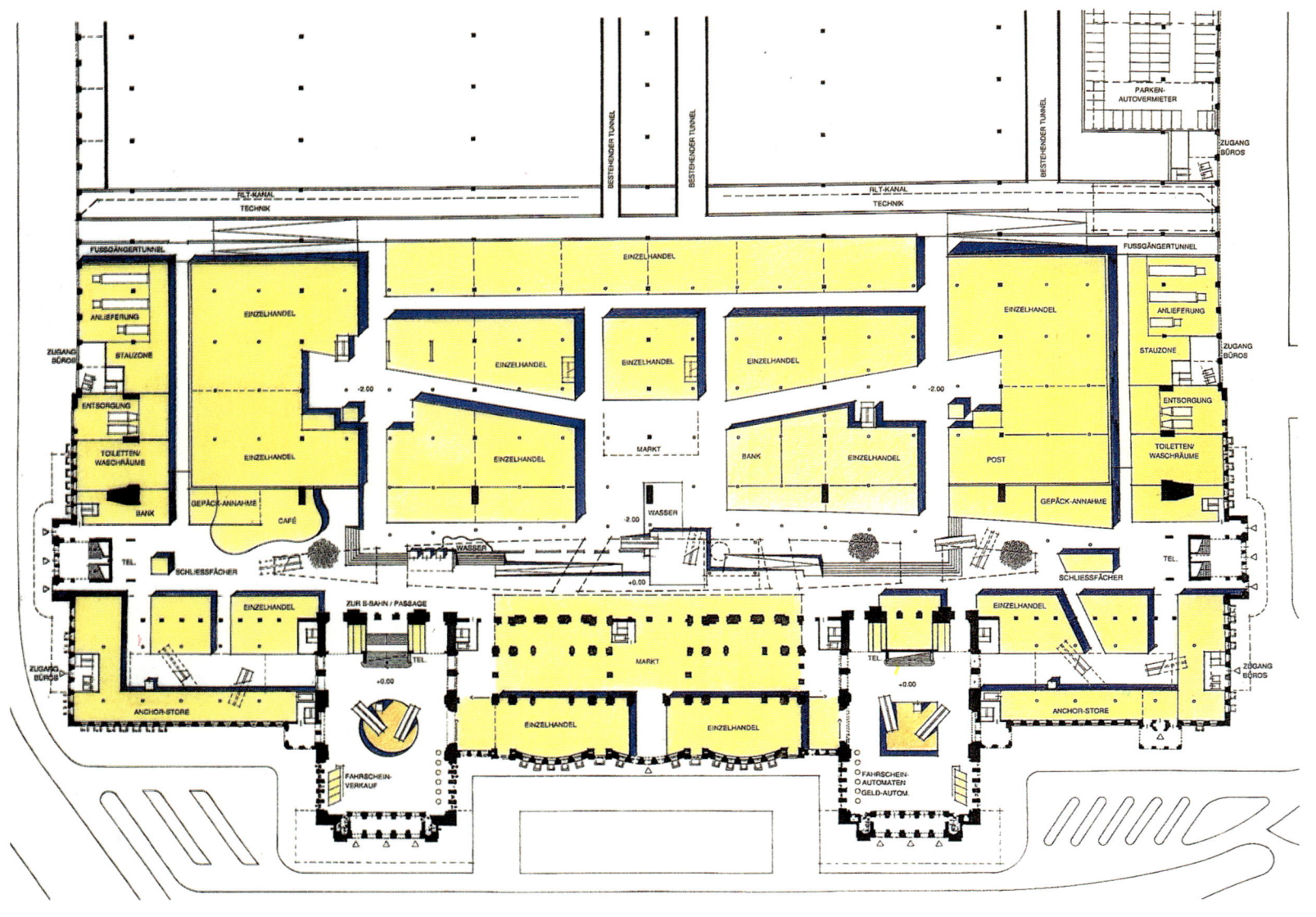

423 Grundriß des Erdgeschosses

zunächst das Reisezentrum in der Mitte des Empfangsgebäudes vollendet. Richtfest für die »Promenaden« war dann am 3. Februar 1997, mit Festreden von Kurt Biedenkopf, Ministerpräsident von Sachsen, und Heinz Dürr, Vorstandsvorsitzender der Deutschen Bahn AG.

Der Hauptbahnhof Leipzig steht nun äußerlich wie einst da. Alle Dächer, Fassaden usw. sind erneuert. Die Kuppeln der Ost- und Westhalle erhielten neue Glasdächer unter einem zuvor errichteten regenschützenden provisorischen Dach. 27.000 qm Fassaden wurden gereinigt, die Fenster ausgewechselt, 60.000 m Fugen instandgesetzt.

Die Erneuerung des Fußgängertunnels, durch den man von der City in die Westhalle des Hauptbahnhofes gelangt, wurde erst im Frühjahr 1997 begonnen und dann schrittweise ausgeführt. Über Rolltreppen erreicht man das neue Erdgeschoß, und Rolltreppen laden auch zum Spaziergang auf dem Querbahnsteig ein.

Für die Überdachung des Querbahnsteiges wurden neuartige Kunststoffplatten erprobt und 3 Meter darüber erneut verlegt. Zugleich erhielt die Decke einen passenden hellgrauen Farbanstrich und eine neue Beleuchtung, die den Querbahnsteig in strahlendes Licht taucht. Die alten stadtseitigen Fassaden erhielten durch Mikro-Sandstrahlung einen ansprechenden Anblick.

Zwischen den »Promenaden« des Querbahnsteiges und den Längsbahnsteigen nehmen 24 t schwere Bogenbinder aus Stahl die Verglasung auf, so daß die Reisenden in der kalten Jahreszeit bei angenehmen Temperaturen auf die Abfahrt ihres Zuges warten können. Zur Klimatisierung und Heizung der Einkaufs-»Promenaden« mußte der Luftkubus des Querbahnsteiges von den Längsbahnsteighallen durch Spezial-Verbundglasscheiben 1,50 m x 1,50 m mit einem Gewicht von 45 kg je Scheibe getrennt werden. Die alten historischen Wartesäle, die östliche und westliche Eingangs-

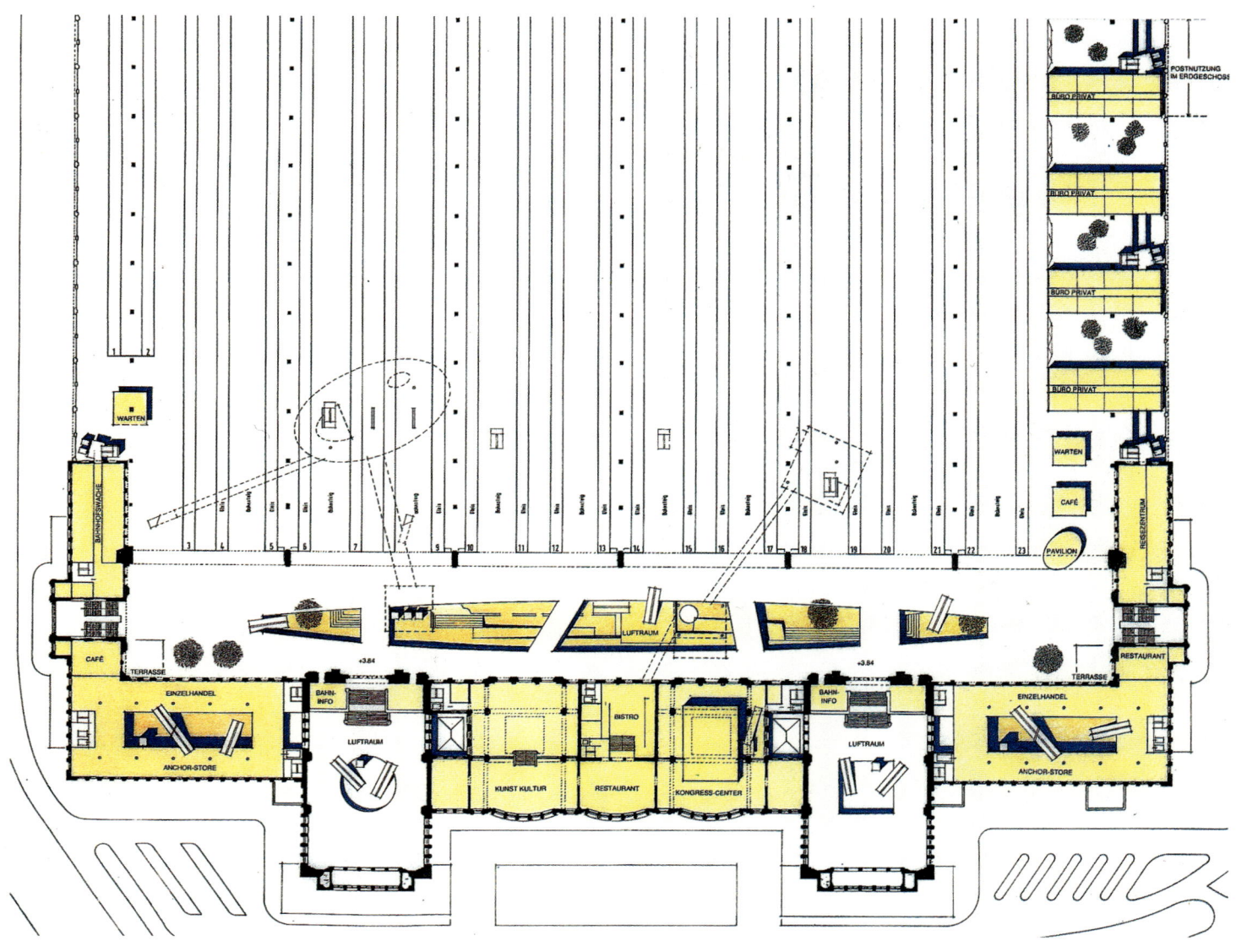

424 Grundriß in der Ebene des Querbahnsteiges

halle sowie die Freitreppen sind nach denkmalpflegerischen Gesichtspunkten restauriert worden. Für die Fußböden der Ost- und Westhalle und des Querbahnsteiges kamen 6.000 qm Werkstein-Platten aus Italien zum Einsatz.

Um später die U- bzw. S-Bahnstation der Linie Hauptbahnhof–Bayerischer Bahnhof bauen zu können, wurden westlich 22 m lange Stahlbeton-Bohrpfähle für das neue viergeschossige Bauwerk vor den Einkaufs-»Promenaden« (hinter der denkmalgeschützten Fassade) eingelassen. Eine U-Bahnlinie Hauptbahnhof–Bayerischer Bahnhof, mit einer Station östlich der Osthalle, war schon vor dem Ersten Weltkrieg vorgesehen, kam aber auch später durch den Zweiten Weltkrieg und seine Folgen nicht zustande. Jetzt haben die HPP-Architekten im Westteil des Hauptbahnhofs die Voraussetzungen für einen künftigen Bau der Linie geschaffen. Die Trasse soll von dort durch die City über die Haltepunkte »Alte Waage« (Markt), »Wilhelm-Leuschner- Platz« (Burgplatzpassage) zum Bayerischen Bahnhof mit jeweils 600 m Entfernung im Stadtkern führen. Geplant ist eine unterirdische Ausführung, der etwa 3 km lange City-Tunnel Leipzig. Am Hauptbahnhof soll der Bahnsteig 210 m, bei den Haltepunkten 140 m lang sein. Die Zugänge sollen mit festen Treppen, Rolltreppen und jeweils einem Aufzug ausgestattet werden. Für den Tunnelbau und die dazugehörigen Anlagen wurden bisher 915 Millionen Mark veranschlagt.

Nördlich des Hauptbahnhofes und südlich des Bayerischen Bahnhofes steigt die Bahntrasse wieder auf die Höhe der Gleise des Öffentlichen Nahverkehrs und des Fernverkehrs an. Außerhalb des Tunnels liegen die Stationen »Theresienstraße« und »Semmelweisstraße« daher auf entsprechendem Niveau.

Die neue S-Bahn zwischen Neuwiederitzsch und Gaschwitz mit dem City-Tunnel wird für die Verkehrsabwicklung des

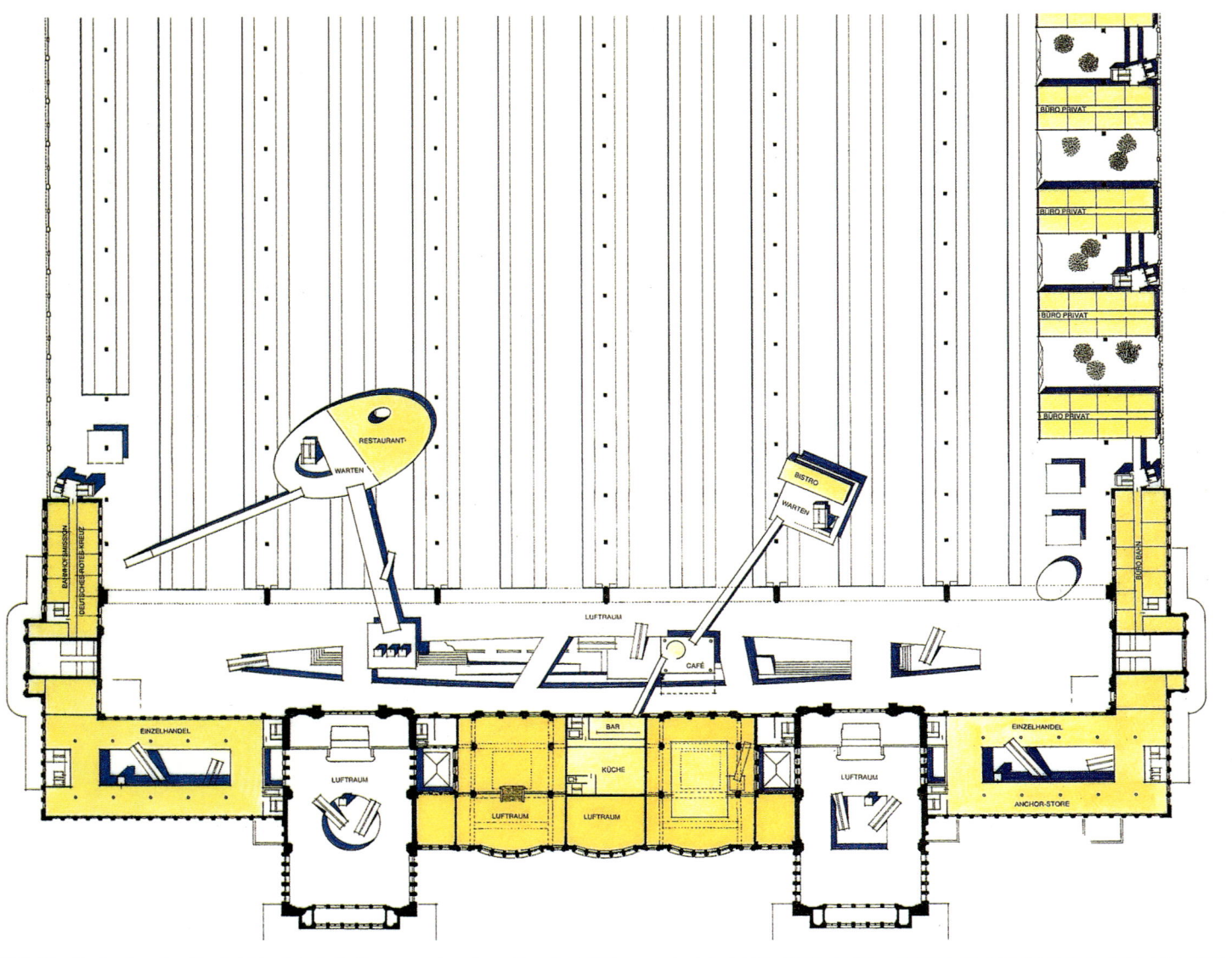

425 Grundriß des 2. Obergeschosses

Hauptbahnhofes, der Stadt Leipzig, zur Messe und zum Flughafen Leipzig/Halle äußerst förderlich sein. Nicht zuletzt gestattet sie auch den Durchgangsverkehr der Fernlinien, den schon Rincklake mit seinem Projekt vorsah, der jedoch beim derzeitigen Hauptbahnhof als Kopfstation nicht möglich ist.

Von den vorgesehenen 1300 Stellplätzen für Autos bietet allein das 100 m lange und 30 m breite Parkhaus West vorläufig 600, künftig nach Fertigstellung 1000 Parkplätze. Hier ist auch eine Fahrradstation untergebracht.

Der Giebel des unter Denkmalschutz stehenden Stückgutschuppens soll erhalten bleiben.

Die Wiederherstellung der Längsbahnsteighallen wurde im September 1999 abgeschlossen. Als Kosten waren hierfür 144 Millionen Mark veranschlagt worden, einschließlich der äußeren Stahl-Glas-Längsfassaden der Ost- und Westseite, des Entwässerungssystems und der Blitzschutzanlagen.

Es wurden die gesamte Dachkonstruktion demontiert - nur die 15 Hauptbogenbinder und die durchgehende Pfette „F" im Tiefpunkt der Binderkonstruktion blieben erhalten - und die Fachwerkkonstruktion gesäubert, verstärkt oder ergänzt. Die Dachkonstruktion der Längsbahnsteighallen erhielt also wieder ihre ursprüngliche Fassung und entspricht damit dem »Denkmal«.

Über der Fahrdrahthöhe der Hallen 1 bis 5 mußten zur Eröffnung der »Promenaden« zum Anschluß an den Querbahnsteig Plattformen mit 220 m x 40 m = 8.800 qm Fläche geschaffen werden. Baubeginn war der 7. Mai 1997, die geschilderte Baumaßnahme in den Längsbahnsteighallen der 1. Bauabschnitt.

Alles geschah bei bzw. während der Abwicklung des Zugverkehrs, wie einst 1909 -1915!

Das Gesamtbauvorhaben wurde im Sommer 1999 mit allen Bahnsteigen, Hallenkonstruktionen und -dächern abge-

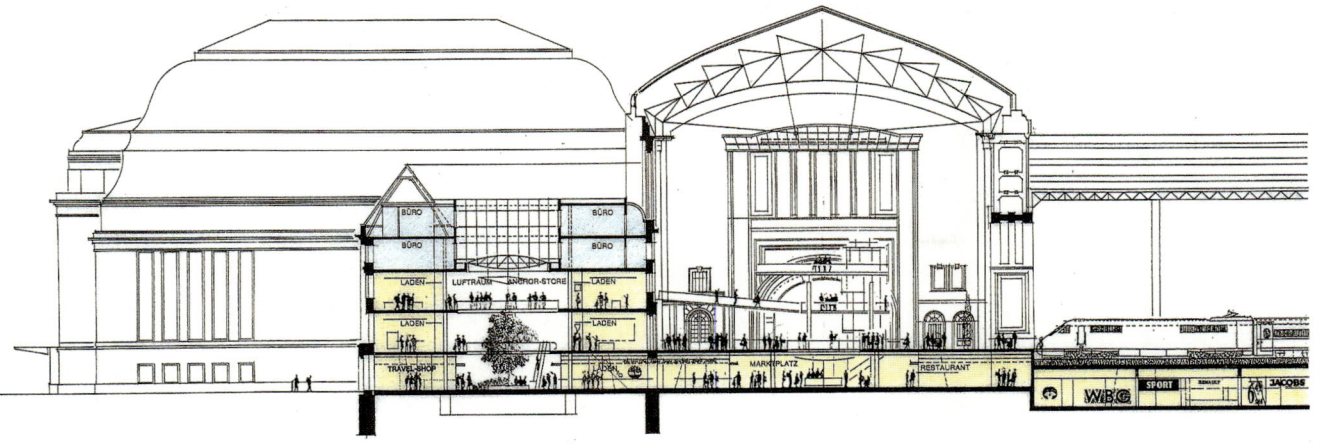

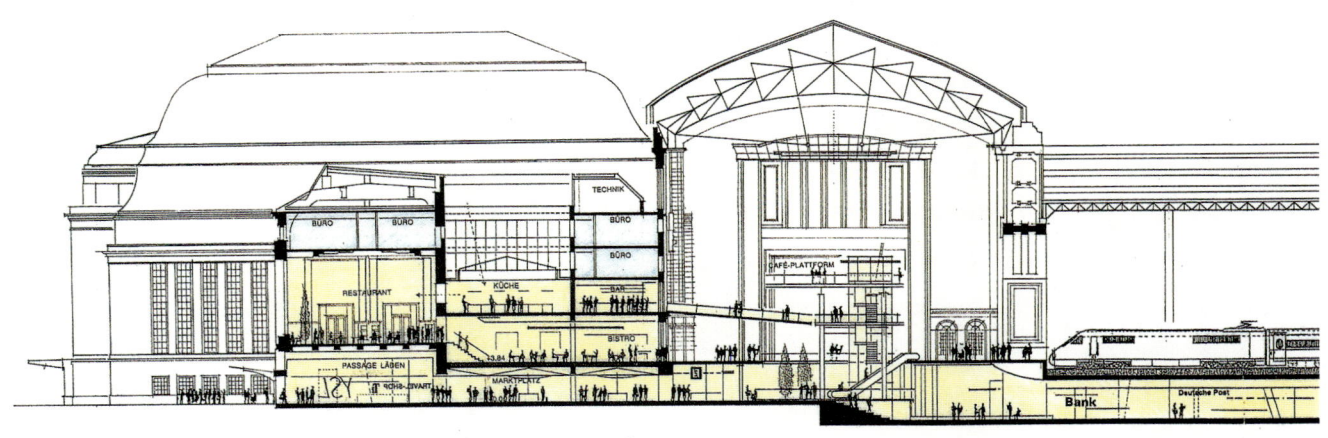

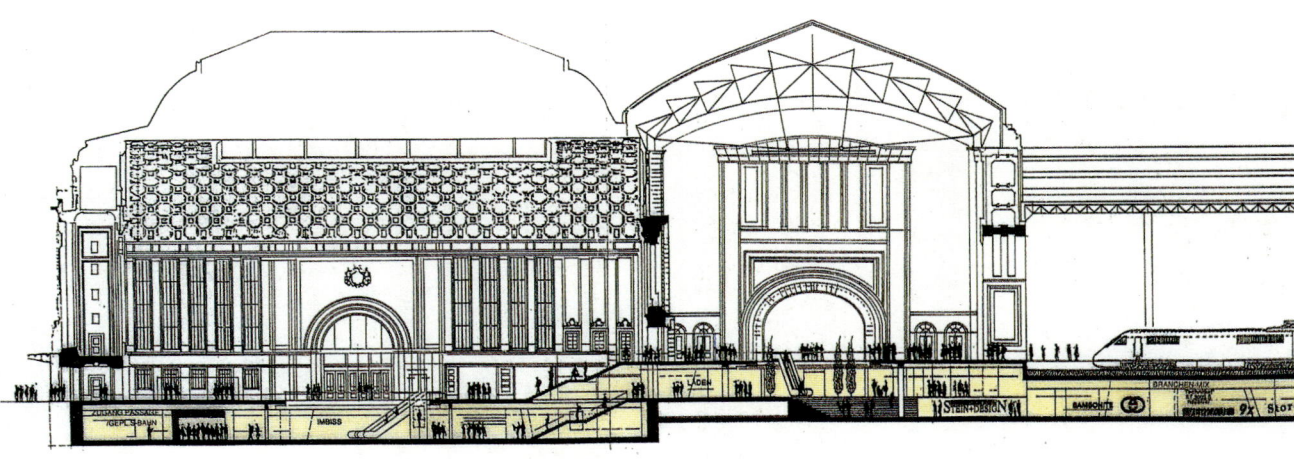

426 Querschnitt in Höhe der Seitenflügel (oben), der Mitte (Mitte) und der Eingangshallen (unten)

schlossen. Die Erneuerung des Hauptbahnhofes fand und findet nach wie vor weltweites Interesse. Denn der Hauptbahnhof Leipzig mit seiner Kombination und seiner »Vitalisierung« als Verkehrs-, Einkaufs- und Erlebniszentrum soll »Modell für Europa« und wegweisend für die Entwicklung der deutschen Bahnhöfe sein.

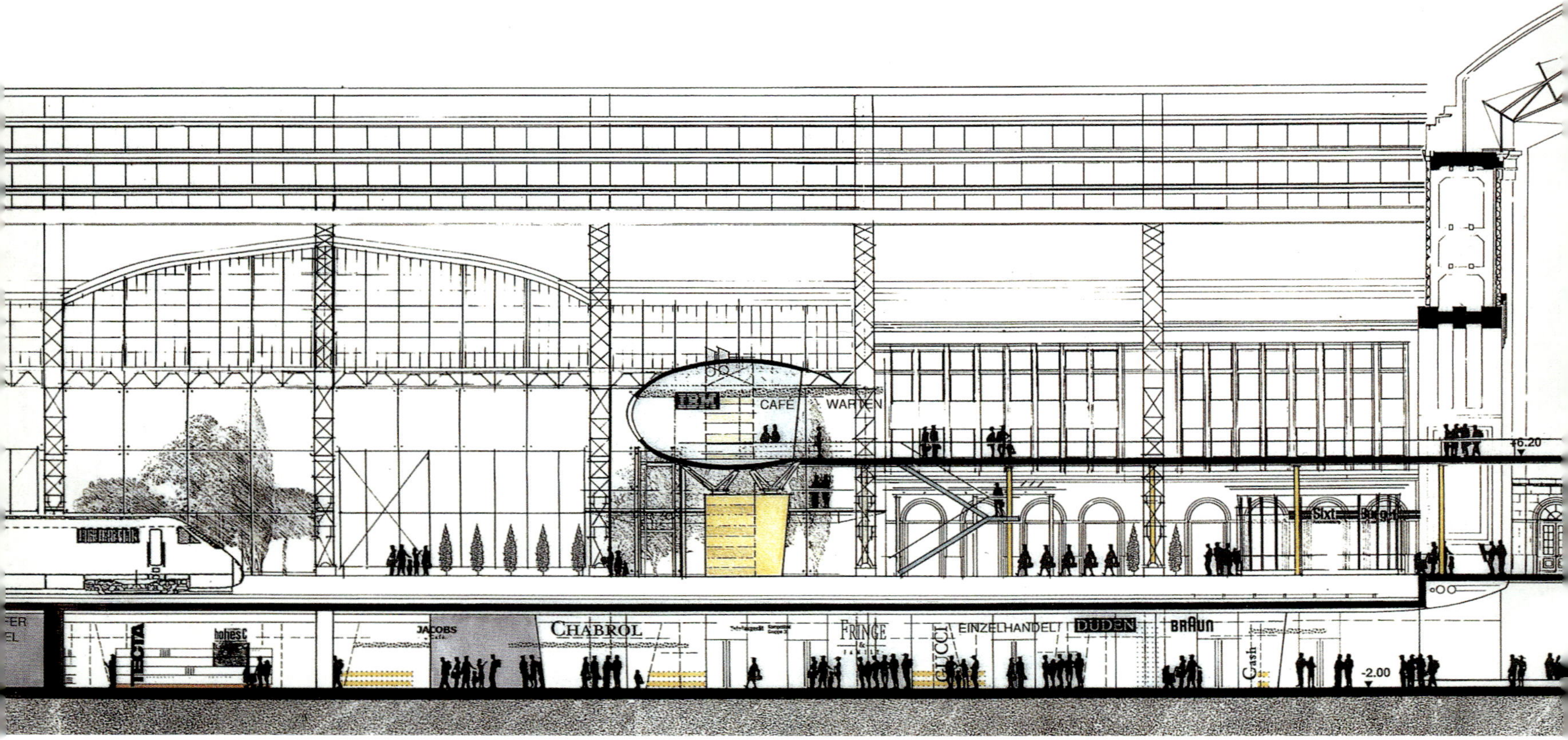

427 Querschnitt durch Querbahnsteig und Längsbahnsteighallen

428 Perspektivische Ansicht des Querbahnsteiges mit »Promenaden« und Längsbahnsteigen

429 Perspektivische Ansicht des Querbahnsteiges mit den »Promenaden«

430 Ansicht eines Längsbahnsteiges in Richtung Querbahnsteig
431 Ansicht eines Längsbahnsteiges mit ICE in Richtung Ausfahrt

432 Ansicht des Querbahnsteiges mit den »Promenaden« in Richtung Westen

433 Teilansicht des Querbahnsteiges mit den »Promenaden«

434 Eingang Empfangshalle Ost
435 Gesamtansicht des Empfangsgebäudes vom Willy-Brandt-Platz aus

436 Innenansicht der östlichen (westlichen) Eingangshalle
437 Ansicht des Reisezentrums in westlicher Richtung

ANHANG

Zeittafel

1834	3. April	Konstituierung des »Eisenbahn-Comités« für die Leipzig-Dresdner Eisenbahn-Compagnie in Leipzig
1835	6. Mai	Konzession für die Leipzig-Dresdner Eisenbahn-Compagnie
	5. Juni	Gründung der Leipzig-Dresdner Eisenbahn-Compagnie
	3. Juli	Enteignungsgesetz für den Bau der Eisenbahn Leipzig–Dresden
1836	24. Februar	Gründung eines Komitees für den Bau einer Eisenbahn nach Hof in Leipzig
	1. März	Beginn der Erdarbeiten für die Leipzig-Dresdner Eisenbahn bei Machern
1837		Gründung der Leipziger Wagenbauanstalt
	24. April	Eröffnung der 1. Teilstrecke der Leipzig-Dresdner Eisenbahn von Leipzig nach Althen und des Dresdner Bahnhofs in Leipzig
1839	7. April	Eröffnung der Gesamtstrecke Leipzig–Dresden
1840	18. August	Eröffnung des Magdeburger Bahnhofs in Leipzig mit der Strecke Magdeburg–Halle–Leipzig
1841	14. Januar	Staatsvertrag zwischen der sächsischen, sächsisch-altenburgischen und bayrischen Regierung zum Bau der Eisenbahn Leipzig–Hof–Nürnberg
	1. Juli	Baubeginn an der Sächsisch-Bayrischen Eisenbahn
1842	19. September	Eröffnung der 1. Teilstrecke der Sächsisch-Bayrischen Eisenbahn von Leipzig nach Altenburg und des Bayrischen Bahnhofes in Leipzig
1844	19. September	Vollendung des Empfangsgebäudes des Bayrischen Bahnhofes
1846	17. Juni	Beginn des Staatseisenbahnbaues in Sachsen
1847	1. April	Übernahme der Sächsisch-Bayrischen Eisenbahn durch den Staat
1851	16. Juli	Eröffnung der Gesamtstrecke der Sächsisch-Bayrischen Eisenbahn bis Hof
	20. Juli	Eröffnung der »Alten Leipziger Verbindungsbahn« zwischen Bayrischem und Dresdner Bahnhof
1856	22. März	Strecke Corbetha–Leipzig der Thüringischen Eisenbahn mit dem Thüringer Bahnhof eröffnet
	28. März	Grundsteinlegung für das Empfangsgebäude und die Hallen des Thüringer Bahnhofes
1857	11. Juli	Inbetriebnahme des Empfangsgebäudes des Thüringer Bahnhofes
1859	1. Februar	Eröffnung des Berliner Bahnhofes mit der Strecke Bitterfeld–Leipzig
1862 bis 1863		Neubau des Empfangsgebäudes des Magdeburger Bahnhofes
1864		Abbruch des alten Empfangsgebäudes des Dresdner Bahnhofes
1864 bis 1866		Neubau des Empfangsgebäudes des Dresdner Bahnhofs
1872	24. Dezember	Konzession für die Zweigstrecke Leipzig–Eilenburg der Halle-Sorau-Gubener Eisenbahn Baubeginn an der Strecke Leipzig–Eilenburg
1873	20. Oktober	Eröffnung der Strecke Leipzig–Zeitz der Thüringischen Eisenbahn
1873 bis 1874		Bau des Eilenburger Bahnhofs in Leipzig
1874		Eröffnung der »Neuen Leipziger Verbindungsbahn« Bau der ersten Industriebahn Deutschlands in Leipzig-Plagwitz
	1. November	Inbetriebnahme des Eilenburger Bahnhofs mit der Strecke Eilenburg–Leipzig
1874 bis 1876		Anlage des Rangierbahnhofs Engelsdorf der Leipzig-Dresdner Eisenbahn-Compagnie Bau des Empfangsgebäudes des Eilenburger Bahnhofs
1874 bis 1878		Anlage des Übergabebahnhofes der Leipzig-Dresdner Eisenbahn
1876	1. Juni	Übergang der Magdeburg-Leipziger Eisenbahn an die Magdeburg-Halberstädter Eisenbahn
	1. Juli	Übernahme der Leipzig-Dresdner Eisenbahn durch den Staat
1878		Verbindungsbahn zwischen der Eilenburger Bahn und dem Leipziger Übergabebahnhof eröffnet
	20. August	»Neue Leipziger Verbindungsbahn« eröffnet
1879	1. Januar	Die Magdeburg-Halberstädter Eisenbahn (mit Linie Magdeburg–Halle–Leipzig) wird von der Preußischen Staatseisenbahn betrieben
	1. September	Eröffnung der Plagwitz-Gaschwitzer Verbindungsbahn
1882	1. Juli	Übergang der Berlin-Anhaltischen Eisenbahn in Verwaltung und Betrieb des preußischen Staates, in volles Eigentum am 1. Januar 1886
1884		Einführung des Rechtsfahrverkehrs auf den sächsischen Eisenbahnen
1885	1. April	Übernahme der Halle-Sorau-Gubener Eisenbahn durch den preußischen Staat
1886	1. Januar	Übernahme der Magdeburg-Halberstädter Eisenbahn durch den preußischen Staat
	1. Juli	Übernahme der Thüringischen Eisenbahn durch den preußischen Staat
1887	2. Mai	Strecke Leipzig–Lausick–Geithain eröffnet
1888		Personenbahnhof Leipzig-Schönefeld eröffnet
1888	17. September	Eröffnung der Leipzig-Plagwitzer Verbindungsbahn Plagwitz–Lindenau–Bayrischer Bahnhof
1889		Rangiergleisgruppe in Leipzig-Schönefeld verlegt
1891		Eröffnung der »Neuen Leipziger Verbindungsbahn« zwischen dem Bayrischen Bahnhof, dem Dresdner Bahnhof, dem Berliner Bahnhof und dem Übergabebahnhof; Personenzüge Richtung Berlin und Hof verkehren über Bayrischen Bahnhof, der Berliner Bahnhof ist nur noch Durchgangsbahnhof (Haltestelle).
1892		Erste Vorschläge der Sächsischen Staatseisenbahnverwaltung für einen Zentralbahnhof und dessen Verbindung durch eine U- oder Hochbahn mit dem Bayrischen Bahnhof
1898		Verhandlungen Preußens und Sachsens über die Neuanlage eines gemeinschaftlichen Haupt-Personen- und Güter-Bahnhofes in Leipzig Entscheidung Preußens, Sachsens und der Stadt Leipzig für einen Zentralbahnhof als Kopfstation am jetzigen Standort
1900		Beginn der Erweiterung des Bahnhofs Plagwitz

1901		Planung für den Umbau der Leipziger Bahnanlagen
1901 bis 1903		Generelles Projekt für den Haupt-Personen- und Güter-Bahnhof Leipzig bearbeitet
1901 bis 1903		Bau des Freiladebahnhofs an der Eutritzscher Straße
1902		Vertragsabschluß der preußischen und sächsischen Eisenbahnverwaltung, der Stadt Leipzig und der Reichspostverwaltung über die Umgestaltung der Leipziger Bahnhofsanlagen
1902 bis 1907		1. Bauabschnitt der Leipziger Bahnhofsbauten und Bahnanlagen
1902		Erster Spatenstich zum Umbau der Leipziger Bahnanlagen bei Wahren
		Baubeginn für den Rangier- und Werkstättenbahnhof Engelsdorf
1902 bis 1907		Viergleisiger Ausbau der Linie Leipzig–Hof vom Bayrischen Bahnhof bis zum Bahnhof Gaschwitz
1904	September	Baubeginn am Eisenbahn-Elektrizitätswerk im Gleisdreieck Connewitz
1905		Lager-, Zoll- und Meßschuppen der preußischen Güterabfertigungsanlagen vollendet
		Haltepunkt Paunsdorf-Stünz eröffnet
	1. Dezember	Erster Teil des Werkstättenbahnhofs Engelsdorf fertiggestellt
1906		Beginn der Erweiterung des Bahnhofs Gaschwitz. Heizhaus Nord (A) der Sächsischen Staatseisenbahnverwaltung in Betrieb genommen
	1. Mai	Eröffnung der Güterbahn Leipzig-Wahren–Schönefeld und anderer Güterbahnen
		Übergabebahnhof Schönefeld in Betrieb genommen
		Güterverbindungsbahnen Engelsdorf–Schönefeld–Stötteritz und Paunsdorf eröffnet
		Rangierbahnhof Engelsdorf fertiggestellt
	1. Oktober	Schnellzugverkehr Berlin–Hof wird nach dem Bayrischen Bahnhof verlegt
	Oktober	Wettbewerb deutscher Architekten für die Gestaltung des Empfangsgebäudes des Hauptbahnhofes Leipzig ausgeschrieben
		Zweiter Teil des Werkstättenbahnhofes Engelsdorf vollendet
1907		Aufstellung des »Entwurfs A« des Gleis- und Anlagenschemas für den Hauptbahnhof Leipzig
		Empfangs-, Versand- und Zollschuppen mit Lagerhaus der sächsischen Güterabfertigungsanlagen vollendet
	15. April	Abgabetermin der Wettbewerbsentwürfe für das Empfangsgebäude des Hbf Leipzig
	1. Mai	Bahnhof Plagwitz mit Verbindungsbahn nach Großzschocher vollendet
	8. Juni	Preisverteilung im Wettbewerb für das Empfangsgebäude des Hauptbahnhofs Leipzig
1907	Sommer bis 1. September 1910	Bau der Brandenburger Brücke
1907	1. Juli	Neues Lagerhaus auf dem Güterbahnhof Leipzig vollendet (II)
	1. Oktober	Bahnhofserweiterungen in Gaschwitz vollendet
		Eröffnung der Strecke Leipzig–Leutzsch–«Provisorischer Thüringer Bahnhof» für Personenverkehr
		Eröffnung des Abzweiges Lützschena–Berliner Bahnhof für den Personenverkehr
		Der Thüringer Bahnhof wird geschlossen und danach abgerissen. Der Verkehr nach Thüringen erfolgt vom Magdeburger Bahnhof und der Berliner Bahnhof fertigt den Verkehr in Richtung Magdeburg ab.
1908		Inbetriebnahme des Bahnbetriebswerkes der preußischen Verwaltung mit den Lokomotivschuppen I und II (dem heutigen Bw Leipzig Hbf West)
1908 bis 1909		Bau des Verkehrstunnels I
1908 bis 1911		2. Bauabschnitt der Leipziger Bahnhofsbauten und Bahnanlagen
1908	9. November	Auftragserteilung für die Stahlkonstruktion der Brandenburger Brücke an die Firma BEUCHELT & Co.
1909		Öffentlicher Wettbewerb für die konstruktive Gestaltung der Längsbahnsteighallen ausgeschrieben
		Empfangs-, Versand- und Eilgüterschuppen der preußischen Güterabfertigungsanlagen betriebsbereit
1909 bis 1910		Bau des Eilguttunnels zwischen den preußischen und sächsischen Eilgutschuppen
1909	Mai	Baubeginn am Westteil des Empfangsgebäudes mit Ausschachtungs- und Betonarbeiten
1909	August bis 1. Oktober	Montage der Brandenburger Brücke (Stahlkonstruktion)
1909	16. November	Grundsteinlegung für das Empfangsgebäude des Hauptbahnhofs unter der südwestlichen Gebäudeecke
1910		Belastungsversuche und Messungen an einem Probebinder der Querbahnsteighalle
	Januar	Auftragserteilung an die Firma EILERS für die Ausführung der Längsbahnsteighallen
1910	Frühjahr	Gründungen der Bahnsteighalle
	1. September	Brandenburger Brücke dem Verkehr übergeben
1910	November bis 10. November 1911	Ausführung des 1. Bauabschnittes der Längsbahnsteighallen (Halle II – linke Seitenhalle – Halle I – Halle III)
1911	Juli	Strecke Halle (S)–Leipzig elektrifiziert
1912 bis 1914		3. (geplanter) Bauabschnitt der Leipziger Bahnhofsbauten und Bahnanlagen
1912	1. Mai	Erster preußischer Verkehrstunnel befahrbar
		Die ersten drei Längsbahnsteighallen und der 1. Bauabschnitt des Empfangsgebäudes sind fertiggestellt (westlicher Eckbau, Seitenflügel und Mittelbau mit Speisesaal).
		Die Thüringer Linien werden hier abgefertigt.
1912	September bis Januar 1913	2. Bauabschnitt (Halle IV)
	24. September	Verbindung Berliner Bahnhof–Hauptbahnhof für den Personenverkehr in Betrieb genommen
		Aufnahme der Zerbst-Magdeburger Linie in den Hauptbahnhof

CORNELIUS, G.: Eisenbahn-Hochbauten. – Berlin, 1921

CZYGAN, F. (Hrsg.): Die Eisenbahn in Wort und Bild, II. Teil: Die Bahnanlagen und ihre Herstellung. Die Eisenbahnhochbauten. – Nordhausen, 1928

DAEHNE, P.: Die Hauptbahnhofwirtschaft zu Leipzig in Wort und Bild nebst einer Darstellung der Leipziger Eisenbahnen seit ihrem Ursprung. Herausgegeben v. ERICH NAUMANN. – Leipzig

Deutsche Bauzeitung. – Schlußsteinlegung im Leipziger Hauptbahnhof. – Berlin (1915)

Das Deutsche Eisenbahnwesen der Gegenwart. I. und II. Bd. – Berlin, 1911

Das Königreich Sachsen, Thüringen und Anhalt in malerischen Originalansichten, 2. Band. – Darmstadt, 1862

Der Bahnhof der Thüringer Eisenbahn zu Leipzig. – In: Webers Illustrierte Zeitung. – Leipzig (1857) 28 und 29

Der neue Bahnhof der Leipzig-Dresdner Eisenbahn in seiner Vollendung. – In: Webers Illustrierte Zeitung. – Leipzig (1865) 44

Der Verkehr. Jahrbuch des Deutschen Werkbundes. – Jena, 1914

Der Wettbewerb für das Empfangsgebäude des Hauptbahnhofs zu Leipzig. – In: Der Profanbau. – Leipzig (1907) Sondernummer

Der Wettbewerb zur Erlangung von Entwürfen für das Empfangsgebäude. – In: Deutsche Bauzeitung. – Berlin (1907)

Deutsche Konkurrenzen. Wettbewerb für das Empfangsgebäude des Hauptbahnhofs zu Leipzig. – Leipzig (1907) 253

Die Eröffnung der Leipzig-Dresdner Eisenbahn. – Leipzig, 1837

Die Leipzig-Hofer Eisenbahn. – Leipzig, 1841

Die Magdeburg-Leipziger Eisenbahn. – Leipzig, 1840

Deutsches Kursbuch – Gesamtausgabe der Reichsbahn-Kursbücher. – (1936–1944)

DUMJAHN, H.: Bahnhöfe im Spiegel alter Postkarten. – Hildesheim, 1976

Empfangsgebäude für den Hauptbahnhof zu Leipzig. – In: Deutsche Konkurrenzen. – Leipzig (1907) 253

Erster Bericht des Eisenbahn-Comité zu Leipzig. – Leipzig

FISCHER, M.: Die Werkstätten der Sächsischen Staatseisenbahn. – Dresden, 1898

FÜRST, A.: Die Welt auf Schienen. – München, 1918

FÜSSLER, H. (Hrsg.): Leipziger Bautradition. Leipziger stadtgeschichtliche Forschungen. Herausgegeben im Auftrag des Stadtgeschichtlichen Museums in Leipzig. – Leipzig (1955) 4

GOTTWALDT, A.: Deutsche Bahnhöfe – 500 Ansichtskarten von 1900–1945. – Zürich und Schwäbisch Hall, 1983

GOTTWALDT, A.: Reichsbahn-Album. – Stuttgart, 1978

GRABNER, H.: Eisenbahn-Hochbau. – Berlin, 1973

GROESCHEL, J.: Bahnhofshochbauten. – In: Die Eisenbahntechnik der Gegenwart, 2. Bd. – Wiesbaden (1899)

GROEHLER, O.: Tod im Morgengrauen. – In: Flieger-Revue. Rubrik Geschichte/Wissenschaft/Technik. – Berlin (1984)

GRÜTTEFIEN, E.: Vergleichender Überblick über die neuen Umgestaltungen der größeren preußischen Bahnhöfe. – In: Centralblatt der Bauverwaltung. – Berlin (1888) 8

H., E. F.: Der Hauptbahnhof hat Jubiläum. 25 Jahre Leipziger Hbf. – In: Leipziger Neueste Nachrichten. – Leipzig (1940)

HACAULT, E.: Der Eisenbahnhochbau. – Berlin

HAMM, M.; STEINBERG, R.; FÖHL, A.: Bahnhöfe. – Berlin, 1984

HAUSDÖRFER, R.: Funktionselemente des Empfangsgebäudes. Eisenbahn-Jahrbuch 1968. – Berlin, 1968

HEGEMANN, W.: Lossow & Kühne, Architekten, Dresden. – Berlin, 1930

Hentrich-Petschnigg&Partner, Architekten (HPP): Wettbewerb Hauptbahnhof Leipzig. Düsseldorf, 1994

HERZOG, H.; MIEDERER, H. (Hrsg.): Bericht über die Internationale Baufach-Ausstellung Leipzig 1918. – Leipzig, 1917

HEUSINGER VON WALDEGG, E.: Handbuch für spezielle Eisenbahntechnik. 1. Band: Der Eisenbahnbau. – Leipzig, 1877

HILLIG, F. E.: Die Leipzig-Dresdner Eisenbahn in den ersten 25 Jahren ihres Bestehens. – Leipzig, 1864

HOFMANN, A.: Der Wettbewerb zur Erlangung von Entwürfen für das Empfangsgebäude des Hauptbahnhofes Leipzig. – In: Deutsche Bauzeitung. – Berlin (1907)

Hundert Jahre Deutsche Eisenbahnen. – Leipzig, 1938

KOBSCHÄTZKY, H.: Streckenatlas der deutschen Eisenbahnen 1835–1892. – Düsseldorf, 1972

KOBSCHÄTZKY, H.: Streckenatlas der deutschen Eisenbahnen 1893–1935. – Düsseldorf, 1975

KRAMER, E.: Die Entwicklung des Verkehrswesens der DDR. – Berlin, 1978

KREY: Leipzig Hauptbahnhof – Bahnhofsvorplatz. – In: Mitteilungen des Sächsischen Ingenieur- und Architektenvereins. – Leipzig (1912)

KRINGS, U.: Der Kölner Hauptbahnhof. – Köln, 1977

KRINGS, U.: Die Architektur der Großstadtbahnhöfe. Deutsche Bahnhofsbauten des Historismus 1866–1906. – München, 1984

KUBINSZKY, M.: Bahnhöfe Europas. – Stuttgart, 1969

KUMBIER: Personenbahnhöfe. – In: Die Eisenbahntechnik der Gegenwart, 2. Bd., – Wiesbaden (1909)

KUNDISCH, E.: Zerstörung und Wiederaufbau des Bahnbetriebswerkes Engelsdorf. – In: Aus der Arbeit der Natur- und Heimatfreunde im Deutschen Kulturbund. – Leipzig (1959)

Leipziger Kalender. – Leipzig, 1909

ebenda. – Leipzig, 1912

Kursbücher der Reichsbahn-Direktionen Dresden und Halle. – Dresden und Halle (1927–1944)

Leipzig und seine Bauten. Herausgegeben von der Vereinigung Leipziger Architekten und Ingenieure. – Leipzig, 1892

LEISKE, Dr.: Leipzig und Mitteldeutschland. Denkschrift für Rat und Stadtverordnete zu Leipzig. – Leipzig, 1928

LIST, F.: Über ein sächsisches Eisenbahnsystem als Grundlage eines allgemeinen deutschen Eisenbahnsystems. – Leipzig, 1833

LUCAS, W.: Städtebauliche Probleme der Stadt Leipzig – Die Eisenbahn – das neue Verkehrsmittel. – In: Sächsische Heimatblätter. – Leipzig (1958) 1

MAYER, A. v.: Geschichte und Geographie der deutschen Eisenbahnen von ihrer Entstehung bis auf die Gegenwart. – Berlin, 1891

MEEKS, C. L. V.: The railroad station – an architectural history. New Haven. – London, 1975

Mitteilungen an die Actionäre der Leipzig-Dresdner Eisenbahn-Compagnie. – Leipzig, 1868–1872

MOLO, W. v.: Ein Deutscher ohne Deutschland. – Halle, 1956

MÜLLER, H.: Bahnhofsarchitektur. Zur baukünstlerischen Entwicklung von Empfangsgebäuden in Deutschland. Diss. – Berlin, 1964

NEUMANN, L.; EHRHARDT, P.: Erinnerungen an den Bau und die ersten Betriebsjahre der Leipzig-Dresdner Eisenbahn. – In: Der Civilingenieur. Organ des Sächsischen Ingenieur- und Architektenvereins. – Leipzig (1890) 1

ODER, M.; BLUM, O.: Die Bahnhofsanlagen und Eisenbahnhochbauten. – In: Das Deutsche Eisenbahnwesen der Gegenwart. 1. Bd. – Berlin (1911)

ODER, M.; BLUM, O.: Große Personenbahnhöfe und Bahnhofsanlagen usw. – In: Handbuch der Ingenieurwissenschaften. 5. Teil: Der Eisenbahnbau, 4. Bd. – Leipzig und Berlin (1914)

OTZEN, R.: Beton und Eisenbeton im Eisenbahnbau. – In: Zement-Verarbeitung. – Charlottenburg (1925) 19

PURUCKHERR: Die Überführung der Brandenburger Straße. – In: Mitteilungen des Sächsischen Ingenieur- und Architekten-Vereins. – Leipzig (1914) 4

RASCH, J.: Die Eisenbahnhochbauten auf den Bahnhöfen und außerhalb derselben. – In: Handbuch für spezielle Eisenbahntechnik. 1. Bd. – Leipzig (1877)

Reichshandbuch der deutschen Gesellschaft. – Berlin, 1930

RICHTER, A.: Die neuen Werkstättenanlagen der Sächsischen Staatseisenbahn in Engelsdorf. – In: Organ für die Fortschritte des Eisenbahnwesens. – Leipzig (1908) 3
RICHTER, G.: Der Wiederaufbau des Leipziger Hauptbahnhofs. Der Wiederaufbau der Querbahnsteighalle. – In: Deutsche Eisenbahntechnik. – Berlin (1959) 7
ebenda. – Berlin (1961) 9
RICHTER, G.; WIEGLEB, S.: Der Wiederaufbau des Leipziger Hauptbahnhofes. – In: Deutsche Eisenbahntechnik. – Berlin (1958) 6
RINCKLAKE, A.: Neue Normalbahnhofsanlagen. – Berlin, 1883
RINCKLAKE, A.: Projekt eines Centralbahnhofes in Leipzig. – In: Webers Illustrirte Zeitung. – Leipzig (1888) 90
RÖLL, FREIHERR, V.: Hallen. – In: Encyklopädie des Eisenbahnwesens. – Wien (1914) 6
ROSSBERG, R. R.: Geschichte der Eisenbahn. – Künzelsau, 1977
ROTHE, E.: Der Verschiebebahnhof Engelsdorf. – In: Organ für die Fortschritte des Eisenbahnwesens. – (1908) 1
ROTHE, E.; MIRUS, CH.; u. a.: Die Umgestaltung der Leipziger Bahnanlagen durch die preußische und sächsische Staatseisenbahnverwaltung. – Berlin, 1922
RÖTTCHER, H.: Empfangsgebäude der Personenbahnhöfe. – Berlin, 1933
RÖTTCHER, H.: Hochbauten der Deutschen Reichsbahn. – Lpz., 1933
SCHADENDORF, W.: Das Jahrhundert der Eisenbahn. – München, 1965
SCHIVELBUSCH, W.: Geschichte der Eisenbahnreise. Zur industrialisierung von Raum und Zeit im 19. Jahrhundert. – Frankfurt/M., Berlin und Wien, 1978
SCHMIDT, G.: Der Wiederaufbau des Leipziger Hauptbahnhofes. Der Wiederaufbau der Querbahnsteighalle. – In: Deutsche Eisenbahntechnik. – Berlin (1961) 2
SCHMITT, E.: Handbuch der Architektur. Gebäude für Zwecke des Wohnens, des Handels und Verkehrs. Empfangsgebäude der Bahnhöfe und Bahnsteigüberdachungen. – Leipzig, 1911
SCHOMANN, H.: Der Frankfurter Hauptbahnhof. Ein Beitrag zur Architektur und Eisenbahngeschichte der Gründerzeit. – Stuttgart, 1983
SCHROEDER, A.: Der Eisenbahn-Empfangsgebäude-Grundriß und seine Entwicklung. – Berlin, 1913
SCHUCHARDT, A. G.: 50 Jahre Leipzig-Hauptbahnhof. – Berlin, 1965
SCHULZE, F.: FRIEDRICH LIST in Leipzig. Schriftenreihe des Rats-Verkehrsamtes Leipzig. – Leipzig (1927) 8
SEEBONN, W.: Stadtschnellbahn Leipzig. – In: Deutsche Eisenbahntechnik. – Berlin 17 (1969) 7
SIEBLIST: Die Erbauung eines Zentralbahnhofes zu Leipzig. – In: Zeitung des Verein deutscher Eisenbahn-Verwaltungen. – (1904) 3
SPRANG, B.: Eisenbahndenkmale in der DDR. – Empfangsgebäude. Eisenbahn-Jahrbuch 1985. – Berlin, 1985
SPRÖGGEL, R.: Hochbauten der Eisenbahn. – Berlin, Göttingen und Heidelberg, 1954
STAISCH, E.: Hauptbahnhof Hamburg. – Hamburg, 1981
STEDTLER, A.: Der Wiederaufbau des Leipziger Hauptbahnhofes. Die Konstruktion des Querhallendaches. – In: Deutsche Eisenbahntechnik. – Berlin 11 (1963) 2
STÖCKL, F.; MOLLE, P.; WOLTERS, H.: Vom »Adler« zum »IC«. Eisenbahnen in Deutschland. – Gütersloh, 1977
STUTZ, W.: Bahnhöfe der Schweiz. – Zürich und Schwäbisch Hall, 1983
SUSEMIHL, A. J.: Das Eisenbahn-Bauwesen für Baumeister und Bauaufseher. – Wiesbaden, 1880
Technische Denkmale in der Deutschen Demokratischen Republik. – Berlin, 1973
THIEME, U.; BECKER, F.: Allgemeines Lexikon der bildenden Künstler. – Leipzig, 1907 bis 1950
TOLLER, E.: Mitteilungen über die Bahnhofsbauten in Leipzig, im Besonderen über den sächsischen Teil dieser Bauten. – In: Deutsche Bauzeitung. – Berlin (1909)
TOLLER, E.: Umbau der Bahnhöfe Leipzigs, sächsischer Teil. – In: Organ für die Fortschritte des Eisenbahnwesens. – (1906) 4
ULBRICHT, J. F.: Geschichte der Königlich Sächsischen Staatseisenbahn. – Dresden, 1892
VOLLMER, H.: Allgemeines Lexikon der bildenden Künstler des 20. Jahrhunderts. – Leipzig, 1953 und 1962
WAGENBRETH, O.; WÄCHTLER, E. (Hrsg.): Technische Denkmäler in der Deutschen Demokratischen Republik. – Leipzig, 1983
Webers Illustrirte Zeitung. – Leipzig (1840 ff, 1912 und 1935)
WEGELE, H.: Bahnhofsanlagen. – Berlin und Leipzig, 1920
WEHNER, K.: FRIEDRICH LIST zum Gedenken an seinen 100. Todestag am 30. November 1946. – Leipzig, 1946
WIEDEMANN, A.: Die sächsischen Eisenbahnen in historisch-statistischer Darstellung. – Leipzig, 1902
WOLTERS, R.: Vom Grundriß der Empfangsgebäude großer Fernbahnhöfe. – Berlin, 1930
WUSTMANN, G.: Bilderbuch aus der Geschichte der Stadt Leipzig. – Leipzig, 1897
Zeitschrift für Bauwesen. Mit Atlas. – Berlin (1856, 1860, 1867, 1869, 1874, 1879, 1921, 1922)
WEISBROD, M.: Leipzig Hbf. - In: Eisenbahn Journal 1/98

Erscheinungsorte und -daten zum Abschnitt Fahrpläne und Frequenzen:

Deutsches Kursbuch – Gesamtausgabe der Reichsbahn-Kursbücher. – Berlin (1936 bis 1944)
Kursbücher der Reichsbahn-Direktionen Dresden und Halle. – Dresden und Halle (1927 bis 1944)
Reichsbahn-Kursbücher – Sowjetische Zone. – Berlin (1947 bis 1949)
Amtliche Taschenfahrpläne der Reichsbahn-Direktionen und Halle. – Dresden und Halle (1946 bis 1985)
Reichs-Kursbücher. – Berlin (1916 bis 1944)
Bildfahrpläne. – Leipzig Hbf (1929)

Quellenverzeichnis

/1/ RINCKLAKE, A.: Projekt eines Centralbahnhofes in Leipzig. – In Webers Illustrierte Zeitung. – Leipzig (1888) 90, S. 382
/2/ Deutsche Bauzeitung. – Berlin (1909) 39, S. 257
/3/ ebenda, S. 259
/4/ ebenda, Nr. 40, S. 267
/5/ Deutsche Konkurrenzen. Wettbewerb für das Empfangsgebäude des Hauptbahnhofs zu Leipzig. – Leipzig (1907), S. 1
/6/ Deutsche Bauzeitung. – Berlin (1907), Nr. 58, S. 405 ff
/7/ ebenda, Nr. 54, S. 377 ff
/8/ Deutsche Konkurrenzen. Wettbewerb für das Empfangsgebäude des Hauptbahnhofs zu Leipzig. – Leipzig (1907), S. 7
/9/ ROTHE, E.; MIRUS, CH.; u. a.: Die Umgestaltung der Leipziger Bahnanlagen durch die Preußische und die Sächsische Staatseisenbahnverwaltung. – Berlin (1922) Teil IIb, S. 39 und 41
/10/ ebenda, S. 55
/11/ ebenda, S. 155
/12/ GROEHLER, O.: Tod im Morgengrauen. – In: Flieger-Revue. Rubrik Geschichte/Wissenschaft/Technik. – Berlin (1984) Heft 6, S. 178 ff und Heft 7, S. 210 ff
/13/ Imperial War Museum, London
/14/ BME Bahnhof Management- und Entwicklungsgesellschaft mbH.: Der Hauptbahnhof Leipzig. - Frankfurt/Main, 1995
/15/ Architekten HPP Hentrich-Petschnigg&Partner: Wettbewerb Hauptbahnhof Leipzig 1994. Städtebauliche Neuordnung, innerräumliche Neustrukturierung. - Düsseldorf, 1994

Bildquellen-Verzeichnis

(Angegeben ist die Seitenzahl; o = oben; l = links;)

A. Berger: (11) 207 lu, 208 lo, 228, 240, 241, 242, 243, 244
Bäzold (17) 178 l; 180 o; 181 l; 184 lm, u; 205 u; 206; 208 ro, lm, rm, u; 209
A. Berger (2) 207 lu; 208 lo
M. Berger (3) 19 o; 218 o; 224 o
Brust (1) 179 lu
Göbel (1) 146 o
v. Hartwig (7) 214; 218 lu, ru; 219 lu, ru
Hoenisch (2) 84 o, rm
HPP-Wettbewerbsentwurf (9) 231, 232/233, 234, 235, 236, 237, 238, 239
Hubert (5) 144 u; 146 m; 147 ro, rm, ru
Kirsche (18) 202; 211 lu, ru; 215, 216; 217; 222 u; 223; 224 u; 225; 226
Langhof (3) 131 u; 212; 219 o
Liebing (33) 73 u; 79 l; 86; 87; 88 lo, lu, ru; 89; 90; 91 o; 106; 118 u; 126; 186; 191; 204 l, ro, u; 205 o; 207 o, ru; 210; 211 o
Mai (14) 131 lo; 162 ro, rm, ru; 164; 165; 167 m; 174; 199; 201; 211 lm
Meyer (10) 178 ro, rm, u; 179 o; 181 rm; 184 lo, ro, rm; 185 lm, u
Migura (2) 211 rm; 222 o
Müller (1) 204 rm
Reinhard (1) 147 l
Schönbrod (1) 185 rm
Sprang (3) 2/3; 213; 220/221
US-Air-Force (5) 150; 153; 156; 158; 159 o

Sammlungen und Archive

Bäzold (15) 142; 144 o; 145; 149 l, ro, ru; 152; 162 lu; 179 ru; 185 o, rm
Bayer (6) 150; 153; 156; 158; 159 o, m
M. Berger (210) 7; 8; 10; 11 lo, ro, rm; 12; 13; 14 o; 17 m; 18/19; 20; 21 ro, m; 23, 24; 25 m; 26; 27 u; 28 ro, m; 29 m; 30; 32; 34; 35; 36/37; 38; 39; 41; 42; 43 u; 44; 45; 46; 48; 52; Klapptafeln nach 52; 55; 56; 57; 58; 59; 60; 61; 62; 63; 64; 65; 66; 67; 68/69; 60; 71; 72; 74/75; 77; 78 lm, rm; 79 ro, m; 80 o; 81 u; 82; 83 o, u; 84; Klapptafeln nach 84; 85; 88 ro, u; 91 u; 93 o; 94; 95; 96; 98; 100; 101; 102; 104; 105; 107; 108/109; 110/111; 112/113; 114 u; 118 o, m; 119; 120; 121; 122; 123 lo, ro; 124 lo, lm; 125; 127; 128; 131 ro, m, u; 133; 134; 135 r; 136; 140/141; 155 o; 157 o; 163; 166; 168; 169 u; 170 u; 171; 188; 189; 192; 194; 195; 196; 197; 198; 200 m; 239; Faltblatt
B. Berger (2) 53; 54
Clauss (5) 28 lo; 29 lo, ro; 31; 115 u
Deutsche Reichsbahn, Hauptbahnhof Leipzig (1) 167 o
Deutsche Reichsbahn, Entwurfsbüro, Außenstelle Halle (2) 172 l, r
Deutsche Reichsbahn, Rbd Halle, Bildstelle (25) 73 o; 78 o; 114 o; 124 u; 146 u; 147 lu; 148; 149 lu; 152; 154; 155 lu, ru; 160; 162 lo, lm; 167 u; 169 o; 170 l; 172 u; 173; 175
Liehr (1) 147 l
Meyer (5) 144 u; 147 ro, rm, ru; 149 rm
Museum für Geschichte der Stadt Leipzig (20) 16; 21 lo, u; 22; 25 o; 27 o; 76; 80 u; 81 o; 97; 99; 103 o; 123 m; 129; 130; 132; 135 l; 157 u
Przywecki (1) 43 o
Sächsische Landesbibliothek Dresden, Fotothek (3) 93 u; 115 o; 116/117
Schladitz (12) 78 u; 83 m; 103 u; 124 ro, rm; 138; 200 lo
Staatsarchiv Weimar (1) 25 u
transpress-Archiv (10) 170 r; 176; 180 u; 181 ro, u; 182, 183
Verkehrsmuseum Dresden (6) 11 lm; 14 u; 15; 17 o
Weissig (1) 11 u

Personenregister

*   Mitglied der Jury beim Wettbewerb zur Erlangung von Entwürfen für die architektonische Gestaltung des Empfangsgebäudes des Hauptbahnhofes Leipzig (1907)

**   Mitarbeiter bei der Planung und Durchführung der Umgestaltung der Leipziger Bahnanlagen und des Hauptbahnhofes Leipzig

***   im Neubauamt für die Bahnhofsbauten Leipzig

Arnhold; Steinmetzbetrieb in Leipzig, lieferte 1959 Stahlbeton-Fertigteile für den Wiederaufbau der Querbahnsteighalle des Hauptbahnhofes Leipzig

Augustin; Regierungsbaumeister ***

Becker; Regierungsbauführer ***

Beckert, Prof. Fritz; (* 8. 4. 1877 in Leipzig, † 28. 9. 1962 in Dresden); Architektur-, Städte- und Landschaftsmaler, bis 1945 Professor an der Technischen Hochschule Dresden, schuf 1915 das erste große Gemälde vom Empfangsgebäude des Hauptbahnhofes Leipzig

Berg; Regierungsbaumeister beim Betriebsamt Leipzig II **

Besser, Erwin; Regierungsbaumeister beim elektrotechnischen Büro der Generaldirektion der Sächsischen Staatseisenbahn **

Besser, Fritz; Baurat beim elektrotechnischen Büro der Generaldirektion der Sächsischen Staatseisenbahn **

Billing, Hermann; Architekt in Karlsruhe, erhielt 1907 mit Vitali einen Zweiten Preis im Wettbewerb für das Empfangsgebäude des Hauptbahnhofes Leipzig

Birkenholz, Peter; Architekt in München, wurde für seinen Entwurf im Wettbewerb für das Empfangsgebäude des Hauptbahnhofes Leipzig mit einer ehrenden Erwähnung gewürdigt

Bischof; Ober- und Geheimer Baurat, technischer Dezernent der Eisenbahndirektion Halle **

Bischoff; Regierungsbauführer ***

Bogen, Jochen; Architekt beim Entwurfs- und Vermessungsbüro der Deutschen Reichsbahn, Außenstelle Halle (S), wirkte mit am Wiederaufbau des Leipziger Hauptbahnhofes

Braune; Bauamtmann bei höheren technischen Büros der Generaldirektion der Sächsischen Staatseisenbahn **

Christoph; Oberbaurat bei höheren technischen Büros der Generaldirektion der Sächsischen Staatseisenbahn **

Dannenfelser; Oberbaurat, Vorstand der Eisenbahnbetriebsdirektion Leipzig I und II **

Degener; Finanz- und Baurat im Werkstättenamt Engelsdorf **

Dettelbach; Bauamtmann ***

Dietsch; Finanz- und Baurat **

Dittrich, Dr. Rudolf; OB der Stadt Leipzig (ab 1908) *

Dürichen; Eisenbahnarchitekt, leitete 1898 bis 1901 den Bau des Empfangsgebäudes des Bahnhofes Dresden-Neustadt, Mitarbeiter der Hochbauabteilung für den Bau des Empfangsgebäudes und der größeren Hochbauten des Hauptbahnhofes Leipzig ***

Durm, Prof. Dr. Josef; Architekt, Karlsruhe *

Dyckerhoff (& Widmann A.-G.); Dresden und Biebrich a. Rh., Berlin, Hamburg, Karlsruhe, München, Nürnberg, eines der weltgrößten Beton- und Stahlbetonbauunternehmen mit Pionierleistungen auf diesem Gebiet, führte u. a. den Bauabschnitt I der Querbahnsteighalle des Hauptbahnhofes Leipzig aus

Eilers, Louis; Ingenieur, Unternehmen für Eisenhoch- und Brückenbau, Hannover-Herrenhausen, konstruierte die auf der Grundlage des Vorentwurfs von Karig entwickelten Längsbahnsteighallen des Hauptbahnhofes Leipzig, lieferte und montierte diese zwischen 1910 und 1915

Elsner, Dr.-Ing.; Regierungsbaumeister bei den höheren technischen Büros der Generaldirektion der Sächsischen Staatseisenbahn **

ELSNER; Regierungsbauführer ***

ERLER; Bauamtmann, mit Baurat PURUCKHERR von 1916 bis 1917 im Vorstand **

FALIAN; Oberbaurat, Vorstand der Eisenbahnbetriebsdirektion Leipzig I und II **

FERBER; Stadtbauamtmann, Obervermessungsinspektor im Tiefbauamt der Stadt Leipzig **

FEUEREISSEN; Regierungsbauführer ***

FISCHER; Regierungsbaumeister ***

FISCHER, Prof. THEODOR; Architekt, Stuttgart *

Flagge, Ingeborg, Dr., Bonn, schrieb den Essay zum Wettbewerb von HPP Hentrich-Petschnigg&Partner, Architekten, Düsseldorf, für die Modernisierung des Hauptbahnhofes Leipzig, der mit dem ersten Preis ausgezeichnet wurde

FOCHTMANN; Regierungsbaumeister ***

FRETZDORFF; Regierungsbaumeister beim Maschinenamt Leipzig **

FRIEDRICH; Regierungsbaumeister ***

FRIESSNER; Oberbaurat, Abteilungsvorstand in der Generaldirektion der Sächsischen Staatseisenbahn **

GEISSLER; Regierungsbauführer ***

GEORGI; Regierungsbaumeister beim elektrotechnischen Büro der Generaldirektion der Sächsischen Staatseisenbahnen **

GLINSKY, v.; Regierungsbaumeister beim Maschinenamt Leipzig **

GRÄGER; Oberbaurat, technischer Dezernent der Eisenbahndirektion Halle (S) bei der Planung und Ausführung der Bahnanlagen und des Hauptbahnhofes Leipzig

HAUSER; Baurat ***

HARKORT, GUSTAV (* 3. 3. 1795, † 28. 8. 1865); Bruder von FRIEDRICH HARKORT, Mitbegründer der Leipzig-Dresdner Eisenbahn-Compagnie, der Allgemeinen Deutschen Credit-Anstalt (ADCA) in Leipzig, Mitinhaber des Handelshauses Karl & Gustav Harkort

HEIDENREICH; Architekt, Charlottenburg; im Wettbewerb für das Empfangsgebäude des Hauptbahnhofes Leipzig (1906 bis 1907) wurde sein gemeinsam mit MICHEL und JACOBS geschaffener Entwurf angekauft

HEINEMANN; Bauinspektor beim Betriebsamt Leipzig II **

HEINRICH; Regierungsbaumeister beim Betriebsamt Leipzig II **

HERBIG; Bauamtmann ***

Henkel, Hermann, Dipl.-Ing. BDA, Architekt, Leiter von HPP Hentrich-Petschnigg&Partner, Düsseldorf. Im Wettbewerb für die Modernisierung des Hauptbahnhofes Leipzig errang der eingereichte HPP-Entwurf den ersten Preis und wurde in Zusam-

HERBIG; Bauamtmann ***

HEROLD, OTTO; Architekt in Berlin; im Wettbewerb für das Empfangsgebäude des Hauptbahnhofes Leipzig (1906 bis 1907) wurde sein gemeinsam mit RENTSCH geschaffener Entwurf angekauft

HETZEL, E.; Architekt, leitete die Ausführung des 1866 fertiggestellten Empfangsgebäudes des Dresdner Bahnofes in Leipzig, das er mit Oberingenieur PÖGE, Dresden, entwarf

HINKELDEYN; Oberbaudirektor, Berlin *

HOFMANN; Regierungsbaumeister beim Betriebsamt Leipzig II **

HOFMANN, Prof. ALBERT; Architekt, Baurat, Darmstadt *, schuf 1903 bis 1909 das Empfangsgebäude des Bahnofes Gießen

HOMILUS; Geheimer Baurat, Abteilungsvorstand bei der Generaldirektion der Sächsischen Staatseisenbahn **

HUBER, PAUL; Architekt, Wiesbaden; im Wettbewerb für das Empfangsgebäude des Hauptbahnhofes Leipzig (1906 bis 1907) wurde sein gemeinsam mit WERZ geschaffener Entwurf angekauft

HUBRIG; Regierungsbaumeister, Postbausekretär, war Bauleiter der Hochbauten des Postgüterbahnhofes Leipzig

JACOBS, R.; Architekt, Charlottenburg; im Wettbewerb für das Empfangsgebäude des Hauptbahnhofes Leipzig (1906 bis 1907) wurde sein gemeinsam mit HEIDENREICH und MICHEL geschaffener Entwurf angekauft

JUNGE; Regierungsbaumeister ***

KARIG; Ingenieur, Bauobersekretär beim Brückenbaubüro der Generaldirektion der Sächsischen Staatseisenbahn, bearbeitete den Vorentwurf für die Konstruktion der Längsbahnsteighallen

KÄUFLER; Regierungsbaumeister ***

KERN; Regierungsbauführer ***

KIRCHBACH v; bis 1910 Präsident der Generaldirektion der Sächsischen Staatseisenbahnen, leitete ab 1902 die Bearbeitung der grundlegenden Planung für die Leipziger Bahnhofsumbauten *

KLIEN; Geheimer Baurat, Abteilungsvorstand in der Generaldirektion der Sächsischen Staatseisenbahn **

KLINGHOLZ, Prof. FRITZ (* 1861, † 1921); Architekt, Regierungsbaumeister im preußischen Ministerium der öffentlichen Arbeiten, später Professor an der Technischen Hochschule Aachen, errichtete viele Bauten hessischer Bahnen, nahm an Wettbewerben für die Empfangsgebäude in Hamburg (1901), Metz (1902), Darmstadt und Leipzig (1906 bis 1907) teil; für den letztgenannten Entwurf erhielt er einen Zweiten Preis; entwarf die Empfangsgebäude für den Hauptbahnhof Essen (1897) und den Hauptbahnhof Wiesbaden, dessen Ausführung er bis 1907 auch leitete, sowie Bauten am Stettiner Bahnhof in Berlin

KNÖFEL, Regierungsbaumeister ***

KÖGLER; Dr.-Ing.; Regierungsbaumeister bei den höheren technischen Büros der Generaldirektion der Sächsischen Staatseisenbahn **

KÖHN; Regierungsbauführer ***

KREUL; Geheimer Baurat, Abteilungsvorstand in der Generaldirektion der Sächsischen Staatseisenbahn

KREY; Stadtbauamtmann im Tiefbauamt der Stadt Leipzig **

KRÖBER; Regierungs- und Baurat beim Betriebsamt I **

KRÖGER, JÜRGEN; Architekt, Berlin, erhielt einen Ersten Preis im Wettbewerb für das Empfangsgebäude des Hauptbahnhofs Leipzig (1906 bis 1907)

KÜHNE, Prof. MAX HANS (* 1874, † 1942); Architekt führte mit seinem Schwiegervater Professor LOSSOW ein Architekturbüro; erhielt mit LOSSOW einen Ersten Preis im Wettbewerb für das Empfangsgebäude des Hauptbahnhofes Leipzig, entwarf den Hauptbahnhof Sofia, das Schauspielhaus Dresden, das Hotel Astoria Leipzig, viele Wohnbauten, eine Bank in Bautzen, die Schokoladenfabrik Mauxion in Saalfeld u. a. Industriebauten

KUNZ, CARL THEODOR (* 1791, †19. 12. 1863); Ingenieur, Wasserbaudirektor, Geheimer Baurat des sächsischen Finanzministeriums, Oberbauleiter der Leipzig-Dresdner Eisenbahn, bis 1843 Oberbauleiter der Sächsisch-Bayerischen Eisenbahn, Mitbegründer des Sächsischen Ingenieurvereins

LANGE, OTTO (* 1879 in Gera, † 19. 12. 1944 in Dresden); Kunstmaler, gehörte der Dresdner Sezession »Gruppe 1919« an, schuf Supraportbilder für die Restaurants im Empfangsgebäude des Hauptbahnhofs Leipzig, die 1937 entfernt und, 1984 wiederaufgefunden, nach Konservierung ihren alten Platz erhielten

LEHMANN; Baurat der höheren technischen Büros der Generaldirektion der Sächsischen Staatseisenbahn **

LEHMANN; Baurat im elektrotechnischen Amt Leipzig **

LEHNERT, Prof. ADOLF; Bildhauer, schuf das am 30. Oktober 1927 in Leipzig enthüllte (und nicht mehr vorhandene) Friedrich-List-Denkmal

LEIDERITZ; Zimmermeister aus Leipzig, baute 1839 unter PÖTZSCH mit RICHTER die erste Bahnhofshalle des Dresdner Bahnhofes in Leipzig

LEMPE; Regierungsbaumeister bei den höheren technischen Büros der Generaldirektion der Sächsischen Staatseisenbahn **

LICHT, Prof. Dr.-Ing. HUGO; Architekt, Stadtbaurat, Erbauer des Neuen Rathauses Leipzig *

Lilienstern, v.; Oberbaurat, Vorstand der Eisenbahnbetriebsdirektion I und II **

Lindner; Oberbaurat beim maschinentechnischen Büro der Generaldirektion der Sächsischen Statseisenbahn **

List, Prof. Friedrich (* 6. 8. 1789 in Reutlingen, † 30. 11. 1848 in Kufstein); Nationalökonom, bedeutendster Vorkämpfer für Eisenbahnen in Deutschland, Professor in Tübingen (1817 bis 1820) verfaßte in den USA »Outlines of a new system of political economy« (Philadelphia 1827), gründete dort eine Kohlebergbau-Gesellschaft und Eisenbahn, schrieb nach seiner Rückkehr »Über ein sächsisches Eisenbahn-System als Grundlage eines allgemeinen deutschen Eisenbahn-Systems und insbesondere über die Anlegung einer Eisenbahn von Leipzig nach Dresden«, deren verdienstvoller Initiator er wurde; gründete 1835 das »Eisenbahn-Journal«; 1840 verlieh ihm die Universität Jena die Ehrendoktorwürde

Loebell; Postbauinspektor, wirkte mit beim Neubau des Postgüterbahnhofes und des Postamtes an der Brandenburger Straße

Lorenz, Alfred; Architekt, Hannover; im Wettbewerb für das Empfangsgebäude des Hauptbahnhofs Leipzig wurde sein Entwurf angekauft

Lossow, Prof. William (* 21. 7. 1852, † 24. 5. 1914); Architekt, seit 1906 Direktor der Kunstgewerbeschule Dresden, Geheimer Rat, gründete 1907 mit seinem Schwiegersohn Max Hans Kühne ein Architekturbüro, erhielt mit diesem einen Ersten Preis im Wettbewerb für das Empfangsgebäude des Hauptbahnhofes Leipzig (1906 bis 1907), Werke u. a. Hotel «Astoria» in Leipzig

Massmann; Oberbaurat, technischer Dezernent der Eisenbahndirektion Halle **

Meckel, Carl Anton; Architekt, Freiburg i. Br.; im Wettbewerb für das Empfangsgebäude des Hauptbahnhofes Leipzig (1906 bis 1907) wurde sein Entwurf angekauft

Melzer; Regierungsbauführer ***

Menzner; Oberbaurat **

Michaelis; Regierungs- und Baurat beim Betriebsamt Leipzig II **

Michel; Architekt, Charlottenburg; im Wettbewerb für das Empfangsgebäude des Hauptbahnhofes Leipzig wurde sein zusammen mit Heidenreich und Jacobs geschaffener Entwurf angekauft

Mirus; Eisenbahnbauinspektor, Baurat, Leiter der Hochbauabteilung *** für den Bau des Empfangsgebäudes und der größeren Hochbauten, entwarf das Grundrißschema für den Kopfbau des Hauptbahnhofs, das als Grundlage für den Wettbewerb (1906 bis 1907) diente, ferner das Umbauprojekt für den Hauptbahnhof Döbeln (1925), technische Mitarbeit beim Entwurf des Hauptbahnhofes Meißen (1928)

Möllering; Finanz- und Baurat im elektrotechnischen Büro der Generaldirektion der Sächsischen Staatseisenbahn **

Neuhaus, Friedrich; Baumeister, Geheimer Regierungs- und Baurat, Vorsitzender, technischer und Betriebsdirektor der Berlin-Hamburger Eisenbahn-Gesellschaft, schuf den Hamburger Bahnhof zu Berlin (1845 bis 1847) und zahlreiche Bahnhofsbauten der Berlin-Hamburger und Berlin-Stettiner Eisenbahn

Neumann; Bauamtmann im Werkstättenamt Engelsdorf **

Oehme; Geheimer Baurat, Abteilungsvorstand in der Generaldirektion der Sächsischen Staatseisenbahn **

Peters; Geheimer Baurat, Abteilungsvorstand in der Generaldirektion der Sächsischen Staatseisenbahn **

Petri; Regierungs- und Baurat beim Betriebsamt Leipzig II **

Platzmann; Regierungsbauführer ***

Pöge; Oberingenieur, Dresden, entwarf Empfangsgebäude und Halle des Dresdner Bahnhofes in Leipzig (1864 bis 1866)

Pommer, Max; bedeutender Leipziger Bauunternehmer, u. a. verantwortlich für den Bauabschnitt II der Querbahnsteighalle des Hauptbahnhofes Leipzig

Poppe; Regierungsbaumeister ***

Pötzsch, Eduard (* 6. 6. 1803 in Leipzig, † 21. 11. 1889 in Leipzig); Baumeister, Leipzig, schuf hier den ersten Bahnhofsbau, den Dresdner Bahnhof in Leipzig, den Bayrischen Bahnhof, viele Bürgerhäuser und Bauten der aufstrebenden Industrie in Leipzig

Rehbein; Regierungs- und Baurat beim Betriebsamt Leipzig I **

Reinhardt; Regierungsbaumeister ***

Rentsch, Ernst; Architekt, Berlin, im Wettbewerb für das Empfangsgebäude des Hauptbahnhofes Leipzig wurde sein gemeinsam mit Herold geschaffener Entwurf angekauft

Richter; Baurat im elektrotechnischen Amt Leipzig **

Richter; Baurat *** für maschinentechnische Angelegenheiten insbesondere für den Werkstättenbahnhof Engelsdorf

Richter; Zimmermeister in Leipzig, errichtete nach englischem Vorbild die Bahnsteighalle des ersten Leipziger Bahnhofs mit gewölbtem Bohlendach (1839)

Richter, Gerhard; Architekt im Entwurfs- und Vermessungbüro der Deutschen Reichsbahn, Außenstelle (Halle (S), wirkte mit am Wiederaufbau des Leipziger Hauptbahnhofes, insbesondere der Längsbahnsteighallen

Riedel; Regierungsbaumeiste beim Betriebsamt Leipzig II **

Rincklake, Prof. August, (* 15. 2. 1843 in Münster, † 19. 8. 1915 in Berlin); Architekt, Steinmetz, seit 1876 Professor für mittelalterliche Baukunst an der Technischen Hochschule Braunschweig, war überzeugter Vertreter mittelalterlicher Kunst, Bahnbrecher für neue Ideen, entwarf Umbau des Lübecker Bahnhofs (1880), den Braunschweiger Zentralbahnhof, den »Centralbahnhof« Leipzig, für den er 1888 als erster in Deutschland ein brückenartiges Empfangsgebäude über den Gleisanlagen vorschlug, äußerst vielseitiger, oft verkannter Architekt

Rothamel; Regierungsbauführer ***

Rothe; Baurat, Vorstand des Neubauamtes für die Bahnhofsbauten Leipzig (1912 bis Juli 1916)

Rüdell; Ingenieur, Geheimer Oberbaurat im Ministerium der öffentlichen Arbeiten Berlin, entwarf mit Merling und Schwartz den Bahnhof Hamburg-Dammtor, mit Biecker und Thömer den Bahnhof Koblenz (1905), leitete den Entwurf für den Hauptbahnhof Wiesbaden (1904 bis 1906) *

Schalkau; Regierungsbaumeister der Reichspost, wirkte mit am Neubau des Postgüterbahnhofes und des Postamtes an der Brandenburger Straße in Leipzig

Scheunert, Prof. Dr.-Ing.; bearbeitete Varianten für den Wiederaufbau der Querbahnsteighalle des Hauptbahnhofs Leipzig

Schlunk; Regierungsbaumeister beim Betriebsamt Leipzig II **

Achmedding; Geheimer Postrat, Postbaurat bei der Reichspostverwaltung **

Schmidt, Gerhard; Bauingenieur beim Entwurfs- und Vermessungsbüro der Deutschen Reichsbahn, bearbeitete Varianten für den Wiederaufbau der Querbahnsteighalle des Hauptbahnhofs Leipzig

Schmitz; Regierungs- und Baurat, technischer Dezernent der Eisenbahndirektion Halle (S) **

Schneider; Regierungsbaumeister beim Betriebsamt Leipzig II **

Schönberg, v.; Geheimer Baurat, Abteilungsvorstand in der Generaldirektion der Sächsischen Staatseisenbahn ***

Schönemann; Geheimer Baurat, technischer Dezernent der Eisenbahndirektion Halle (S) **

Schütze; Regierungsbaumeister **

Schwartz, Ernst; Architekt, Regierungs- und Baurat, Berlin, entwarf 1899 das Empfangsgebäude des Bahnhofes Kiel sowie mit Rüdell und Merling das Empfangsgebäude des Bahnhofes Altona (1901); im Wettbewerb für das Empfangsgebäude des Hauptbahnhofes Leipzig wurde sein Entwurf angekauft

Schwechten, Franz (* 12. 8. 1841 in Köln, † 11. 8. 1924 in Berlin); Baumeister, war 1885 Akademiemitglied, ab 1888 Mitglied des Senats, Baurat in Berlin; übernahm 1871 die Leitung des Projektierungsbüros der Berliner-Anhalter Bahn und schuf u. a. 1875 bis 1880 den Anhalter Bahnhof in Berlin *

SEIBT; Regierungsbauführer ***

SEIDEL; Vermessungsinspektor beim Tiefbauamt der Stadt Leipzig **

SENST; Regierungs- und Baurat, technischer Dezernent **

SEYDEWITZ, v.; Staatsminister, Leiter des sächs. Finanzministeriums.

SIXTUS; Regierungsbaumeister im elektrotechnischen Büro der Generaldirektion der Sächsischen Staatseisenbahn **

STARKE; Regierungsbaumeister ***

STARKE; Stadtbauamtmann im Tiefbauamat der Stadt Leipzig **

STECHE, Prof. RICHARD (* 17. 2. 1837 in Leipzig, † 3. 1. 1893 in Niederlößnitz); Architekt, Baurat, Kunsthistoriker, war Direktor des Sächsischen Altertumsvereins, Mitglied des Kuratoriums des Germanischen Museums Nürnberg; Werke: »Baugeschichte von Dresden« (1878), »Beschreibende Darstellung der älteren Bau- und Kunstdenkmäler im Königreich Sachsen« (I bis XV); seit 1880 Professor mit Lehrstuhl für Geschichte des Kunstgewerbes an der Technischen Hochschule Dresden; baute u. a. Bahnhöfe in Mecklenburg sowie das Empfangsgebäude des Eilenburger Bahnhofes in Leipzig (1874 bis 1876)

STEDTLER, ARMIN; Bauingenieur im Entwurfs- und Vermessungsbüro der Deutschen Reichsbahn, Außenstelle Halle (S), wirkte mit beim Wiederaufbau des Leipziger Hauptbahnhofes, insbesondere bei der Entwicklung einer neuen Dachkonstruktion für die Querbahnsteighalle

TÄUBERT; Baurat im Bauamt I **

THIEMANN; Regierungs- und Baurat bei Betriebsamt Leipzig I **

THIERSCH, Prof. FRIEDRICH v.; Architekt, München *

TOLLER, E.; Finanz- und Geheimer Oberbaurat, 1901 bis 1912 Chef des Neubauamtes für die Bahnhofsbauten Leipzig, Kommissar für die Ausführung des Hauptpersonenbahnhofes Leipzig, Abteilungsvorstand in der Generaldirektion der Sächsischen Staatseisenbahn ***

TRÖNDLIN, Dr. BRUNO (* 26. 5. 1835 in Leipzig, † 27. 5. 1908 in Dresden); Justizrat, Oberbürgermeister von Leipzig (1899 bis 1908) *

UTER; Finanz- und Baurat ***

VITTALI, WILHELM; Architekt, Karlsruhe, erhielt mit BILLING einen Zweiten Preis im Wettbewerb für das Empfangsgebäude des Hauptbahnhofes Leipzig (1906 bis 1907)

VOGT; Oberbaurat, Abteilungsvorstand in der Generaldirektion der Sächsischen Staatseisenbahn **

WÄGLER; Regierungsbaumeister im elektrotechnischen Büro der Generaldirektion der Sächsischen Staatseisenbahn **

WAGNER; Regierungsbaumeister **

WAGNER; Stadtbauamtmann im Tiefbauamt der Stadt Leipzig **

WALLOT, Prof. PAUL (* 26. 6. 1841 in Oppenheim a. Rh., † 10. 8. 1912 in Langenschwalbach); Baumeister, Baurat, Dresden, schuf das Reichstagsgebäude in Berlin (1884 bis 1989) und das Ständehaus in Dresden *

WEIDNER; Oberbaurat, Vorstand der Eisenbahnbetriebsdirektion Leipzig I und II **

WEINHOLD; Regierungs- und Baurat beim Maschinenamt Leipzig **

WENTZEL; Bauamtmann im Werkstättenamt Engelsdorf **

WENZEL; Regierungsbaumeister im elektrotechnischen Büro der Generaldirektion der Sächsischen Staatseisenbahnen **

WERZ, FRIEDRICH W.; Architekt, Wiesbaden; im Wettbewerb für das Empfangsgebäude des Hauptbahnhofs Leipzig wurde sein gemeinsam mit PAUL HUBER geschaffener Entwurf angekauft

WESSER, Dr.-Ing.; Bauamtmann, *** Hochbauabteilung für den Bau des Empfangsgebäudes des Hauptbahnhofes Leipzig **

WIEDEMANN; Regierungsbaumeister bei den höheren technischen Büros der Generaldirektion der Sächsischen Staatseisenbahn **

WIEGLEB, SIEGFRIED; Bauingenieur im Entwurfs- und Vermessungsbüro der Deutschen Reichsbahn, Außenstelle Halle (S), wirkte mit am Wiederaufbau des Hauptbahnhofes Leipzig, insbesondere an der Entwicklung neuer Dächer für die Längsbahnsteighallen

WILDFANG; Postbaurat bei der Reichspostverwaltung **

WINTER; Baurat ***, Bauamt II **

WOLLE, RUDOLF; Beton- und Stahlbetonbauunternehmer mit Pionierleistungen auf diesem Gebiet; u. a. verantwortlich für den Bauabschnitt III der Querbahnsteighalle des Hauptbahnhofes Leipzig (1914 bis 1915)

ZEUNER; Bauamtmann im maschinentechnischen Büro der Generaldirektion der Sächsischen Staatseisenbahn

438 Porträtrelief GUSTAV HARKORTS im ehemaligen Sitzungszimmer der Sächsischen Staatseisenbahnverwaltung, 1915

Wir schreiben über mehr als Dampf!

Spannende Abenteuer mit der Eisenbahn, computergesteuerte Modellbahn-Tests, originelle Werkstatt-Tips, einmalige Fotos, Geschichten von Menschen und Maschinen – bei uns finden Sie alles, was Modell und Vorbild an Faszination bieten.

Überzeugen Sie sich selbst! Wir schicken Ihnen gern ein kostenloses Probeheft zum Schnuppern.

Also gleich anfordern – per Postkarte, per Fax oder telefonisch.

MODELLEISENBAHNER
Pietsch + Scholten Verlag
Postfach 10 37 43, D-70032 Stuttgart
Olgastraße 86, D-70180 Stuttgart
Telefon (0711) 21 08 075
Fax (0711) 23 60 415 oder 21 08 074